UNE GUERRE
À 3 000 MILLIARDS
DE DOLLARS

Joseph E. Stiglitz
Prix Nobel d'économie
Linda J. Bilmes

UNE GUERRE
À 3 000 MILLIARDS
DE DOLLARS

Traduit de l'anglais (américain) par Paul Chemla

Fayard

Titre original :

The Three Trillion Dollar War.
The True Cost of the Iraq Conflict,
édité par W.W. Norton, New York.

ISBN : 978-2-213-63643-6

Ce livre est dédié à tous ceux qui sont morts en Irak et en Afghanistan, et à ceux qui y risquent encore leur vie. Il est aussi dédié aux anciens combattants, en particulier à ceux qui sont revenus invalides. Nous les remercions de leur sacrifice. Ils méritent tous les soins que nous pouvons donner.

Préface

Aujourd'hui, c'est clair : l'invasion de l'Irak a été une terrible erreur. Près de 4 000 soldats américains ont été tués. Plus de 58 000 ont été blessés, traumatisés ou sont tombés gravement malades. 7 300 autres ont été blessés, mutilés ou frappés par la maladie en Afghanistan[1]. 100 000 soldats américains sont rentrés de guerre avec des troubles psychiques graves, dont beaucoup seront des affections chroniques[2]. Si détestable qu'ait été le régime de Saddam Hussein, la vie actuelle du peuple irakien est bien pire. Les routes, les écoles, les hôpitaux, les centres sociaux, les musées ont été détruits. Il y a moins d'électricité et d'eau potable qu'avant la guerre[3]. Les violences religieuses sont constantes. L'Irak en plein chaos attire comme un aimant les terroristes de tout poil. L'invasion allait apporter à l'Irak la démocratie, servir de catalyseur à un grand changement au Moyen-Orient ! Cette idée apparaît maintenant comme un fantasme. Lorsque tout sera fini, nous aurons ajouté des milliers de milliards de dollars à notre dette nationale. L'invasion de l'Irak a aussi déclenché la hausse des prix du pétrole. Par ce biais et par d'autres, elle a affaibli notre économie.

Avec les souffrances humaines qu'a provoquées la guerre d'Irak, le seul fait de penser à son coût financier peut paraître odieux. La sécheresse des chiffres ne dira jamais la douleur

9

de ceux qui sont morts, mutilés, marqués à vie. Mais il est essentiel aussi de savoir combien coûte cette guerre.

Les prémisses sur lesquelles on l'a fondée étaient fausses. On a dit que Saddam Hussein était lié aux terribles attentats du 11 septembre contre le World Trade Center et le Pentagone. Sur la base d'un mauvais travail de renseignement, on a prétendu que l'Irak avait des armes de destruction massive, alors même que les inspecteurs de l'Agence internationale de l'énergie atomique disaient qu'il n'en avait pas. Beaucoup ont soutenu que la guerre serait courte et que la démocratie s'épanouirait en Irak. Enfin, il a été dit et répété que cette intervention ne coûterait pas grand-chose et s'autofinancerait.

La guerre s'est révélée immensément coûteuse, en sang comme en argent. Le coût budgétaire et économique total pour les États-Unis, estimons-nous, sera de l'ordre de 3 000 milliards de dollars – et le coût pour le reste du monde doublera peut-être ce chiffre. En un sens, ce livre porte sur ces 3 000 milliards, sur la facture de cette guerre que les États-Unis devront payer dans les décennies qui viennent, sur les raisons pour lesquelles les coûts réels sont à ce point supérieurs aux estimations initiales de l'administration Bush. Mais il est loin de se réduire à un simple chiffre. En examinant les coûts, nous parvenons à mieux comprendre les conséquences de la guerre, et à voir comment en sortir de la façon la moins préjudiciable.

L'Amérique a déjà payé un prix très lourd pour avoir envahi l'Irak. Le plus manifeste est celui qu'ont acquitté nos combattants et combattantes. Le prix économique est moins immédiatement visible. Les dépenses courantes, largement financées par l'emprunt, ont été grossièrement sous-estimées, et même les sommes considérables que nous avons dépensées n'ont pas suffi à atteindre nos objectifs ni à protéger nos soldats. Les coûts futurs, qui continueront à grimper après notre départ définitif d'Irak, ont été délibérément dissimulés.

Ils seront certainement gigantesques et pèseront pendant plusieurs générations. C'est la leçon de la guerre du Golfe de 1991. Ce conflit a duré moins de deux mois, avec peu de combats au sol et 694 550 militaires déployés dans la région. Les affrontements directs ont fait dans les rangs américains 147 morts et 467 blessés[4]. Les alliés des États-Unis (essentiellement l'Arabie Saoudite et le Koweït) ont financé l'essentiel des opérations militaires. Si l'on arrête l'addition à ce stade, on peut avoir l'impression que la guerre du Golfe a été pratiquement gratuite[5]. Mais c'est oublier le grand nombre d'anciens combattants qui souffrent d'une forme d'invalidité liée au conflit. Or, aujourd'hui – plus de seize ans après –, les États-Unis consacrent encore plus de 4,3 milliards de dollars *par an* à payer des indemnités, pensions et allocations d'invalidité à plus de 200 000 anciens militaires de la guerre du Golfe[6]. Nous avons déjà dépensé plus de 50 milliards de dollars en pensions d'invalidité pour cette guerre. Et même ce chiffre ne comprend pas le coût des traitements médicaux chroniques des anciens combattants, du maintien d'une présence militaire américaine au Koweït, de la recherche médicale sur les maladies du « syndrome de la guerre du Golfe[7] » et de tous les fonctionnaires nécessaires pour gérer ces programmes. Il ne comptabilise pas, même sommairement, les conséquences économiques générales de ce conflit, par exemple les pertes de revenus des 100 000 soldats qui ont été exposés aux produits chimiques liés audit syndrome de la guerre du Golfe, dont 40 000 ont des infirmités permanentes[8].

Pour parvenir au chiffre de 3 000 milliards de dollars, nous avons dû regarder au-delà des douteuses pratiques budgétaires de l'État et de sa comptabilité trompeuse. Peut-être la formule paraîtra-t-elle étrange, mais faire la guerre, c'est du *big business*. Aucune grande entreprise moderne n'essaierait de mener ses affaires sans l'information à jour, exacte, que lui fournit une bonne comptabilité. Mais les pratiques comptables de

11

l'État sont si exécrables que la société anonyme qui les imite-
rait serait aussitôt poursuivie par la Commission des opérations de Bourse pour « indications trompeuses ».

Comme la comptabilité douteuse d'une entreprise induit en
erreur les investisseurs, celle de l'État induit en erreur les
citoyens et provoque de grossières erreurs dans l'allocation
des ressources publiques. Lorsque le soldat Thomas Wilson,
du 278ᵉ RCT (unité de la garde nationale* du Tennessee alors
stationnée au Koweït), a posé à Donald Rumsfeld sa célèbre
question : « Pourquoi nous, soldats, devons-nous aller chercher dans les décharges locales des morceaux de ferraille et
de verre pare-balles abîmé pour améliorer le blindage de nos
véhicules ? », le secrétaire à la Défense a répondu : « On fait
la guerre avec l'armée qu'on a, pas avec l'armée qu'on vou-
drait avoir, qu'on pourrait avoir ou qu'on souhaite avoir plus
tard [9]. » En mars 2003, « l'armée que nous avions » manquait
désespérément des moyens nécessaires pour faire une guerre
de ce genre – comme les gilets pare-balles et les véhicules
blindés – et possédait quantité de sous-marins et autres matériels lourds conçus pour affronter l'ennemi de la guerre froide.
À cette même date, les responsables de l'Agence internationale de l'énergie atomique (institution qui avait mission de
vérifier que l'Irak n'avait pas d'armes de destruction massive)
nous ont demandé de bien vouloir leur accorder six mois de
plus pour terminer leur travail d'inspection. Mais nous étions
si pressés d'envahir l'Irak que nous avons ignoré l'AIEA. Et
nous avons envoyé nos jeunes hommes et jeunes femmes à
la bataille sans même une protection physique correcte. Les

---

* La garde nationale est la force armée la plus ancienne des États-
Unis, dont les origines remontent aux milices des premier colons d'avant
l'indépendance. Elle est mobilisable par les autorités des États fédérés
pour le maintien de l'ordre ou la réaction rapide aux catastrophes natu-
relles, mais elle sert aussi de réserve à l'armée américaine. (Toutes les
notes de bas de page sont du traducteur.)

comptes de l'État indiquent que nous avons assez peu dépensé pour l'invasion initiale de l'Irak – mais à présent nous devons assumer pour longtemps les coûts des soins à nos soldats blessés pendant cette période [10].

Cinq ans plus tard, un débat national est en cours aux États-Unis sur la façon de sortir de cette guerre. Rares sont ceux qui soutiennent ouvertement l'idée d'une occupation permanente. La question n'est pas de savoir si nous devons partir ou non, mais quand partir. C'est un problème que les économistes appellent *prise de décision intertemporelle*, et sur lequel les théories modernes de la décision ont beaucoup à dire. À notre première analyse des coûts de la guerre, le président George W. Bush a rétorqué que la politique militaire ne serait pas déterminée par des comptables à visière verte*. Il est pourtant évident que, pour faire des choix informés entre des options concrètes, le coût est *l'un* des facteurs à prendre en compte. Nos ressources ne sont pas infinies. Nous devons regarder en face la réalité de nos dépenses et de nos engagements pris à ce jour, et aussi les implications financières de nos choix futurs. Les décisions se prennent toujours avec une information imparfaite, mais les techniques économiques modernes peuvent nous aider à analyser plus clairement celle dont nous disposons, et à mieux décider dans ces mauvaises conditions.

Qu'ils pensent qu'il était juste ou non d'entrer en guerre, que la guerre a été bien ou mal dirigée, les Américains sont pratiquement unanimes sur un point : nous avons le devoir moral de fournir des soins et des pensions d'invalidité convenables à ceux qui ont risqué leur vie pour leur pays. Cela coûtera cher. L'État devra faire l'effort financier indispensable.

---

* C'est-à-dire avec une vision « étroitement comptable » des choses (au XIXᵉ siècle, les comptables américains portaient effectivement une visière pour se protéger les yeux et la couleur verte est celle du dollar).

Jusqu'à présent, l'administration Bush n'a pas préparé convenablement le retour des soldats de la guerre d'Irak, en tenant compte de la gravité de leurs blessures. Les hôpitaux pour anciens combattants sont sous-financés, dans de nombreuses villes les soins dont ils ont besoin n'existent pas, et la gestion des demandes de pension d'invalidité est longue et sinueuse. Il y a souvent des erreurs dans le traitement de ces dossiers : nos soldats doivent engager une procédure d'appel, repartir en guerre quand ils rentrent chez eux – cette fois contre la bureaucratie. En 2005, alors que le conflit battait son plein, le département des Anciens combattants (VA) a fondé sa demande de crédits budgétaires pour les soins aux anciens combattants sur des projections effectuées avant le début de la guerre. En 2006, année où l'insurrection était en plein essor, le VA a fondé sa requête sur des chiffres de 2003. Bien évidemment, il s'est trouvé à court d'argent – forçant ainsi le Congrès à lui affecter 3 milliards de dollars de crédits d'urgence pour le simple maintien en fonctionnement de ses programmes pendant ces deux années [11]. En 2007, le président a demandé à nouveau des milliards de « crédits complémentaires d'urgence » afin que les hôpitaux militaires et ceux du VA puissent gérer la « montée en puissance » du retour des blessés.

Même avec ces crédits d'urgence, nous nous sommes mal comportés avec nos anciens combattants. À leur retour, les hommes et femmes de nos armées ont dû payer le prix de l'impréparation. Le scandale du centre médical de l'armée de terre Walter-Reed à Washington l'a bien montré [12]. Comme nous le verrons au chapitre 3, Walter-Reed est la pointe émergée d'un iceberg de honte nationale. Les soldats blessés qui rentrent aux États-Unis sont pris dans un feu croisé de confusion bureaucratique entre le département de la Défense et celui des Anciens combattants. Résultat : les services délabrés de consultations externes, les interminables tracasseries administratives et les longs délais avant d'obtenir la moindre pension. Alors que près de 900 000 Américains sont encore déployés dans les opérations d'Irak et d'Afghanistan [13], il est important de rectifier ces erreurs pour qu'à l'avenir les prestations santé et invalidité des anciens combattants ne soient plus à la merci du caprice politique – comme elles le sont depuis cinq ans.

Ce qui est vrai de nos soldats est vrai de notre armée en général : lui rendre la santé va coûter cher. Il nous faudra restaurer la puissance des forces armées américaines à son niveau d'avant la guerre, et reconstruire des institutions comme la garde nationale : il y a sur ces points un large consensus. Les autorités militaires ont aussi annoncé des plans d'expansion des effectifs d'ici à 2012. Ces projets seront onéreux. Le coût total n'est pas pleinement évalué, encore moins inscrit au budget de la Défense.

Le problème n'est pas de savoir si l'Amérique peut s'offrir une dépense de 3 000 milliards de dollars. Nous le pouvons. Le revenu du ménage américain représentatif ayant frisé les 70 000 dollars en 2006, nous avons largement de quoi le faire [14]. Même si nous en jetions 10 % par les fenêtres, nous ne serions pas plus pauvres qu'en 1995, et nous étions alors un pays riche et prospère. Il n'y a pas le moindre risque que 1 000, 2 000 ou 3 000 milliards de dollars acculent les États-Unis à la faillite. Mais la vraie question, la voici : qu'aurions-nous pu faire avec 1 000, 2 000 ou 3 000 milliards ? Qu'avons-nous dû sacrifier ? Quel est, pour user du jargon de l'économiste, le coût d'opportunité ?

Au début de son second mandat, le président Bush a évoqué la gravité de la crise de la Social Security *. Au lieu de financer

---

* Social Security est la dénomination courante de l'OASDHI (Old Age, Survivors, Disability and Health Insurance), dont le rôle principal est le paiement des pensions de retraite. Mais cet organisme verse aussi des pensions d'invalidité « civiles » à ceux qui, après avoir exercé un emploi et cotisé un certain temps, deviennent totalement incapables de

la guerre d'Irak, nous aurions pu résoudre ce problème pour un demi-siècle [15].

Aujourd'hui, un site Internet du National Priorities Project détaille les coûts militaires directs et immédiats de la guerre [16]. Avec 1 000 milliards de dollars, nous aurions pu construire 8 millions de logements ; embaucher 15 millions d'enseignants dans les écoles publiques pendant un an ; payer à 120 millions d'élèves un an de classe « Bon départ* » ; offrir à 530 millions d'enfants l'assurance maladie pendant un an, ou à 43 millions d'étudiants d'université une bourse d'études pendant quatre ans. Maintenant, multipliez par trois.

Ajoutons que, si nous avions choisi ces autres façons de dépenser 1 000 ou 2 000 milliards de dollars, nous aurions, évidemment, renforcé notre sécurité nationale. Comme nous l'expliquerons au chapitre 5, si nous avions investi cet argent dans l'éducation, la technologie et la recherche, la croissance aurait été plus élevée, et nous nous serions retrouvés en position beaucoup plus forte face aux défis de l'avenir. Si une partie de l'argent orienté vers la recherche avait été consacrée aux énergies alternatives ou à de nouvelles incitations aux économies d'énergie, nous aurions réduit notre dépendance à l'égard du pétrole. La baisse des prix pétroliers qui aurait suivi aurait eu un impact évident sur le financement de certaines menaces actuelles contre la sécurité des États-Unis.

Avec moins encore que les dépenses publiques directement consacrées à la guerre, nous aurions pu tenir notre engagement de porter l'aide aux pays en développement à 0,7 % du PIB — ce qui aurait été un énorme progrès pour le bien-être des milliards de personnes qui vivent aujourd'hui dans la pauvreté.

---

travailler pendant plus d'un an : c'est surtout à ce titre qu'il en est question dans ce livre.

* Il s'agit du programme Head Start, qui finance des organismes locaux menant une action multiforme pour assurer un « bon départ » aux enfants des milieux défavorisés, notamment d'âge préscolaire.

Les États-Unis donnent environ 5 milliards de dollars par an à l'Afrique, le continent le plus pauvre du monde. C'est moins de dix jours de combats. Avec 2 000 milliards de dollars, nous pourrions tenir pour un tiers de siècle les promesses que nous avons faites aux pays pauvres.

Nous aurions pu organiser un plan Marshall pour le Moyen-Orient, ou pour les pays en développement, qui aurait peut-être réussi à gagner réellement les cœurs et les esprits. Pour satisfaire des ambitions plus modestes, il aurait suffi d'un petit pourcentage de ce que nous avons déjà dépensé en Irak. Le monde s'est engagé à éliminer l'analphabétisme d'ici à 2015. Pour financer intégralement cette campagne, il faudrait environ 8 milliards de dollars par an. Deux semaines de guerre, en gros [17]. Nous avons même saboté nos propres efforts pour aider les Irakiens à reconstruire leur pays. En 2003, le Congrès a voté une aide à la reconstruction de l'Irak de 18,4 milliards de dollars – trois fois par Irakien ce que le plan Marshall avait dépensé par Européen. Mais, au lieu d'utiliser immédiatement ces fonds pour réparer le réseau électrique, les raffineries de pétrole ou les écoles, les États-Unis en ont immobilisé l'essentiel dans d'interminables affrontements bureaucratiques entre le bureau des achats du Pentagone et le Congrès. Un an plus tard, la situation sécuritaire en Irak s'était dégradée, et nous nous étions discrédités. Une bonne part de cet argent a été redirigée vers les activités militaires, et le reste n'a pas du tout été dépensé.

Nous aurions même pu consacrer cet argent à réduire les impôts de l'Américain moyen. Pour les Américains des classes moyennes, les dernières années n'ont pas été bonnes : le revenu médian (celui dont on peut dire que la moitié des ménages gagne plus et l'autre moitié gagne moins) est aujourd'hui plus bas qu'en 1999 [18]. Pour le ménage américain représentatif, l'argent dépensé en Irak était important : si les impôts du contribuable avaient été réduits en proportion, ou si cet

17

argent avait servi à créer une assurance maladie, cela aurait beaucoup aidé ces familles de classe moyenne soumises à forte pression. Il y a eu un autre coût d'opportunité non moins éloquent : même si un petit pourcentage des ressources militaires rares que nous avons consacrées à l'Irak avait été dépensé en Afghanistan, nous aurions peut-être fait plus pour accomplir la mission que nous nous étions fixée dans ce pays. Aujourd'hui, nous avons deux bourbiers.

Il y avait donc des milliers de moyens de mieux dépenser cet argent, qui auraient laissé un pays plus sûr et plus prospère, donc mieux préparé face aux menaces futures.

Ce livre est fondé sur un article scientifique publié en janvier 2006, où nous avons avancé une évaluation prudente du coût du conflit en cours : de 1 000 à 2 000 milliards de dollars. Notre objectif était simple : déterminer combien coûtait vraiment la guerre. Qu'il fût favorable ou hostile à l'action des États-Unis dans la région, nous estimions que tout électeur avait le droit de le savoir.

Pour beaucoup de lecteurs, nos chiffres ont sonné juste : les Américains sentaient bien que la guerre leur coûtait fort cher. L'administration Bush et ses partisans n'ont pas vraiment tenté de les contester. Il y a eu quelques critiques techniques et, dans ce livre, nous avons fait de gros efforts pour y répondre [19]. Elles nous accusaient surtout de ne pas avoir tenu compte des bénéfices de la guerre. Un défenseur de l'intervention a fait valoir, par exemple, que « le conflit a entraîné de gros progrès du bien-être économique de la plupart des Irakiens, par rapport aux perspectives qui étaient les leurs dans le cadre de la politique d'endiguement [qui avait précédé la guerre] [20] ».

Dans ce livre comme dans l'article original, nous avons bien l'intention de nous concentrer sur les coûts, parce qu'on peut les mesurer avec une certaine précision. Il existe évidemment de nombreux coûts importants qui ne sont pas mesurables avec exactitude, et, même s'ils peuvent être lourds, nous ne les inté-grons pas à notre addition de 3 000 milliards de dollars. Quant aux bénéfices, s'ils sont plus difficiles à chiffrer, il paraît tout à fait invraisemblable qu'ils soient élevés. (Débarrasser le monde de Saddam Hussein est certes un bénéfice, mais la valeur de son absence n'est pas quantifiable.) La qualité de la vie en Irak, mesurée au manque d'électricité, à l'énorme taux de chômage, à l'exode massif hors du pays, aux effectifs considérables des déplacés de l'intérieur, à l'effondrement des classes moyennes et à la montée en flèche de la violence, sug-gère qu'à part la chute de Saddam Hussein la guerre n'a rien apporté de bon au peuple irakien. En dehors des industries américaines du pétrole et de l'armement, on a du mal à voir un vrai vainqueur.

Nous sommes tous deux ardemment opposés à la guerre, et nous étions contre depuis le début. La plupart des problèmes étaient clairs avant même l'entrée en guerre. Nous tenons à le préciser : nous n'analysons pas ici les erreurs et les échecs en infaillibles stratèges du lendemain. Ce qui est si accablant dans la débâcle irakienne, c'est que presque tous les problèmes étaient prévisibles – et prédits.

En tant qu'experts en sciences sociales, nous avons tous deux étudié l'économie du secteur public et tenté de comprendre comment fonctionnent les États, quels méca-nismes systémiques les conduisent souvent à l'échec, et ce qu'on peut faire pour les aider à mieux satisfaire les besoins des citoyens. Nous avons l'un et l'autre abordé le problème en théoriciens mais aussi en praticiens. Pendant des années, nous avons servi à des postes politico-techniques dans l'admi-nistration Clinton, en nous efforçant de mettre en pratique nos idées pour rendre l'État plus efficace, plus à l'écoute de la population, plus responsable – et de créer de meilleurs sys-tèmes comptables pour y parvenir. Nous estimons que l'État a un rôle important à jouer dans notre société, comme les marchés en ont un aussi. Souvent, les marchés ne fonctionnent pas comme on le souhaite, et on peut en dire autant de l'État. L'échec en Irak n'a pas été le résultat d'une seule erreur, mais l'aboutissement de dizaines d'erreurs commises pendant des années. Les chercheurs en sciences sociales s'efforcent de comprendre les origines systémiques de ces « échecs », et de mettre au point des réformes capables de réduire leur fréquence et d'adoucir leurs conséquences. Aux spécialistes de « l'échec de l'État », la guerre d'Irak offre une belle étude de cas.

Conscients de notre parti pris potentiel, nous en avons tenu compte dans cette étude. Nous avons fait preuve, nous en sommes persuadés, d'une prudence *exagérée*. Même avec ces méthodologies minimalistes, nous arrivons à des chiffres qui donnent le tournis – et cela bien que nos estimations quantitatives omettent d'énormes coûts parce qu'on ne peut les mesurer avec précision.

Certains diront que nous n'avons pas pris en compte les bénéfices de la guerre. Nous plaidons coupables. Il était amplement prouvé *avant* l'invasion que son prétendu bénéfice essentiel – la destruction d'armes de destruction massive – était sans fondement[21] : notre conviction a été confirmée par les faits. Il était amplement prouvé *avant* l'invasion qu'il n'existait aucun lien entre Al-Qaïda et l'Irak, mais que l'invasion risquait de multiplier les terroristes : cette conviction-là aussi a été confirmée par les faits. Il était amplement prouvé *avant* l'invasion qu'elle ne rendrait pas le pétrole moins cher ni notre approvisionnement en brut plus stable : là encore, ce que nous pensions s'est révélé vrai. Et même si des bénéfices devaient apparaître inopinément, il faudrait tout de même, pour décider juste, une estimation des coûts la plus exacte possible. C'est ce que ce livre entend apporter.

Remerciements

Démêler l'écheveau des coûts de la guerre n'a pas été facile, et aurait été impossible sans l'aide de nombreuses personnes.

Puisque tant de chiffres et d'informations qui auraient dû être à la disposition du public ne l'étaient pas, il a fallu obtenir certains éléments cruciaux en faisant jouer le Freedom of Information Act (FOIA). Nous remercions Paul Sullivan de l'association Veterans for Common Sense, qui nous a aidés à comprendre la situation dans laquelle se trouvent les anciens combattants à leur retour des guerres d'Irak et d'Afghanistan, et qui nous a transmis des données capitales provenant du département de la Défense et de celui des Anciens combattants, auxquelles il a eu accès grâce au FOIA.

L'aide de Robert Wescott a été particulièrement précieuse pour l'examen des estimations des coûts macroéconomiques. Une première version de notre analyse a été présentée lors d'une session commune de l'American Economic Association/ Economists for Peace and Security à Boston en janvier 2005, et la discussion avec d'autres participants – William Nordhaus, Bassam Yousif, Steve Kosiak et tout spécialement Alan Sinai – a été particulièrement utile. Robert Hormats nous a fait part de ses idées sur le coût de la guerre et sur les problèmes que pose son financement par le déficit. William Pfaff et Jamie Galbraith ont lu attentivement certaines parties du manuscrit.

21

Nous avons été aidés dans nos recherches par Giselle Guzmán, Fang He, Izzet Yildiz et Dan Choate, assistants de recherche de l'université Columbia. D'autres méritent nos remerciements à Columbia : Jesse Berlin et Deborah Lizak. Nous exprimons une gratitude particulière à Jill Blackford, qui nous a aidés dans tous les aspects de la recherche et de la mise au point, puis a accompli un travail héroïque pour faire du livre, finalement, un ensemble cohérent. Un petit travail de correction syntaxique et lexicale a été effectué par le très compétent Graham Watts, avec Samantha Marshall et Amy Prince.

À Harvard, nous souhaitons particulièrement remercier Brian Iammartino, dont l'aide a été inestimable dans la mise au point du modèle des coûts, et deux étudiants, Tony Park et le doctorant John Horton, lui-même ancien combattant invalide de la guerre d'Irak (blessé au combat), pour leurs contributions à la recherche. Merci également aux deux assistants exceptionnels qu'ont été Michael Johnson et Jamie Georgia. Nous remercions aussi Michael McGeary du National Institute of Medicine pour nous avoir patiemment expliqué le système d'indemnisation de l'invalidité et avoir examiné en détail le problème de l'indemnisation des amputations. Nous voudrions aussi remercier David Gorman et Joe Violante, de l'association Disabled American Veterans, David Sevier, de la Commission on the Future of America's Veterans, et Paul Rieckhoff, de l'association Iraq and Afghanistan Veterans of America, de nous avoir aidés à comprendre le système des pensions d'invalidité des anciens combattants, la difficulté de la transition du statut de militaire à celui d'ancien combattant, et les épreuves subies à leur retour par les soldats des guerres en cours. Nous remercions également le sous-lieutenant Matthew Fecteau, qui sert dans l'armée de terre américaine en Irak depuis 2006, de sa générosité, de son courage et de ses efforts pour nous faire comprendre les réalités quotidiennes de la vie dans la zone de guerre. Nous exprimons notre reconnaissance à Nick Kitchen, doctorant de la London School of Economics, qui nous a aidés à analyser les coûts pour la Grande-Bretagne, à Susan Anderson, de la Massachusetts Bar Association, qui nous a expliqué comment s'y prennent les jurys pour calculer des indemnités en cas de décès et de blessure grave, et à l'économiste Matt Goldberg, du Congressional Budget Office, qui a pris le temps d'examiner en détail avec nous la méthodologie du CBO.

Nous devons beaucoup à plusieurs médecins qui nous ont aidés à comprendre les lésions cérébrales traumatiques et l'état de stress post-traumatique, notamment le Dr Charles Marmar et le Dr Karen Seal du Veterans Hospital de San Francisco ; le Dr Dan Lowenstein, professeur de neurologie à l'UCSF Medical School ; le Dr Maureen Strafford de Cambridge, Mass. ; et le Dr Gene Bolles, ancien chirurgien-chef du centre médical régional de Landstuhl (Allemagne).

Chez Norton, nous tenons à remercier notre éditeur Drake McFeely, sa collègue Kyle Frisina, et tout spécialement Brendan Curry, qui a été très efficace et patient tout au long du processus de correction. Chez Penguin, nous sommes encore une fois très redevables à Stuart Proffitt. Une fois de plus, le gros du travail de mise en forme a été réalisé par Anya Schiffrin, qui a lu patiemment toutes les versions successives du manuscrit et contribué à toutes les étapes de sa rédaction. L'idée de ce livre vient de son père, l'éditeur André Schiffrin, qui a fait aussi des suggestions inappréciables sur la façon de le structurer. Une grande partie de l'intérêt du livre est à mettre au crédit de Jonathan Hakim, qui a passé d'innombrables heures à perfectionner le modèle des coûts, a aidé à corriger plusieurs chapitres, et n'a cessé de donner des perspectives et orientations éclairantes. Enfin, nous rendons hommage au regretté Dr Murray Bilmes, qui a servi dans les rangs de l'U.S. Army dans le Pacifique pendant la Seconde Guerre mondiale.

1

3 000 milliards, vraiment ?

Le 19 mars 2003, les États-Unis et leur « Coalition des volontaires » ont envahi l'Irak. L'attaque, « Choc et effroi », a été retransmise par les télévisions du monde entier : témoins des destructions, nous nous sommes demandé ce qu'il allait advenir de ce pays. L'écrasement presque immédiat des forces de Saddam Hussein n'a pas surpris : les États-Unis dépensent presque autant en armements que le reste du monde réuni[1]. À cette date, l'économie irakienne pesait moins de 1 % de la leur. Après dix ans de guerre absurde avec l'Iran, où des centaines de milliers d'Irakiens étaient morts[2], il y avait eu la guerre du Golfe, où 75 000 à 105 000 autres soldats irakiens avaient péri[3], puis plus de dix ans de sanctions. Il eût été ahurissant que les États-Unis ne parviennent pas à submerger promptement l'armée irakienne.

Le triomphalisme du président Bush sur le pont de l'USS *Abraham Lincoln*, un peu plus de six semaines après le début de la guerre, devant une banderole proclamant : « Mission accomplie », avait quelque chose d'inconvenant. Notamment parce que la mission n'avait pas été accomplie. Elle ne consistait pas à vaincre l'armée irakienne – ce dénouement était prévu –, mais à construire une démocratie viable. Pour les

25

architectes néoconservateurs de la politique américaine, l'Irak n'était qu'un début. Ils se proposaient de créer un nouveau Moyen-Orient démocratique, qui établirait enfin une paix durable entre Israël et la Palestine. Cette mission-là non plus n'a pas été accomplie, et aujourd'hui le rêve d'un Irak stable, libre et démocratique semble aussi lointain qu'il l'a toujours été.

Le 19 mars 2008, cela fera cinq ans que les États-Unis sont en Irak – plus que nos trois ans et huit mois d'engagement dans la Seconde Guerre mondiale ; que nos deux ans et deux mois de participation à la Première ; que les trois ans et un mois de la guerre de Corée ; et même que les quatre années de la guerre de Sécession, où les Américains se sont battus entre eux. Pourtant, les choses n'ont guère progressé en Irak pendant ces cinq ans. Le pays a sombré dans un conflit fratricide et l'instabilité s'est accrue dans toute la région. La haine des États-Unis est palpable au Moyen-Orient, et elle s'est répandue dans le monde entier. Selon le Pew Global Attitudes Project, les États-Unis sont perçus dans de nombreux pays, dont certains sont des alliés de longue date, comme la plus grave menace contre la paix mondiale – ils paraissent plus dangereux que l'Iran et la Corée du Nord[4], les deux pays que le président Bush a rangés, aux côtés de l'Irak, dans l'« axe du mal ».

En Irak, on voit dans les soldats américains des occupants, pas des libérateurs : à en croire les sondages, 70 % des Irakiens veulent que les États-Unis s'en aillent[5]. Le PIB de l'Irak n'est remonté à son niveau d'avant guerre que tout récemment[6]. Au moins un Irakien sur quatre est au chômage. Le manque d'électricité est devenu le symbole du terrible échec de la reconstruction. Il ne fournit pas seulement un indicateur quantitatif du désastre : il signifie qu'il n'y a pas d'air conditionné, pas de réfrigération. La chaleur torride fait bouillir les esprits et pourrir les denrées. À Bagdad, on n'a du courant électrique

que quelques heures par jour, environ moitié moins qu'avant la guerre. Il y a controverse sur le nombre exact d'Irakiens qui ont péri de mort violente jusqu'à présent : les diverses estimations vont de 100 000 à plus de 150 000 ; si l'on ajoute l'accroissement des taux de mortalité dû à d'autres causes, la « surmortalité » pourrait être de 700 000 ou davantage. Les chiffres les plus élevés sont ceux que l'on obtient par les techniques statistiques normales[7].

La classe moyenne, si essentielle au fonctionnement d'une société démocratique, a été détruite – même l'homme choisi par l'Amérique pour être le premier Premier ministre du pays après l'occupation, Iyad Allaoui[8], a vigoureusement souligné cette réalité. Près de deux millions de réfugiés irakiens sont dispersés dans le monde entier. Ils s'ajoutent aux deux autres millions qui sont des déplacés de l'intérieur – déracinés de leur localité mais restés dans le pays[9]. La plupart de ceux qui ont fui l'Irak se sont rendus en Jordanie et en Syrie, mais un peu plus de 26 000 Irakiens ont demandé l'asile ou le regroupement familial en Suède jusqu'en 2006, et 20 000 autres ont dû le faire en 2007. La Suède est un pays beaucoup plus petit que les États-Unis, mais elle a accueilli plus de réfugiés que les 1 608 admis en Amérique à la date d'octobre 2007[10]. Si les États-Unis avaient laissé entrer le même pourcentage de réfugiés que la Suède en proportion de leur population, ils en auraient accepté près de 900 000.

La sous-estimation du coût de la guerre

L'administration Bush a eu tort sur les bénéfices à attendre de la guerre et elle a eu tort aussi sur ses coûts. Le président et ses conseillers s'attendaient à un conflit rapide et bon marché. Nous avons eu une guerre plus onéreuse que nul n'aurait pu l'imaginer. Le coût des opérations militaires américaines directes – qui ne comprend même pas des dépenses à long terme comme les soins aux anciens combattants blessés – dépasse déjà à ce jour celui des douze ans de guerre au Vietnam et représente plus du double du coût de la guerre de Corée. Même dans le scénario le plus favorable, les projections indiquent que la guerre d'Irak va coûter près de dix fois plus que la guerre du Golfe, près d'un tiers de plus que la guerre du Vietnam et le double de la Première Guerre mondiale [11]. La seule guerre plus onéreuse de notre histoire est la Seconde Guerre mondiale, où 16,3 millions de soldats américains se sont battus pendant quatre ans, à un coût total (en dollars constants 2007, compte tenu de l'inflation) d'environ 5 000 milliards de dollars [12]. Dans ce conflit où la quasi-totalité des forces armées était engagée contre les Allemands et les Japonais, le coût par soldat (en dollars 2007, toujours) était inférieur à 100 000 dollars. La guerre d'Irak, en revanche, coûte (*directement*) plus de 400 000 dollars par soldat [13].

La sous-estimation chronique des coûts s'est poursuivie tout au long de la guerre. En janvier 2007, l'administration a estimé qu'il lui faudrait 5,6 milliards de dollars pour déployer les 21 000 soldats supplémentaires nécessaires à son projet de « montée en puissance[*] » des effectifs. Mais cette évaluation ne représente que le coût du déploiement des unités de combat proprement dites pendant quatre mois. Selon le Congressional Budget Office (CBO), organisme non partisan, la « montée en puissance » exigera aussi le déploiement de 15 000 à 28 000 autres soldats, chargés du soutien logistique aux combattants, ce qui portera le coût total à 11 milliards de dollars au moins

---

[*] Le 10 janvier 2007, après des combats intensifs avec l'insurrection irakienne, notamment dans un quartier de Bagdad peu éloigné de la « Zone verte », le président George Bush annonce dans un grand discours qu'il a décidé une « montée en puissance » (*surge*) des effectifs en Irak : l'envoi de cinq brigades supplémentaires de l'armée de terre, soit 21 000 soldats.

(pour quatre mois) ; et il faudra compter de 27 à 49 milliards de dollars si la « montée en puissance » dure de douze à vingt-quatre mois[14]. Même cette évaluation très supérieure ne tient aucun compte des coûts à long terme en matière de frais médicaux et pensions d'invalidité des anciens combattants, ni du coût de remplacement du matériel que ces troupes supplémentaires vont utiliser. Et elle n'intègre pas non plus d'autres coûts de la « montée en puissance » que le CBO a signalés dans un rapport séparé, dont la moindre disponibilité de ces troupes pour d'autres conflits potentiels pendant une période bien plus longue que celle de leur déploiement effectif[15].

La plupart des Américains n'ont encore rien ressenti de ces coûts. Le prix du sang a été payé par nos engagés volontaires et par des contractants rémunérés. Le prix en dollars a été, en un sens, entièrement financé par l'emprunt. On n'a pas augmenté les impôts pour le payer, on a même réduit ceux des riches. La dépense par le déficit crée l'illusion, elle fait croire que nous pouvons abroger les lois de l'économie, avoir à la fois le beurre et les canons. Ces lois ne sont évidemment pas abolies. Les coûts de la guerre sont réels même s'ils ont été différés, transmis peut-être à une autre génération. Mais, avant de les examiner, voyons ce qu'en disait l'administration quand nous sommes entrés en guerre.

Les premières évaluations du coût de la guerre

À la veille de la guerre, il y a eu débat sur les coûts à prévoir. Larry Lindsey, conseiller économique du président Bush et président du National Economic Council, suggéra qu'ils pourraient se monter à 200 milliards de dollars[16]. Mais cette estimation fut récusée par le secrétaire à la Défense Donald Rumsfeld, qui la qualifia d'« idiotie »[17]. Son adjoint, Paul Wolfowitz, laissa entendre que la reconstruction d'après guerre pourrait s'autofinancer par l'augmentation des revenus pétroliers[18]. Le directeur de l'Office of Management and Budget, Mitch Daniels, et le secrétaire à la Défense Rumsfeld situaient les coûts dans une fourchette de 50 à 60 milliards de dollars, dont une partie, pensaient-ils, serait financée par d'autres pays. (Si l'on convertit en dollars constants 2007 pour tenir compte de l'inflation, ils prévoyaient que la guerre coûterait entre 57 et 69 milliards de dollars[19].)

Toute l'administration Bush évoquait le sujet sur un ton désinvolte, comme si les sommes dont il s'agissait étaient minimes. Quand Ted Koppel, de la chaîne de télévision ABC, a interviewé dans l'émission *Nightline*, en avril 2003, Andrew Natsios, l'administrateur très respecté de l'Agency for International Development, celui-ci a affirmé avec force qu'on pourrait reconstruire l'Irak pour 1,7 milliard de dollars :

TED KOPPEL : Bien. [...] Quand vous dites 1,7, vous ne suggérez tout de même pas que la reconstruction de l'Irak va se faire pour 1,7 milliard de dollars ?

ANDREW NATSIOS : Eh bien, en termes de participation du contribuable américain, oui, c'est ce que je dis, c'est la part des États-Unis. Le reste de la reconstruction sera financé par d'autres pays qui ont déjà pris des engagements, la Grande-Bretagne, l'Allemagne, la Norvège, le Japon, le Canada ; et les Irakiens, finalement, dans plusieurs années, quand le secteur du pétrole sera opérationnel et qu'il y aura un nouveau gouvernement démocratiquement élu, finiront le travail sur leurs propres revenus. Ils vont avoir 20 milliards de dollars par an de revenus pétroliers. Mais la part américaine de tout cela, ce sera 1,7 milliard de dollars. Nous n'avons aucun projet de financement supplémentaire dans ce domaine...

TED KOPPEL : Je voudrais être sûr de vous avoir bien compris. Vous dites que le coût plafond pour le contribuable américain, ce sera 1,7 milliard de dollars. Pas plus ?

ANDREW NATSIOS : Pour la reconstruction, oui. Et, par ailleurs, il y aura 700 millions de dollars dans le budget supplémentaire pour l'aide humanitaire, que nous ne cherchons pas à capter en faisant une offre plus compétitive parce que ce sont les organisations de bienfaisance qui reçoivent cet argent.

TED KOPPEL : Je comprends. Mais, pour la reconstruction, le contribuable américain ne sera prélevé que de 1,7 milliard de dollars, pas davantage, quel que soit le temps nécessaire pour la mener à bien ?

ANDREW NATSIOS : C'est notre plan et c'est notre intention. Quant à ces chiffres, ces chiffres extravagants que j'ai vus, il y a là-dedans, je dois le dire, un tantinet d'esbroufe publicitaire[20].

Même Lindsey, après avoir dit que le conflit pourrait coûter 200 milliards de dollars, avait ajouté : « La guerre menée avec succès serait bonne pour l'économie[21]. »

Rétrospectivement, il apparaît que Lindsey a grossièrement sous-estimé tant les coûts de la guerre elle-même que ceux qu'elle inflige à l'économie. Si l'on suppose que le Congrès va approuver le reste des 200 milliards de dollars de crédits de guerre supplémentaires demandés pour l'exercice 2008, il aura affecté au total, à l'heure où ce livre va sous presse, plus de 845 milliards de dollars aux opérations militaires, à la reconstruction, aux frais d'ambassade, au renforcement de la sécurité dans les bases américaines et aux programmes d'aide extérieure en Irak et en Afghanistan[22].

Alors que la cinquième année de guerre tire à sa fin, les coûts de fonctionnement pour 2008 (ceux de la guerre elle-même, les « dépenses courantes », pourrait-on dire) devraient, selon les projections, dépasser les 12,5 milliards de dollars par mois pour le seul conflit irakien – bien plus que les 4,4 milliards de dollars de 2003 –, soit au total 16 milliards de dollars par mois si l'on ajoute l'Afghanistan. 16 milliards de dollars, c'est le budget annuel de l'ONU, ou de tous les États fédérés des États-Unis sauf treize. Et ce chiffre ne comprend pas les 500 milliards de dollars par an que nous dépensons déjà pour les dépenses *ordinaires* du département de la Défense. Il ne comprend pas non plus d'autres frais dissimulés, comme ceux du renseignement[23], ni les dépenses effectuées avec des crédits inscrits aux budgets d'autres ministères.

De plus, comme nous le verrons plus loin dans ce chapitre (et plus complètement au chapitre 4), ces coûts purement budgétaires, malgré leur énormité, ne représentent qu'une fraction du coût global de la guerre.

Si ce livre porte sur la guerre d'Irak, il est bien difficile, en pratique, de distinguer les montants réels des crédits budgétaires dépensés en Irak, en Afghanistan et dans les opérations qui leur sont liées[24]. Certes, le budget présidentiel pour l'exercice 2008 demande des crédits séparés pour l'Irak et pour l'Afghanistan, mais le département de la Défense donne peu d'informations détaillées sur ses dépenses. Crédits de guerre et crédits ordinaires viennent se mêler dans les mêmes comptes[25]. Le département des Anciens combattants ne distingue pas non plus entre les deux guerres lorsqu'il évalue ses coûts. Dans ses scénarios sur les financements futurs, le Congressional Budget Office ne sépare pas les fonds destinés à l'Irak et à l'Afghanistan. La ventilation que nous utilisons repose sur un travail effectué par le Congressional Research Service (CRS), qui a usé « de toute une gamme de sources et de méthodes pour évaluer la répartition des crédits concernant la guerre, qu'ils soient inscrits au budget de la Défense, des Affaires étrangères ou des Anciens combattants pour les frais médicaux[26] ».

Pourquoi les dépenses augmentent

Les grands facteurs qui font monter le coût de la guerre ne se résument pas aux effectifs déployés et à l'*optempo* – le rythme des opérations militaires. Depuis 2004, l'effectif moyen du personnel militaire déployé dans la région au même moment a augmenté de 15 %, mais les coûts ont bondi de 130 %. Quant à l'intensité des opérations, on estime qu'elle s'est accrue de 65 % pendant la même période, donc moitié moins que les coûts[27].

Trois facteurs principaux contribuent à ce gonflement des dépenses. Le premier, bien sûr, est l'augmentation des frais de personnel – tant les hommes et femmes sous l'uniforme que les contractants. Même si l'effectif moyen des premiers ne s'est accru que légèrement, le coût *par soldat* a considérablement augmenté. Primes de recrutement, solde de combat, primes de risque, primes de rengagement*, tout a été réévalué (les primes de rengagement peuvent atteindre 150 000 dollars). L'armée s'est appuyée à un degré sans précédent sur les réservistes et les membres de la garde nationale, mais il faut leur payer un salaire complet, plus la solde de combat et d'autres indemnités quand ils sont en service actif, au lieu d'une petite solde pour un week-end par mois[28]. Nous répartissons les coûts des réservistes et de la garde nationale entre l'Irak et l'Afghanistan selon qu'ils ont été déployés et blessés sur l'un ou l'autre de ces théâtres, mais, en un sens, l'immense majorité de ces coûts devrait être attribuée à l'Irak. Si nous n'avions pas fait la guerre à l'Irak, nous aurions pu nous appuyer bien davantage sur notre armée permanente. Les 82 800 à 142 000 soldats d'active maintenus en Irak entre mai 2003 et janvier 2005 auraient pu être affectés à l'Afghanistan, et le besoin de rappeler les réservistes et de mobiliser la garde nationale aurait été considérablement réduit. Ajoutons les milliers de soldats

---

* La prime de recrutement est une somme forfaitaire reçue par la nouvelle recrue (voir plus loin, p. 75, ce qui est dit du plan « Quick Ship ») ; la solde de combat (*combat pay*, mais le nom officiel est *imminent danger pay*) est un complément de 225 dollars par mois à la solde normale en cas de déploiement dans une zone de combat ; les primes de risque sont liées à certains lieux ou à certaines missions ; la prime de rengagement vise à retenir dans l'armée l'engagé en fin de contrat.

qui ont contribué au soutien logistique de ces unités de combat, et ce besoin diminue encore plus[29]. Dans la colonne des bénéfices, on peut se demander dans quelle mesure la guerre d'Irak, en détournant l'attention de l'Afghanistan, a contribué aux échecs dans ce pays – il peut y avoir débat à ce sujet ; mais dans la colonne des coûts, aucun doute : c'est bien la guerre d'Irak, venant après celle d'Afghanistan, qui a soumis les forces armées aux tensions qui ont gonflé les coûts de multiples façons.

Le recours croissant, en Irak et en Afghanistan, à des contractants qui font tout, des repas et du blanchissage à l'emploi des systèmes d'armes et à la protection des diplomates américains, a alourdi les frais de fonctionnement infiniment plus que si l'armée avait assumé seule ces tâches. Une enquête menée en 2006 par le Central Command* du département de la Défense a révélé que les États-Unis emploient plus de 100 000 contractants privés ; c'est dix fois plus que pendant la guerre du Golfe de 1991[30]. S'étant montrés incapables de renforcer les effectifs de leur armée, les États-Unis ne peuvent pas opérer sans les contractants. Pour la plupart, ces personnes travaillent aux côtés des soldats américains, en partageant leurs risques et leurs épreuves. On estime que 1 000 contractants ont été tués depuis 2003.

L'invasion de l'Irak a ouvert de nouveaux horizons aux entreprises de sécurité militaire privée. À lui seul, le département d'État a dépensé en 2007 plus de 4 milliards de dollars en gardes de sécurité – contre 1 milliard de dollars trois ans plus tôt. Blackwater Security a obtenu une première tête de pont en 2003 avec un contrat sans appel d'offres de 27 mil-

---

* Le Central Command (ou Centcom) est le « commandement de la zone centrale » (entre le théâtre européen et celui du Pacifique), qui couvre l'Afrique orientale, le Moyen-Orient et l'Asie centrale. Toutefois, son quartier général ne se trouve pas dans l'aire géographique dont il est responsable, mais dans une base de l'US Air Force à Tampa (Floride).

lions de dollars pour garder L. Paul Bremer III, l'administrateur de l'Autorité provisoire de la Coalition (l'autorité d'occupation américaine à Bagdad). Ce contrat a été porté à 100 millions de dollars l'année suivante. En 2007, Blackwater détenait un contrat de 1,2 milliard de dollars pour l'Irak et employait 845 contractants de sécurité[31].

La même année, les gardes de sécurité privés travaillant pour des entreprises comme Blackwater et Dyncorp ont gagné jusqu'à 1 222 dollars par jour ; cela fait 445 000 dollars par an[32]. En revanche, un sergent de l'armée de terre a gagné 140 à 190 dollars par jour de solde et accessoires de solde, soit 51 100 à 69 350 dollars par an[33].

Pis encore, l'armée se fait concurrence à elle-même : le gros salaire des contractants est l'un des facteurs qui l'obligent à offrir des primes de rengagement toujours plus élevées. À la fin de leur service, les soldats peuvent aller travailler dans les entreprises contractantes en gagnant bien davantage. En dépit des énormes augmentations de la prime de rengagement, l'armée perd certains de ses éléments les plus expérimentés, qui passent dans le privé.

Faire appel à des contractants privés au lieu de renforcer le noyau dur, l'armée elle-même, est un choix dont beaucoup ont contesté le bien-fondé, et pas seulement parce que cela revient plus cher. Ces personnels sous contrat sont plus onéreux que les soldats, mais ce n'est pas tout : ils ne sont pas soumis à la discipline et à la surveillance militaires[34]. Certes, la plupart des contractants sont honnêtes, durs à la tâche, et travaillent dans des conditions difficiles. Mais la brutalité de quelques-uns est devenue légendaire et elle a mis le feu aux poudres[35].

Le recours à des contractants est, dans son essence, une privatisation partielle de l'armée. Or les pays ont de bonnes raisons de ne pas privatiser leur armée. Cela peut avoir un sens pour un État de privatiser la sidérurgie ; ou même de privatiser des monopoles naturels comme l'électricité ou le gaz, s'il a mis en place un cadre réglementaire adéquat, propre à garantir que ces monopoles n'utiliseront pas leur pouvoir de marché pour exploiter les consommateurs. Mais privatiser l'armée n'a aucun sens. Les partisans de la privatisation soutiennent souvent qu'elle incite à mieux répondre aux désirs des clients. Les compagnies sidérurgiques accroîtront leurs profits en proposant des produits plus appréciés par leur clientèle, de meilleure qualité, plus fiables. Mais la plupart de ceux qui entrent en interaction avec les contractants de l'armée ne le font pas de leur plein gré. Il n'y a aucun marché où ils pourraient choisir d'être interrogés par un contractant venu des États-Unis ou par un autre fournisseur. En fait, les incitations sont mauvaises. Le contractant est poussé à réduire ses coûts au minimum, et cette incitation-là ne tient pas compte de la large diversité d'objectifs des pouvoirs publics.

Le recours massif aux contractants a aussi posé un autre problème : un gros potentiel d'enrichissement personnel et de corruption[36]. Les allégations de versements excessifs à Halliburton, la firme de défense sous contrat autrefois dirigée par le vice-président Dick Cheney, sont bien connues, mais c'est la pointe émergée de l'iceberg.

Ces problèmes reflètent eux-mêmes des faiblesses plus fondamentales du système des contrats, qui tiennent tant aux conditions dans lesquelles on les attribue au départ qu'à la façon dont on en surveille ensuite l'exécution.

Les irrégularités du système d'octroi des contrats publics ne sont pas un accident. Pour des raisons de bonne politique – encourager la concurrence et obtenir la meilleure transaction possible pour les contribuables –, la plupart des contrats doivent faire l'objet d'un appel d'offres concurrentiel. Mais l'administration Bush a souvent choisi de court-circuiter cette procédure et de recourir au *single-source bidding*, « l'offre d'une seule source », en soutenant que l'urgence de la situation ne permettait pas d'attendre l'issue d'un appel d'offres concurrentiel. Pis encore, beaucoup de ces contrats sont des « marchés sur dépenses contrôlées* » : le contractant est remboursé de toutes ses dépenses et on lui verse en plus une marge de profit (ce qui lui donne des incitations perverses : plus il dépense, plus son profit est important). Le recours sans appel d'offres à un fournisseur exclusif peut se défendre au début d'une guerre inattendue. En octroyant des contrats de plusieurs années, comme on l'a fait pour Halliburton, on est allé bien au-delà du nécessaire.

En voici une preuve accablante : ce qu'il est advenu des crédits considérables – 18,4 milliards de dollars – votés par le Congrès à l'été 2003 pour financer la reconstruction des équipements civils en Irak : les écoles, les hôpitaux, le réseau électrique, les routes. Le président Bush s'était durement battu pour cet argent, il avait dit et répété à un Congrès réticent que rétablir les services fondamentaux était essentiel pour la stratégie des États-Unis[37]. Le Congrès voulait être sûr que l'argent irait directement à des firmes capables d'aider à créer des emplois en Irak. Après de nombreux débats, il a fini par voter le projet de loi sur la reconstruction, en posant une condition : les contrats seraient décernés par appel d'offres concurrentiel, sauf si le secrétaire à la Défense (ou le secrétaire d'État quand il s'agissait d'un contrat du département d'État) certifiait par écrit que le recours sans appel d'offres à un fournisseur unique était nécessaire. Cette condition a créé l'impasse, une guerre des tranchées entre le Congrès et Donald Rumsfeld : le secrétaire à la Défense voulait attribuer les contrats sans appel d'offres aux gros contractants habituels, mais refusait d'envoyer une lettre au président du comité du Congrès. Résultat : un an plus tard, un milliard de dollars seulement avait été

---

* L'expression anglaise en usage, *cost-plus contract*, est plus parlante (remboursement des coûts, plus marge) – et n'implique pas l'idée d'un « contrôle des dépenses ».

37

dépensé. Le gros de la somme, nous le verrons, a ensuite été englouti dans les opérations militaires, ou n'a jamais été utilisé.

L'exécution de ces contrats mal attribués a été ensuite insuffisamment surveillée – ce qui, pour des raisons évidentes, peut coûter particulièrement cher dans des « marchés sur dépenses contrôlées ». Il n'y avait pas assez de personnel pour assurer une surveillance adéquate, tout simplement. Le département d'État n'a que dix-sept personnes dans son service chargé de contrôler des contrats à hauteur de 4 milliards de dollars. Le département de la Défense est encore plus mal loti, puisque cela fait des années qu'il n'investit pas dans son personnel du service achats et passation des marchés. De 1998 à 2004, les dépenses totales du département de la Défense en contrats extérieurs ont augmenté de 105 %, et le nombre de personnes chargées de les attribuer et d'en surveiller l'exécution a diminué de 25 %[38].

Il n'est pas surprenant, dans ces conditions, que l'on apprenne si souvent qu'il y a eu des irrégularités, dont les 10 milliards de dollars de factures douteuses signalés par l'Agence d'audit des contrats de la défense[39]. Ou les 8,8 milliards de dollars du Fonds de développement de l'Irak qui se sont volatilisés, à la faveur du laxisme des contrôles financiers de l'Autorité provisoire de la Coalition[40].

Aux États-Unis, la corruption revêt une forme plus nuancée qu'ailleurs. Les versements, en général, ne s'effectuent pas par pots-de-vin directs mais en tant que contributions de campagne aux deux partis. De 1998 à 2003, celles de Halliburton au Parti républicain se sont montées, au total, à 1 146 248 dollars, et 55 650 dollars sont allés au Parti démocrate. Halliburton a reçu au moins 19,3 milliards de dollars en contrats fort lucratifs de fournisseur exclusif, attribués sans appels d'offres[41].

Ce qui est coût supplémentaire pour l'État est profit supplémentaire pour les firmes signataires de contrats avec le département de la Défense : elles ont été (avec les compagnies pétrolières) les seuls vrais vainqueurs de cette guerre. Le cours de l'action Halliburton a augmenté de 229 % depuis le début du conflit, battant les records des autres entreprises du secteur de la défense comme General Dynamics (134 %), Raytheon (117 %), Lockheed Martin (105 %) et Northrop Grumman (78 %) [42].

La hausse des prix du carburant est une deuxième explication de la considérable montée des coûts. La force d'une armée moderne ne repose pas sur sa seule combativité mais aussi sur son fioul. Le cours mondial du pétrole brut est passé d'environ 25 dollars le baril quand la guerre a commencé à près de 100 dollars au moment où nous achevons ce livre. Le prix du carburant raffiné livré à l'Irak a augmenté encore plus, par hausse des coûts de transport sur des routes longues et dangereuses.

La troisième raison, la plus importante peut-être, de la hausse constante des coûts de la guerre est le besoin toujours plus pressant de financer un « rééquipement » général en matériels et en armements, puisque les stocks s'épuisent et que la longueur de la campagne oblige le Pentagone à faire des achats d'équipements qu'il avait au départ décidé d'ignorer [43]. Un exemple flagrant est celui des « véhicules blindés résistant aux mines et protégés des embuscades » (les MRAP, *mine-resistant ambush-protected*) : leur coque en V met l'équipage à près d'un mètre au-dessus du sol, et ils sont conçus pour résister aux *underbelly bombs*, ces bombes enterrées qui percent le plancher des Humvees, où les conducteurs sont assis plus bas. Les Marines ont découvert la supériorité des MRAP en 2003 et se sont mis à en réclamer d'urgence au début de l'année 2005. Ce n'est qu'en 2006, quand Robert M. Gates est devenu secrétaire à la Défense, que le Pentagone a pris la décision de remplacer sa flotte de 18 000 Humvees par la technologie plus efficace. Dans l'intervalle, les engins explosifs improvisés (EEI) ont tué plus de 1 500 Américains.

De plus, les coûts mensuels ont augmenté en raison des dépenses de formation et d'équipement des forces de sécurité afghanes et irakiennes. Nous avons dépensé plus de 30 milliards de dollars pour entraîner des forces indigènes dans ces deux pays depuis 2004, ce qui n'était pas prévu dans les estimations initiales des coûts de la guerre[44].

Fondamentalement, les dépenses se sont emballées en Irak parce que les ressources ont été chichement mesurées au début et que la guerre a mal tourné. Si le département de la Défense s'en était tenu à la doctrine de la « force écrasante » chère à l'ex-secrétaire d'État Colin Powell, il aurait envoyé davantage de soldats et dépensé plus au départ, mais peut-être l'insurrection aurait-elle été rapidement maîtrisée et la guerre vite terminée. Aujourd'hui, après cinq ans de combats où l'insurrection irakienne a eu, pense-t-on, 19 000 morts, il y a davantage d'insurgés qu'au début et davantage d'ennemis des États-Unis dans tout le Moyen-Orient[45].

Des coûts non comptabilisés

Si le coût total de la guerre est plus élevé que le chiffre officiel avancé par l'administration, c'est en raison des nombreux coûts qu'elle ne comptabilise pas. En voici un exemple. Les hauts responsables disent souvent que la vie de nos soldats n'a pas de prix. Mais du point de vue du calcul des coûts, ces vies « inestimables » en ont un sur les livres de comptes du Pentagone : 500 000 dollars – la somme payée aux parents survivants en indemnité de décès et assurance-vie. Après l'entrée en guerre, leur montant a été porté de 12 240 à 100 000 dollars pour l'indemnité de décès et de 250 000 à 400 000 dollars pour l'assurance-vie[46]. Même augmentés, ces versements sont bien inférieurs à ceux qu'auraient pu recevoir les parents si ces mêmes personnes étaient mortes dans un absurde accident de la route. Dans des domaines comme les réglementations sur la santé et la sécurité, l'État évalue la vie d'un jeune homme au plus haut de sa capacité de revenus futurs à plus de 7 millions de dollars – chiffre de très loin supérieur à l'indemnité de décès payée par l'armée[47]. Utilisons-le, et, pour les quelque 4 000 soldats américains tués en Irak, cela fait 28 milliards de dollars. Les coûts pour la société ont manifestement une tout autre ampleur que les chiffres inscrits au budget de l'État.

Autre exemple de dissimulation des coûts : la sous-estimation des pertes militaires américaines. Les statistiques du département de la Défense sur les pertes se concentrent sur celles qui résultent de l'action ennemie (du combat) – telle que la définit l'armée. Si un soldat est blessé ou meurt de nuit dans un accident de véhicule, l'événement est officiellement classé « sans rapport avec le combat », même s'il est trop dangereux pour les soldats de se déplacer de jour. En fait, le Pentagone tient deux types de registres. Le premier est la liste officielle des pertes, postée sur le site Internet du département de la Défense ; le second ensemble de chiffres, difficile à trouver, figure uniquement sur un autre site, et on ne peut y avoir accès qu'en faisant jouer le Freedom of Information Act[*]. Ces statistiques-là révèlent que le nombre total de soldats blessés, mutilés ou malades est le double du nombre des blessés au combat[48]. Certains vont dire qu'une partie de ces blessures et maladies hors combat seraient peut-être survenues même si les soldats n'étaient pas en Irak. Notre nouvelle recherche, que nous expliquons aux chapitres 2 et 3, montre qu'on peut, dans leur majorité, les lier directement au service armé dans la guerre.

---

[*] Le Freedom of Information Act de 1966 fait obligation aux agences fédérales de communiquer leurs documents à toute personne qui les demande, sauf si elles peuvent se prévaloir d'une des exemptions prévues par cette loi (secret défense, secret médical, etc.).

Si nous nous concentrons ici sur les coûts économiques des milliers de vies américaines perdues ou gâchées par la guerre, il est impossible, bien sûr, de calculer les coûts humains payés par les soldats, leurs familles et leurs communautés de vie. Nous pouvons calculer la pension d'invalidité des soldats revenus de guerre en état de stress post-traumatique, et la perte que cela implique pour la population active ; il est infiniment plus difficile de calculer le coût des tensions familiales, des mariages brisés, du désespoir de ceux qui n'entendent plus, ne voient plus ou ont été amputés [49].

Il y a une autre raison de pessimisme sur les coûts définitifs de la guerre – pour les anciens combattants comme pour leurs familles. À l'heure où ce livre va sortir, le *Journal of the American Medical Association* commente une nouvelle étude sur les problèmes de santé mentale révélés plusieurs mois après la démobilisation. Des travaux antérieurs, disent ses auteurs, avaient montré que « les soldats étaient plus susceptibles de signaler un état de détresse mentale plusieurs mois après être rentrés que dès leur retour [50] ». Un second dépistage, mené trois à six mois après le retour, révélait que 20,3 % des soldats d'active et 42,4 % des soldats réservistes avaient besoin d'un traitement psychiatrique [51].

Un mauvais système de comptabilité

La façon dont l'État américain tient sa comptabilité obscurcit encore les vrais coûts de la guerre. La méthode standard qu'il utilise dans ses livres de comptes repose sur la « comptabilité de caisse », ou « de trésorerie ». Celle-ci consigne ce qui est effectivement dépensé aujourd'hui mais ignore les obligations futures, y compris, dans le cas d'une guerre, des facteurs comme les coûts futurs des soins médicaux et de l'invalidité. Avec la comptabilité de caisse, tout paraît moins cher sur le moment – par exemple quand on n'achète pas de coûteux véhicules pour protéger les soldats des engins explosifs improvisés –, mais on ne voit pas le coût à long terme des soins médicaux si un EEI explose et blesse quelqu'un.

Les problèmes que pose la comptabilité de caisse sont si graves que la loi impose à toutes les entreprises américaines plus grandes que l'épicerie du coin d'utiliser la « comptabilité d'exercice » – qui indique les coût futurs lorsqu'on contracte la dette et non au lointain moment où l'on s'en acquittera vraiment. La discordance entre les comptabilités de caisse et d'exercice est toujours problématique. Mais l'importance des coûts futurs dans cette guerre rend leur omission particulièrement grave. La prise en considération de ces obligations futures cumulées explique en grande partie l'écart entre notre calcul des coûts et le calcul officiel.

D'autres mauvaises pratiques comptables permettent au département de la Défense de dissimuler des dépenses de la guerre d'Irak au sein de son budget ordinaire. Le Pentagone engloutit plus de 500 milliards de dollars du contribuable chaque année (guerre non comprise), mais il se montre lamentablement incapable de dire où va cet argent. En 2007 – pour la dixième année consécutive –, il a « loupé » son audit financier : les auditeurs ont relevé des faiblesses matérielles pratiquement dans tous les domaines. Son propre inspecteur général a récemment déclaré au comité de la Sécurité intérieure du Sénat :

> Le département [de la Défense] est confronté à des problèmes de gestion financière qui sont anciens, omniprésents et profondément ancrés dans pratiquement toutes ses opérations. Ces problèmes de gestion financière continuent à entraver son aptitude à fournir des données financières et gestionnaires fiables, à jour et utilisables pour aider aux prises de décisions sur le fonctionnement, le budget, les politiques. [...] Les faiblesses qui affectent la vérifiabilité des comptes ont aussi un impact sur les pro-

grammes et les opérations du département de la Défense et contribuent au gaspillage, à la mauvaise gestion et à un usage inefficace des ressources[52].

Le manque de contrôle financier rend difficile de comptabiliser les coûts de la conduite de la guerre en Irak. Comme le dit le Government Accountability Office : « Ni le département de la Défense ni le Congrès ne savent avec certitude combien coûte la guerre et comment sont utilisés les crédits qui lui sont affectés, et ils n'ont pas de statistiques historiques utiles pour réfléchir aux besoins de financement futurs[53]. »

De 2002 à 2008, le budget de la défense, qui ne comprend pas les crédits destinés à l'Irak et à l'Afghanistan, a connu une hausse cumulée de plus de 600 milliards de dollars. Ce taux de croissance est nettement plus rapide que celui des dépenses militaires dans les quarante dernières années. On ne peut pas l'expliquer entièrement par l'augmentation normale des effectifs, des achats et du taux d'inflation. Nous estimons qu'au moins un quart de cette hausse supplémentaire (ou « excédentaire ») a servi d'une façon ou d'une autre à faire la guerre en Irak et en Afghanistan – plus de 150 milliards de dollars de dépenses du département de la Défense au cours des cinq dernières années.

Mais ce n'est pas uniquement dans le budget du département de la Défense que se cachent des coûts de la guerre en Irak. Il y en a aussi dans les budgets (actuels et futurs) de la Social Security, du département du Travail et du HUD (le département du Logement et de l'Aménagement urbain). Et malgré l'ampleur de l'impact de la guerre d'Irak sur les budgets de l'État fédéral, de nombreux coûts ont été déplacés ailleurs. Quand certaines dépenses de la guerre d'Irak sont poussées en dehors du secteur public, leur coût ne s'évanouit pas pour autant. Par exemple, le sous-financement du budget du département des Anciens combattants a obligé beaucoup d'anciens soldats qui ont besoin de se faire soigner à « acheter des soins » à titre privé. Si cela réduit les dépenses *de l'État*, il n'y a là aucune économie réelle pour le pays. Le coût des soins aux anciens combattants et à leur famille impose aussi une charge significative aux gouvernements des États fédérés, qui n'apparaît pas dans les statistiques de l'État fédéral. C'est pourquoi, lorsqu'on évalue le coût global de la guerre sur les États-Unis, il faut regarder au-delà de ses divers impacts sur le budget fédéral, et c'est ce que nous ferons dans les chapitres 4 à 6.

La subversion du processus budgétaire

La façon dont l'administration Bush a conçu le financement de la guerre a été viciée dès le début. La surveillance et l'approbation de toutes les dépenses par le Congrès sont un élément central de notre démocratie. Les crédits sont censés venir du Congrès ; toutes les dépenses anticipées doivent être budgétisées. Il est compréhensible qu'au début de la guerre on n'ait pas pu prévoir les dépenses, et que leur financement ait été assuré par des crédits extraordinaires en procédure d'urgence – normalement réservée aux besoins « inopinés, imprévisibles et non anticipés ». Il est compréhensible que le président ait demandé les crédits initiaux de l'invasion de l'Afghanistan de cette façon-là[54].

Mais il est difficile de comprendre pourquoi, alors que la guerre dure depuis cinq ans, nous continuons à la financer largement de la même manière. Le modèle consistant à demander de l'argent par petits bouts, en révisant constamment le coût total – toujours à la hausse –, s'est perpétué. En mai 2007, le Pentagone a estimé qu'il lui faudrait 141,7 milliards de dollars pour l'exercice 2008 afin de continuer à faire les deux guerres efficacement. En septembre, Robert Gates, le secrétaire à la Défense, a réévalué le coût de notre engagement

45

en cours, en le portant à près de 190 milliards de dollars. Et lorsque le président Bush a finalement soumis sa requête de crédits budgétaires 2008 pour la guerre, le chiffre avait encore augmenté de plusieurs milliards.

Utiliser des fonds « d'urgence » pour payer la quasi-totalité des cinq ans de guerre, c'est tourner en dérision le processus budgétaire. Les crédits « d'urgence » ne sont pas soumis aux plafonds habituels sur les dépenses que le Congrès est tenu de respecter. De plus, on peut les demander avec des justifications budgétaires beaucoup moins rigoureuses, puisque ce système est conçu pour les urgences réelles – comme l'ouragan Katrina – où il faut que l'argent arrive sur le terrain avec une extrême rapidité.

La procédure d'urgence prive les experts très compétents des deux partis en matière budgétaire – dans les comités du Budget, les comités des Autorisations et les comités des Crédits – de la possibilité d'examiner les chiffres sérieusement. Les requêtes « supplémentaires » de crédits de guerre en urgence ont souvent été tenues secrètes jusqu'à la toute dernière minute. On a ainsi efficacement empêché non seulement le Congrès mais même les propres analystes de l'exécutif, ceux de l'Office of Management and Budget, d'étudier attentivement les chiffres. Avec ce manque de transparence, il ne faut pas s'étonner de constater simultanément, comme nous l'avons fait, tant l'ampleur du gaspillage et de l'enrichissement personnel dans les paiements aux contractants que les crédits non demandés en temps voulu pour des équipements vitaux, ou encore le sous-financement permanent dans des domaines cruciaux comme les soins médicaux aux anciens combattants.

Toutes les organisations sérieuses qui suivent l'action gouvernementale ont critiqué cette façon de financer la guerre, en citant des engagements de dépenses comptés deux fois, des discordances entre crédits budgétisés et dépenses réelles, des chiffres douteux et le manque d'information sur des facteurs fondamentaux qui influencent les coûts, comme les effectifs et les besoins en rééquipement militaire[55]. L'Iraq Study Group, le groupe de réflexion bipartisan sur la situation en Irak que dirigent l'ancien secrétaire d'État républicain James A. Baker III et l'ancien parlementaire démocrate Lee Hamilton, a critiqué en ces termes les requêtes budgétaires de l'administration Bush : « Elles sèment la confusion [...] si bien qu'il est difficile tant au public qu'aux élus du Congrès de [...] répondre à ce qui devrait être une question simple : combien le président demande-t-il pour la guerre d'Irak[56] ? »

Les explications du budget du département de la Défense sur le coût des opérations en Irak et en Afghanistan ont été qualifiées par le Congressional Research Service de « limitées, incomplètes et parfois incohérentes ». Le Congressional Budget Office, organisme non partisan, s'est plaint aussi : « Comme les crédits de guerre sont mêlés au budget ordinaire du département de la Défense, l'information sur "ce qu'on a vraiment dépensé" est inaccessible. Or cette information est importante pour évaluer le coût de différents scénarios d'avenir, et aussi pour faire apparaître l'impact des coûts de la guerre sur le déficit fédéral[57]. »

L'accusation la plus forte contre la comptabilité de guerre du département de la Défense a peut-être été celle de David Walker, le très respecté Contrôleur général* (poste non partisan). Il a dit dans un témoignage que, puisqu'il n'y a sur les coûts ni chiffres ni documents pour les prouver, « il est difficile de savoir sérieusement combien coûte la guerre[58] ».

---

* Choisi par le président pour quinze ans sur une liste de candidats établie par le Congrès, le Contrôleur général est le plus haut dirigeant du Government Accountability Office (voir GAO dans la liste des sigles, p. 273).

Si elle a saboté les procédures démocratiques normales de responsabilité comptable, la méthode du financement par crédits d'urgence a eu pour l'administration Bush quelques avantages évidents. D'abord, elle lui a permis en pratique de brouiller les cartes sur le coût de la guerre : peut-être espérait-elle qu'en le laissant ruisseler par petites doses dans des requêtes différentes, personne ne remarquerait que le total montait en flèche. Deuxièmement, elle a conforté le discours public de l'administration qui affirmait que des progrès étaient en cours sur le terrain et que la guerre serait bientôt « gagnée ». De plus, la faible surveillance du Congrès sur les crédits d'urgence avait, du point de vue de l'exécutif, d'autres avantages : les « rallonges budgétaires » donnent au département de la Défense une alléchante cassette qui lui permet de financer toute une série de projets non liés à la guerre avec un examen minimal du Congrès. Pour couronner le tout, l'administration s'est faite aussi la complice du Congrès en fermant les yeux sur l'avalanche de dépenses clientélistes sans rapport avec la guerre que les parlementaires ajoutaient aux projets de loi des crédits d'urgence.

Le processus budgétaire du Congrès existe pour d'excellentes raisons. Les ressources sont rares. L'argent dépensé pour ceci aurait pu l'être pour cela. C'est l'examen attentif qui permet la responsabilité démocratique et aide à éliminer le gaspillage, la fraude et la corruption. Si notre gouvernement avait été contraint de soumettre ses requêtes de crédits de guerre à ce processus, les coûts auraient été plus transparents, les arbitrages bien visibles, et la nécessité d'augmenter les impôts ou de réduire les dépenses pour contenir le déficit se serait clairement imposée.

Le cadre général

À partir de ce brouet malsain de crédits d'urgence, livres de comptes multiples et sous-estimations chroniques des ressources requises pour faire la guerre, nous avons tenté de déterminer combien nous avons dépensé – et combien nous aurons probablement, au bout du compte, à dépenser.

Voici le chiffre auquel nous parvenons : plus de 3 000 milliards de dollars. Nos calculs reposent sur des hypothèses très prudentes. Ils sont conceptuellement simples, même s'ils peuvent être parfois techniquement complexes. Nous avons fondé toutes nos estimations et hypothèses sur des sources gouvernementales – le Congressional Budget Office (CBO), le Government Accountability Office (GAO), le département de la Défense (DOD), le département d'État, le département des Anciens combattants (VA) – et sur d'autres rapports publiés par les pouvoirs publics.

Nous avons aussi utilisé des chiffres venus de sources indépendantes respectées, comme le National Institute of Medicine, le *New England Journal of Medicine*, la National Brain Injury Association, la Veterans Disability Benefits Commission* et le rapport de la President's Commission on Care for America's Returning Wounded Warriors (la commission Dole-Shalala**), ainsi que des chiffres que les organisations d'anciens combattants nous ont procurés en faisant jouer le Freedom of Information Act. Avant d'entrer dans le détail des

---

* Créée en 2004, la Veterans Disability Benefits Commission a pour but d'étudier les problèmes du système en vigueur en matière de pensions d'invalidité des anciens combattants et de rédiger un rapport. Elle compte 13 membres : les chefs de la majorité et de la minorité au Sénat et à la Chambre en nomment chacun deux et le président cinq. Sept membres de cette commission doivent être des anciens combattants décorés.
** « Commission présidentielle sur les soins aux combattants de l'Amérique rentrés blessés ». Voir chap. 3, n. 12.

calculs, il est utile d'en comprendre le cadre général, que nous avons divisé en dix étapes.

Étape 1. *Faire le total à ce jour des crédits/dépenses concernant les opérations militaires*. C'est l'étape la plus simple, l'addition de toutes les sommes qui ont été affectées à la guerre. Nous avons compté tous les crédits liés à la guerre de l'exercice 2001 au 25 décembre 2007. (Nous avons supposé, à l'étape 4, que le reste de la proposition de budget supplémentaire de l'exercice 2008 serait voté.) Cet ensemble se compose des crédits alloués, tant dans le cadre de la procédure régulière que dans les « suppléments », au département de la Défense, au département d'État et à l'USAID, ainsi que des frais médicaux du département des Anciens combattants. Ils concernent les opérations militaires, la sécurité des bases, la reconstruction, l'aide extérieure, les frais d'ambassade et les soins médicaux aux anciens combattants [59] pour les trois opérations qui composent la « guerre mondiale contre le terrorisme » (Global War on Terror, GWOT), le nom que donne le Pentagone aux opérations menées sur le territoire ou au sujet de l'Irak et de l'Afghanistan. Ce sont l'Opération Liberté pour l'Irak (Operation Iraqi Freedom, OIF), l'Opération Liberté durable (Operation Enduring Freedom, OEF – l'Afghanistan) et l'Opération Noble Aigle (Operation Noble Eagle, ONE), qui comprend la construction des bases et la sécurité des ambassades, entre autres.

Étape 2. *Ajouter les « dépenses de fonctionnement » et provisions dissimulées dans le reste du budget de la Défense*. Le département de la Défense, on l'a dit, a fourni des informations incomplètes et souvent incohérentes sur sa répartition des crédits entre comptes ordinaires et comptes de guerre. Nous tentons d'évaluer quelle fraction de l'énorme augmentation des dépenses militaires au cours des cinq dernières années est attribuable à l'Irak et à l'Afghanistan, et quel pourcentage des dépenses pour la guerre d'Irak est dissimulé ailleurs, par d'autres moyens, dans le budget de la défense. (C'est à cette étape que nous essayons aussi de comptabiliser toute économie qu'a pu entraîner la guerre dans les dépenses de défense.)

Étape 3. *Corriger le résultat pour prendre en compte l'inflation et la « valeur temporelle » de l'argent.* Un dollar d'aujourd'hui est différent d'un dollar d'il y a cinq ans. Et ce sera encore plus vrai quand nous en viendrons à explorer les dépenses futures, que nous examinerons jusqu'en 2017. Avec l'inflation, les dollars passés valent plus que les dollars actuels, et les dollars futurs valent moins ; même sans inflation, du fait qu'on peut mettre l'argent à la banque et toucher des intérêts, il vaut mieux payer un dollar dans dix ans que le payer aujourd'hui (c'est ce qu'on appelle la « valeur temporelle » de l'argent). L'État fédéral peut emprunter : au moment où ce livre va sous presse, il le fait à 4,5 % et le taux d'inflation est légèrement supérieur à 3 %, si bien que le taux d'intérêt réel se situe autour de 1,5 %. (Le taux d'intérêt réel tient compte du fait que, à cause de l'inflation, la valeur des dollars que le gouvernement remboursera dans un an est inférieure à celle des dollars qu'il emprunte aujourd'hui. Le taux d'intérêt réel est simplement la différence entre le taux d'intérêt et le taux d'inflation.) En fait, 1,5 % est, approximativement, le taux d'intérêt réel qui prédomine depuis un demi-siècle, et c'est donc celui que nous utilisons dans nos calculs. Dans ce livre, nous convertissons toutes les dépenses en leur équivalent en dollars 2007[60]. Les dépenses passées sont donc comptabilisées avec un montant plus élevé (que si nous nous contentions d'additionner les dollars « courants »), mais les dépenses futures avec un montant moins élevé.

Ces trois premières étapes nous donnent ce qu'on appelle la « valeur actualisée » des dépenses de fonctionnement à ce jour – c'est-à-dire la valeur en dollars 2007 de ce que nous avons déjà dépensé. *Mais le compteur continue à tourner.*

Étape 4. *Ajouter les dépenses de fonctionnement futures (tant directes que cachées ailleurs dans le budget)*. Les coûts de fonctionnement du conflit dans les années qui viennent dépendront de plusieurs facteurs, dont le nombre de soldats et de contractants que nous continuerons à déployer dans la région, le niveau de leur engagement dans des combats et le rythme auquel nous continuerons à user, réparer et remplacer les armes et les équipements. Même si le nouveau président agissait vite et ordonnait un départ rapide mais ordonné, il est pratiquement sûr que ce retrait prendrait au moins douze mois – ce qui nous conduirait à la fin de l'année 2009. Mais le plus probable est qu'il y aura d'abord débat et discussion, consultations et délibération, ce qui prend du temps, et que, finalement, la réduction de nos forces sera plus graduelle. Toute évaluation réaliste du coût de la guerre doit donc intégrer ce qu'il nous faudra payer pour des opérations militaires américaines pendant quelques années, ainsi que le coût du rapatriement des soldats et du matériel aux États-Unis, et celui de l'entretien, à l'avenir, d'une force plus restreinte d'intervention ou de maintien de la paix. Nous fondons nos estimations sur des scénarios officiels qui sont expliqués en détail au chapitre 2. Après correction pour tenir compte de l'inflation et de la valeur temporelle de l'argent, cela nous donne le total des coûts de fonctionnement actualisés prévus, c'est-à-dire l'ensemble des coûts de fonctionnement de la guerre en dollars 2007.

Étape 5. *Ajouter les coûts futurs (et actuels) de l'invalidité et des soins médicaux des anciens combattants rentrés*. L'une de nos plus importantes obligations financières à long terme est le coût des pensions d'invalidité et des soins médicaux que nous devons assurer aux militaires qui ont fait la guerre. À ce jour, plus de 1,6 million de soldats ont été déployés, et tous auront droit aux soins médicaux du département des Anciens combattants pendant au moins deux ans. Environ 39 % des anciens combattants de la guerre du Golfe ont reçu une pension d'invalidité. À en juger par le nombre de demandes qui ont déjà été déposées, nous pensons que le même pourcentage au moins se verra attribuer des pensions d'invalidité à la suite du conflit actuel. On peut considérer ces coûts comme des « billets à ordre » de la guerre – des dettes accumulées qu'il *faut* payer. Nous avons intégré ces engagements à notre évaluation, comme toute entreprise est tenue d'énumérer dans son bilan ses obligations à long terme (les pensions de retraite qu'elle devra payer, par exemple).

Étape 6. *Ajouter les coûts futurs de la remise à niveau de l'armée pour lui rendre sa puissance d'avant la guerre, du remplacement des armements utilisés, de la réparation du matériel dont l'entretien a été remis à plus tard.* Nous avons déjà compté, dans les coûts de fonctionnement, la réparation ou le remplacement des munitions, des pièces détachées de véhicule, du matériel utilisé et immédiatement remplacé. Mais nous n'avons pas réparé ou remplacé cet équipement au rythme où il s'est usé. Le remplacement et la mise à jour du matériel usé ou détruit par l'effort de guerre, ce qu'on appelle le « rééquipement », représentent un coût supplémentaire important à long terme. Dans le conflit actuel, de nombreux véhicules fonctionnent dix fois plus qu'en temps de paix – mais nous ne les remplaçons pas aussi vite qu'ils s'usent. L'équipement de l'armée de terre est donc fatigué. Nous avons estimé les coûts d'une remise à niveau des forces armées qui leur rendrait leur puissance d'avant la guerre, et cela pour toutes les composantes de ces forces et pour la garde nationale. De plus, le Pentagone a annoncé son intention d'accroître sensiblement l'envergure de l'armée de terre américaine d'ici à 2012, afin que les États-Unis puissent rester capables de réagir à des crises hors d'Irak. Nous avons donc attribué à l'Irak le coût de cette augmentation supplémentaire des forces armées pour la période où nous avons des troupes déployées dans ce pays.

Étape 7. *Ajouter les coûts budgétaires pour d'autres composantes de l'État*. La guerre a imposé des coûts à l'ensemble de l'État fédéral, pas seulement au département de la Défense. Certains de ces coûts concernent les allocations versées aux anciens combattants : ceux qui ont été grièvement blessés peuvent bénéficier de toute une série de programmes supplémentaires, dont les pensions d'invalidité de la Social Security, des prêts subventionnés et d'autres avantages.

L'impact de la guerre sur le budget fédéral se fait aussi sentir par d'autres biais, dont certains sont difficiles à calculer. Elle a ainsi conduit à une montée considérable des coûts de l'énergie, et, comme nous l'expliquons au chapitre 5, l'économie est plus faible qu'elle ne l'aurait été sans cela. Ce qui veut dire que les recettes fiscales sont moins élevées.

Conjointement, les étapes 5, 6 et 7 nous permettent de calculer le *coût budgétaire total de la guerre pour l'État fédéral, sans prendre en compte les intérêts*.

Étape 8. *Ajouter les intérêts*. Les États-Unis ont emprunté l'essentiel des fonds dont ils se sont servis pour faire la guerre. Cette dette, il nous faudra la rembourser *avec des intérêts*. Il y a ici trois montants à prendre en considération : les intérêts que nous avons déjà payés sur l'argent que nous avons déjà emprunté ; les intérêts qu'il nous faudra payer à l'avenir sur cet argent déjà emprunté ; et les intérêts à payer sur nos futurs emprunts. Depuis 2003, les versements d'intérêts représentent moins de 8 % du budget national – essentiellement grâce aux faibles déficits et aux budgets en équilibre de l'époque Clinton. L'endettement massif pour financer la guerre va faire monter la part des intérêts dans le budget fédéral à plus de 10 % en 2011. Tout en donnant de ces intérêts une évaluation très prudente, nous prenons bien soin de les comptabiliser à part, car de nombreux économistes soutiennent qu'ils ne sont pas à mettre au compte de la guerre elle-même mais de la méthode particulière dont on a usé pour la financer. Nous reprenons certains de ces coûts sous un autre angle quand nous examinons les *coûts d'opportunité* – comment se serait portée l'économie si nous avions dépensé l'argent d'une autre façon.

Les deux dernières étapes se concentrent sur la conversion des coûts budgétaires en coûts économiques.

Étape 9. *Évaluer le coût pour l'économie*. Pour les milliers de morts et de blessés de la guerre, par exemple, nous allons plus loin que les coûts budgétaires, car nous voyons bien que les indemnités de décès ne mesurent pas correctement la perte de production, et que les pensions d'invalidité sous-estiment ce que les intéressés auraient perçu s'ils avaient été en mesure de gagner normalement leur vie. Il existe un certain nombre d'autres *coûts économiques et sociaux* qui sont supérieurs aux coûts budgétaires ; s'ils peuvent être importants, ils sont plus difficiles à quantifier. Ils comprennent la perte de la contribution à l'économie des membres de la famille qui doivent sortir de la population active pour s'occuper des anciens combattants invalides, ainsi que des coûts supportés par les États fédérés, les municipalités et d'autres composantes de la société.

Étape 10. *Évaluer l'impact macroéconomique*. La guerre a provoqué une hausse des prix du pétrole et creusé les déficits, évinçant ainsi l'investissement privé, et elle a détourné les dépenses de l'État des écoles, des routes, de la recherche et d'autres utilisations qui auraient davantage stimulé l'économie à court terme et produit une plus forte croissance économique à long terme. La hausse des prix du pétrole a aussi affaibli l'économie américaine – même si une poignée de branches, notamment les compagnies pétrolières, y ont gagné gros. À cette étape, nous donnons une estimation prudente de l'impact macroéconomique de la guerre[61].

La plupart des économistes ne compteraient pas à la fois les intérêts et les coûts économiques, parce qu'il y a là un élément de double comptabilisation. Nous estimons donc que le coût total de la guerre se situe entre un coût strictement budgétaire de 2 700 milliards de dollars et un coût économique total de 5 000 milliards de dollars. Nous avons aussi envisagé un scénario « meilleur cas de figure », où les États-Unis retirent toutes leurs unités de combat d'ici à 2012 et où les anciens combattants qui ont besoin de soins et de pensions d'invalidité sont moins nombreux. Même dans ce scénario extrêmement optimiste, le coût économique total de la guerre dépasse les 2 000 milliards de dollars. Dans ces conditions, le chiffre de 3 000 milliards pour le coût total nous paraît sensé ; s'il est inexact, c'est très probablement par défaut et non par excès. Ce chiffre, cela va sans dire, représente le coût de la guerre *pour les États-Unis seulement.* Il ne reflète pas son coût gigantesque pour le reste du monde, ni pour l'Irak.

TABLEAU 1.1. *La montée des coûts de la guerre*

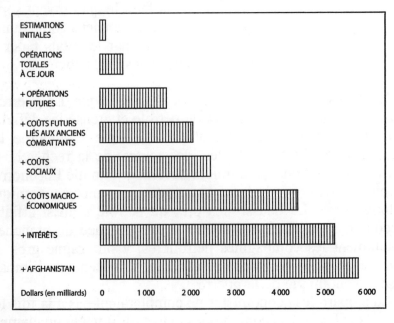

2

Les coûts inscrits au budget des États-Unis

Le coût visible des guerres en Irak et en Afghanistan, l'ensemble des crédits que le Congrès leur a affectés et que l'armée a dépensés ou est sur le point de dépenser, dépasse aujourd'hui les 800 milliards de dollars. Ce chiffre, le plus souvent cité par les médias, comprend les quelque 200 milliards de dollars que sollicite actuellement le président pour continuer la guerre en 2008, plus tous les crédits – plus de 645 milliards de dollars – que le Congrès a déjà votés pour l'Afghanistan et l'Irak depuis 2001[1]. Cet argent couvre le financement des opérations militaires ; du transport des troupes ; de leur déploiement, de leur ravitaillement et de leur cantonnement ; du déploiement des gardes nationaux et des réservistes[2], de leur ravitaillement et du matériel qui leur est fourni ; de l'entraînement des forces irakiennes ; de l'achat et de la réparation des armements et autres équipements ; des munitions ; de l'augmentation de la « solde de combat » ; des soins médicaux dispensés aux soldats en service actif et aux anciens combattants après leur retour[3] ; de la reconstruction[4] ; et des versements effectués à des pays comme la Jordanie, le Pakistan et la Turquie pour leur soutien logistique.

645 milliards de dollars, c'est vraiment beaucoup d'argent – et 845 milliards encore plus. Les trois quarts de cette somme,

634 milliards de dollars, concernent l'Irak : dix fois les estimations initiales de l'administration Bush sur le coût de cette guerre, et plus que ce que nous dépensons chaque année pour Medicare et Medicaid* réunis[5]. Néanmoins, ce montant sous-estime considérablement ce que la guerre, selon nos prévisions, va vraiment coûter : nous estimons réaliste d'avancer que son coût budgétaire – pour le seul budget fédéral et sans compter les intérêts des emprunts – atteindra probablement 2 700 milliards de dollars. Comment parvenons-nous à un chiffre aussi élevé ?

Nous avons évalué le vrai poids de la guerre sur le budget fédéral des États-Unis en partant de deux scénarios possibles[6]. Le premier est à notre avis le « meilleur cas de figure », le plus optimiste des scénarios envisageables en termes de rapidité du retrait américain, de niveau des pertes humaines et de besoins des anciens combattants. Il nous paraît exagérément optimiste : il indique le coût *minimal* que pourrait avoir le conflit.

Notre second scénario, que nous qualifions de « réaliste-modéré », suppose le maintien des forces militaires en service actif sur une plus longue durée, une demande supérieure des combattants rentrés de guerre en soins médicaux et en pensions d'invalidité, et une prise en compte plus exhaustive des coûts pour l'État et pour le pays. Dans ce scénario, nous avons aussi inclus l'accroissement du budget de la défense, et d'autres dépenses dissimulées, qui ne sont peut-être pas présentées officiellement comme des « coûts de la guerre » mais qui sont manifestement dues au conflit[7].

Mais même notre scénario « réaliste-modéré » est minimaliste : il sous-évalue les coûts véritables. Il y en a beaucoup que nous n'avons pas comptés, par exemple le coût complet

---

* Medicare, programme universel, prend en charge les dépenses de santé de tous les Américains de plus de 65 ans ; Medicaid, soumis à condition de ressources, les dépenses de santé des plus défavorisés.

des pensions d'invalidité versées à nos anciens combattants à ce jour. Aucun des deux scénarios ne prévoit de crédits d'urgence pour augmenter les effectifs américains au cas où certains de nos partenaires de la Coalition retireraient leurs soldats d'Irak[8]. Nous postulons simplement dans nos calculs que l'effort de guerre américain « fera avec » cette réduction du soutien militaire. Notre scénario réaliste-modéré intègre les dépenses de guerre cachées dans le budget de la défense, mais seulement celles du *passé* : il ignore ces coûts pour l'avenir, sauf ceux du « rééquipement », bien que nous soyons persuadés qu'ils seront probablement importants.

Les coûts budgétaires du conflit peuvent être répartis en quatre catégories. D'abord, il y a les crédits affectés aux guerres d'Irak et d'Afghanistan que nous avons déjà dépensés (déduction faite des « économies » – les dépenses que ces guerres ont rendues inutiles). Deuxièmement, il y a les coûts futurs : ce que va encore coûter la guerre d'Irak et ce qu'il nous faudra payer même quand elle sera terminée. Cette catégorie comprend divers coûts : la poursuite des opérations militaires ; les soins médicaux et pensions d'invalidité fournis aux anciens combattants ; l'augmentation des pensions d'invalidité de la Social Security ; le remplacement du matériel militaire, des armements et des stocks, ainsi que la remise à niveau des forces armées pour leur rendre leur puissance d'avant guerre ; et le rapatriement des troupes et du matériel aux États-Unis à la fin du conflit. Troisièmement, il y a des coûts « dissimulés » qui sont liés à la guerre, comme certaines hausses du budget de base de la défense (amener les nouvelles recrues à s'engager, par exemple, revient plus cher) et le redimensionnement des forces armées par expansion de leurs effectifs. Enfin, il y a les intérêts de tous les emprunts que nous avons contractés pour faire la guerre.

Les coûts de la guerre à ce jour

Actuellement, les États-Unis ont dépensé 645 milliards de dollars pour les guerres d'Irak et d'Afghanistan. Le coût de « fonctionnement » de ces guerres augmente régulièrement depuis 2003 – de 4,4 milliards de dollars, la « consommation mensuelle de trésorerie » est passée à 8, puis à 12, puis, selon les estimations, à 16 milliards de dollars en 2008. Pour présenter cette réalité sous un autre angle, chaque ménage américain dépense, en gros, 138 dollars par mois pour les dépenses courantes des guerres, dont un peu plus de 100 dollars pour le seul conflit irakien.

Les coûts futurs de la guerre

Même si les deux guerres se terminent demain, nos obligations financières continueront. Les contribuables américains doivent des milliards de dollars aux anciens combattants, qui ont droit aux pensions d'invalidité (c'est une dépense obligatoire), ainsi qu'aux soins médicaux et à d'autres avantages sociaux. Nous sommes aussi confrontés au défi redoutable et coûteux de la reconstruction de notre armée : il faudra remplacer le matériel usé, rendre à nos forces (garde nationale comprise) leur capacité de combat, investir dans des véhicules et des armements plus protecteurs. Cela prendra des années. Et il y aura un autre coût très lourd : les crédits nécessaires au rapatriement des soldats et du matériel.

Mais, tant que nous ne serons pas partis, il y aura d'abord le coût permanent des combats et de la présence des troupes sur le terrain : les fonds nécessaires pour continuer à faire la guerre. Les projections sur leur montant dépendent de nos hypothèses quant à l'envergure du corps expéditionnaire, à la durée de son déploiement sur le théâtre et au type de mission qu'il y mènera.

Dans le « meilleur cas de figure », nous avons estimé que le nombre de soldats américains en Irak et en Afghanistan redescendrait à 180 000 en 2008 (les effectifs d'avant la « montée en puissance »), puis tomberait à 75 000 en 2010. En 2012, il ne resterait qu'une force non combattante de 55 000 hommes et femmes de l'armée d'active[9]. C'est vraiment l'hypothèse la plus optimiste possible, quand on pense que les États-Unis ont encore 80 000 soldats sur le théâtre coréen, et plus de 20 000 au Koweït dix ans après la guerre du Golfe.

Dans nos projections sur les coûts, nous avons compté les 200 milliards de dollars que le président Bush a demandés pour les opérations au titre de l'exercice 2008[10], plus le financement des opérations de 2009 à 2017. Nous estimons que tant le coût par soldat que le coût global « de fonctionnement » baisseront de 50 % quand le corps expéditionnaire passera à une mission non combattante. Ces coûts futurs ajouteront 521 milliards de dollars actuels (dont 382 pour l'Irak) à notre addition des « dépenses courantes » de la guerre. Mais nous avons fondé ce chiffre sur une hypothèse extrêmement optimiste : la réduction de moitié non seulement de nos propres coûts, mais aussi de notre besoin de faire appel à d'onéreux contractants. Si nous remplaçons les soldats démobilisés du soutien logistique par des fournisseurs de services privés, il est peu probable que nos coûts mensuels diminueront à un tel rythme.

Dans le « meilleur cas de figure », le nombre des soldats qui auront été déployés dans le conflit en 2017 sera au total, selon nos projections, de 1,8 million[11]. C'est cet effectif total des militaires déployés qui est crucial pour déterminer les coûts futurs des soins et pensions d'invalidité des anciens combattants, question que nous allons bientôt examiner.

Notre second scénario est à notre avis beaucoup plus réaliste. L'administration Bush n'a cessé de donner un riant tableau de la situation : nous sommes à deux doigts de la victoire. Le peuple américain a le droit de savoir ce que seront les coûts, et pas seulement dans le meilleur des cas. Mais nous ne voulons pas être accusés de faire des prévisions trop pessimistes ou d'exagérer la facture ; c'est pourquoi même notre scénario « réaliste-modéré » repose sur des hypothèses qui sont presque certainement trop optimistes. Il suppose que les effectifs diminueront plus lentement : ils ne descendront à 75 000 qu'en 2012. Ces chiffres reposent sur les récentes estimations de déploiement du Congressional Budget Office, elles-mêmes fondées sur les discussions du CBO avec le département de la Défense. Nous postulons aussi que ces troupes continueront à accomplir des missions essentiellement militaires, dont des opérations offensives contre Al-Qaïda aux côtés des forces irakiennes et afghanes et le maintien de l'ordre dans des quartiers violents. Le nombre des soldats requis dans le cadre de ce scénario atteindra un total de 2,1 millions en 2017. Avec la poursuite des opérations de combat, le coût du déploiement des troupes américaines restera de l'ordre de 400 000 dollars par soldat, et les coûts fixes (l'entretien des bases, par exemple) ne baisseront pas avec le niveau des effectifs[12]. Dans ce scénario, nous anticipons que le total des coûts de « fonctionnement » futurs (les crédits qui seront explicitement affectés aux guerres) dépassera 913 milliards de dollars en 2017, dont 669 milliards pour l'Irak.

Les anciens combattants des guerres d'Irak et d'Afghanistan blessés, traumatisés ou tombés malades pendant leur service actif sont en droit de demander des pensions d'invalidité et d'autres avantages, dans le cadre d'un système complexe géré par le département des Anciens combattants (Veterans Affairs, VA), qui dispense aussi aux anciens combattants des soins médicaux dans son vaste réseau d'hôpitaux et de cliniques. Le VA verse des allocations supplémentaires en fonction de la situation individuelle de l'ancien combattant : aides pour un logement spécialement adapté, recyclage professionnel, assurance sur la vie, prestation de dépendance et indemnités payées au conjoint et aux enfants survivants de l'ancien combattant décédé. Nous examinerons plus attentivement le travail du VA auprès des soldats rentrés, et les coûts qui lui sont associés, au chapitre suivant.

Tant dans le « meilleur cas de figure » que dans le scénario « réaliste-modéré », nous avons intégré des projections des coûts probables des traitements médicaux qui seront assurés aux anciens combattants après leur retour, et des pensions d'invalidité et autres allocations bien méritées qui leur seront versées. Nous les avons fondées sur le taux réel des demandes déposées à ce jour par les anciens combattants d'Irak et d'Afghanistan. (Néanmoins, beaucoup de ceux qui effectuent un second ou un troisième déploiement n'ont pas encore été démobilisés, et, comme nous l'expliquons plus loin, le taux probable d'invalides dans leurs rangs pourrait être considérablement supérieur.) Nous avons aussi utilisé la guerre du Golfe de 1991 comme point de repère, car l'admissibilité des anciens combattants des guerres en cours au bénéfice des prestations se décide sur les mêmes critères que pour ceux de la guerre du Golfe.

Le précédent des soldats revenus de la guerre du Golfe suggère que les soins médicaux et les pensions d'invalidité de nos anciens combattants vont coûter cher – très cher. Bien que les combats n'aient duré que quelques semaines et aient fait dans les rangs américains 147 morts et 467 blessés, 45 % des 700 000 anciens combattants de la guerre du Golfe ont déposé des demandes de pension d'invalidité, dont 88 % ont été approuvées. Ces pensions coûtent aux États-Unis 4,3 milliards de dollars par an[13]. Près de la moitié des bénéficiaires ont été traités au sein du réseau médical du VA[14].

Les conflits d'Irak et d'Afghanistan durent depuis cinq ans ; en moyenne, les militaires y sont déployés quinze mois, et un tiers d'entre eux environ recommencent une seconde ou une troisième fois. La plupart de ces hommes et femmes ont servi dans des conditions très pénibles. Chaque déploiement accroît l'exposition du combattant au feu et augmente donc *plus* que proportionnellement les risques d'invalidité[15]. À la différence des guerres précédentes, les soldats des unités de combat ne sont plus les seuls à courir un gros risque de se faire tuer ou blesser. Beaucoup de soldats des unités de soutien – ceux qui conduisent les véhicules, effectuent les évacuations médicales, refont le plein des avions – sont en danger aussi. Et on a recouru plus largement aux réservistes et aux gardes nationaux – qui ont en général dans les trente-cinq ans, sont chargés de famille et peuvent demander des allocations supplémentaires. Les femmes constituent 14 % des effectifs. Pour toutes ces raisons, nous sommes persuadés qu'une projection fondée sur la comparaison avec la guerre du Golfe est d'une extrême prudence : sur le nouveau théâtre, les effectifs des militaires qui remplissent les conditions pour recevoir les pensions risquent d'être très supérieurs ; et – plus important encore – les anciens combattants actuels auront de plus gros besoins de soins médicaux. Les anciens combattants revenus d'Irak et d'Afghanistan déposent en moyenne des demandes pour cinq états invalidants, contre trois pour leurs homologues de la guerre du Golfe. Près de 37 % des soldats rentrés d'Irak et d'Afghanistan ont déjà sollicité un traitement médical dans les hôpitaux et cliniques du VA (voir tableau 2.1). Enfin, il ressort des tendances qui se dessinent que les anciens combattants d'Irak et d'Afghanistan sont plus susceptibles de solliciter une pension d'invalidité que ceux de la guerre du Golfe, et encore plus susceptibles de voir leur demande approuvée.

TABLEAU 2.1. *Le nombre des anciens combattants d'Irak et d'Afghanistan qui demandent des soins médicaux au VA augmente chaque année (exercices 2003 à 2008)*

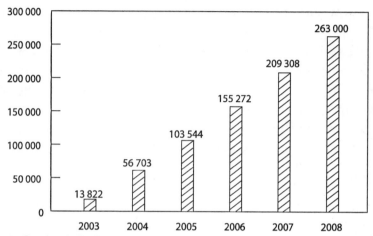

Source : Comité du Budget de la Chambre des représentants, à partir des données du département des Anciens combattants (VA).

Notre scénario du « meilleur cas de figure » suppose que, pour les demandes de pension d'invalidité déposées par les anciens combattants, les conflits en cours auront le même profil que la guerre du Golfe : 45 % des militaires finiront par solliciter la reconnaissance d'un certain taux d'invalidité et 88 % de leurs demandes seront au moins partiellement acceptées. Cela signifierait qu'au total, parmi nos soldats, 712 800 demanderaient des allocations. Nous estimons que la pension moyenne versée à un ancien combattant invalide de la guerre d'Irak ou d'Afghanistan sera la même que celle que reçoit l'ancien combattant invalide de la guerre du Golfe (542 dollars par mois) et que la revalorisation annuelle de ces pensions en fonction du coût de la vie s'effectuera au même taux que pour celles de la Social Security[16]. Selon nos projections, le taux actuel de blessés sur les théâtres d'opérations se maintiendra jusqu'en 2011, date à laquelle le corps expéditionnaire cessera d'être engagé dans des combats. À partir de là, nous réduisons le taux de blessés et tous les coûts de « fonctionnement » de 50 %.

Pour évaluer le coût futur des soins médicaux, nous partons de la projection selon laquelle 48 % des anciens combattants actuels finiront par solliciter un traitement du VA. Nous supposons que 60 % de ces demandeurs auront besoin d'un traitement à court terme (de moins de cinq ans), et que 40 % resteront dans le système toute leur vie. Les deux scénarios supposent que l'inflation dans le secteur de la santé continuera à augmenter à un taux deux fois supérieur au taux d'inflation général, comme elle le fait depuis des décennies.

Dans le cadre de cet ensemble d'hypothèses, l'État fédéral américain paiera 121 milliards de dollars pour financer les soins des anciens combattants [17] et 277 milliards de dollars pour les pensions d'invalidité qui leur seront versées à vie. Le coût total à long terme pour le VA sera donc de 398 milliards de dollars. N'oublions pas qu'il s'agit du meilleur scénario imaginable : il postule que moins de 20 % de l'ensemble des anciens combattants des guerres d'Irak et d'Afghanistan utiliseront le réseau du VA comme premier fournisseur de soins médicaux (hypothèse vraiment minimale) et que seuls 39 % des anciens combattants de ces guerres se qualifieront pour une pension d'invalidité.

Notre scénario « réaliste-modéré » postule qu'au total 2,1 millions d'hommes et de femmes des forces armées seront engagés dans le conflit, et qu'il y aura une présence militaire américaine active dans la région jusqu'en 2017. Dans ce scénario, en supposant que le taux de morts et de blessés reste inchangé, nous prédisons que 850 000 soldats vont déposer une demande de pension d'invalidité. Ici, en utilisant un ensemble d'attentes plus réalistes pour la revalorisation des pensions d'invalidité et en fixant notre projection du versement mensuel moyen à la moyenne actuelle des pensions de l'ensemble des anciens combattants invalides (592 dollars), nous estimons que le coût à long terme du versement des pensions d'invalidité sera de 388 milliards de dollars [18].

Dans ce scénario, nous supposons que la moitié des anciens combattants qui utilisent le réseau médical du VA y resteront en permanence (soit un quart de l'effectif total des troupes) et nous prévoyons des coûts futurs de traitement fondés sur les coûts moyens actuels du traitement de chaque ancien combattant dans le réseau. Dans le cadre de ces hypothèses, nous estimons que fournir des prestations médicales à vie aux anciens combattants reviendra à 285 milliards de dollars. Ce qui porterait les coûts à long terme pour le contribuable américain à 683 milliards de dollars – à peu près ce que nous avons dépensé pour faire la guerre pendant les cinq premières années.

Le versement de l'allocation handicap de la Social Security aux anciens combattants du conflit est un autre coût majeur de la guerre. À la différence des pensions d'invalidité d'ancien combattant, les prestations de la Social Security sont accordées sur des critères parfaitement clairs : tout ancien combattant qui ne peut pas travailler ou conserver un emploi y a droit. Cette allocation est actuellement d'environ 1 000 dollars par mois. Les anciens combattants auxquels le VA reconnaît une invalidité de 50 %, ou plus, liée à leur service aux armées (pour des handicaps physiques ou des affections mentales comme l'état de stress post-traumatique [ESPT]) satisferont très probablement aux critères de la Social Security. Parmi les 45 000 Américains qui ont été assez grièvement blessés pour être aéroportés hors des théâtres dans une évacuation médicale, beaucoup se qualifieront. Un tiers des quelque 52 000 soldats auxquels on a diagnostiqué l'ESPT le feront aussi [19]. Individuellement, ces sommes peuvent paraître réduites, mais, si on les additionne sur les quatre décennies pendant lesquelles les bénéficiaires peuvent recevoir des versements, nous estimons que le total sera de l'ordre de 25 à 44 milliards de dollars.

Comme la guerre d'Irak a mis à rude épreuve les troupes qu'on a envoyées combattre dans ce pays, le sable, la chaleur, l'âpreté du terrain ont mis à rude épreuve le matériel. Nous usons l'équipement de base et l'armement bien plus vite que nous ne pouvons le remplacer. En fait, certaines études estiment que nous usons le matériel six ou dix fois plus vite qu'en temps de paix [20]. À ce jour, l'armée de terre et les Marines ont fait transiter, par rotation, environ 40 à 50 % de leur matériel en Irak et en Afghanistan. Le Marine Corps estime que 40 % de son équipement au sol et 20 % de ses appareils aériens sont utilisés en soutien des opérations actuelles [21]. Dès 2005, le GAO a fait savoir que le degré de « préparation au combat » des vingt articles d'équipement cruciaux avait nettement baissé depuis 1999. Ce groupe comprenait les chars d'assaut, les véhicules blindés, les camions, les hélicoptères et les avions de combat [22]. En outre, l'armée a totalement épuisé les stocks de carburant et d'approvisionnement « prépositionnés », remplacé son matériel en faisant des prélèvements sur celui des unités fraîchement déployées (qu'elle a donc laissées en état de sous-équipement) et consommé une bonne partie de l'équipement apporté par la garde nationale [23].

Les forces armées ont aussi fait le choix de garder le matériel dans la zone de guerre, en comptant presque exclusivement sur des capacités de réparation « internes au théâtre ». En conséquence, une bonne partie de l'équipement n'a pas connu la maintenance au dépôt, de meilleure qualité, depuis le début des opérations. La qualité du travail d'entretien « interne au théâtre » laisse à désirer : citons, parmi les défaillances, le travail inférieur aux normes qu'accomplissent des entreprises sous contrat et le manque de personnel. Un rapport récent du GAO a révélé que moins de 7 % des principaux équipements qui se trouvent dans des « stocks de soutien » sur le théâtre étaient pleinement capables de remplir leur mission – même s'ils sont censés pouvoir remplacer ceux qui sont endommagés dans les combats. Le GAO a également constaté que certaines unités basées aux États-Unis, qui manquent de matériel et de temps de formation, remettent elles aussi à plus tard la maintenance au dépôt (GAO, « Preliminary Observations on Equipment Reset Challenges and Issues for the Army and Marine Corps », GAO-06-604T, mars 2006).

Cette décision, comme d'autres aspects de la politique de l'administration Bush, finira par coûter cher au contribuable, mais ce n'est pas tout : elle implique aussi qu'il y aura une période où nos forces ne seront pas aussi prêtes au combat qu'elles devraient l'être. Du point de vue de l'armée, c'est d'ailleurs le coût principal. Carl Connetta, spécialiste des questions de défense, l'a bien vu en 2006 :

> Remettre la maintenance à plus tard, c'est comme tirer un emprunt sur l'avenir ; l'heure viendra où il faudra payer la facture. Les pannes vont s'accumuler. C'est alors un plus grand nombre de matériels qu'il faudra conduire au dépôt – ou remplacer. Pendant que ce processus aggravé de « rééquipement » des forces armées sera en cours, les unités devront faire de leur mieux avec un matériel plus réduit ou de moindre qualité. C'est pourquoi le rééquipement d'après guerre constituera une période réfractaire* – une période où la capacité de combat sera plus faible. L'armée maintiendra plus de 280 000 pièces d'équipement majeur en Irak jusqu'à la fin de la mission. [...] La dégradation de l'état du matériel ne sera pas le seul coût qui persistera dans l'après-guerre. Il y aura aussi des coûts financiers[24].

Le haut niveau des pertes pendant une demi-décennie a miné le « capital humain » de l'armée ; et les difficultés du

---

* Au sens médical, où la « période réfractaire » est le délai, après l'excitation d'un muscle ou d'un neurone, pendant lequel la réponse à une deuxième excitation est affaiblie ou inexistante.

recrutement ont aggravé le problème, car elles l'ont obligée à enrôler des personnes qu'elle n'aurait jamais acceptées dans ses rangs avant la guerre. Il faudra des investissements massifs pour ramener la force, la forme physique et la capacité de combat des soldats à leur niveau d'avant guerre.

Il existe diverses estimations des moyens financiers et du temps qu'il faudra pour rendre à notre armée toute sa puissance. Pour le coût, elles vont de 10 à 15 milliards de dollars par an jusqu'à la fin du conflit et, au minimum, pendant deux ou trois ans de plus, pour la seule armée de terre ; et 2 à 3 milliards de dollars pour les Marines. Certains experts des questions de défense soutiennent qu'une remise à niveau pourrait prendre dix à vingt ans. La réserve, la garde nationale, l'aviation, la flotte et d'autres armes exigeront aussi des investissements de rééquipement [25]. Si nous supposons qu'il faudra 13 milliards de dollars par an pour remettre à niveau les forces et l'équipement de l'armée de terre, 2,5 milliards pour les Marines et 1 milliard pour la garde, la flotte et les réserves, et si nous attribuons 10 % des coûts de rééquipement de l'aviation aux conflits en cours, nous estimons que, sur quinze ans, il faudra 250 à 375 milliards de dollars pour reconstruire l'ensemble des forces armées [26].

Remettre l'entretien et le remplacement du matériel militaire au moment où la guerre d'Irak sera finie est une mauvaise décision. Mais elle a plusieurs avantages politiques. Elle amoindrit les coûts immédiats de la guerre et permet d'en transférer certains au budget général de la défense. On en a un exemple avec la situation de la flotte aérienne, plus ancienne qu'elle ne l'a jamais été et qui s'use plus vite en raison de son utilisation massive en Irak et en Afghanistan. L'armée de l'air dépense aujourd'hui 87 % de plus pour l'entretien de sa flotte d'avions de combat qu'il y a dix ans – en raison du plus grand nombre de missions, des dures conditions de vol en Irak et du vieillissement des appareils (qui ont en moyenne vingt-quatre ans contre vingt et un en 2001) [27]. Elle cherche à acheter de nouveaux appareils pour réduire cette moyenne d'âge, en y consacrant environ 400 milliards de dollars au cours des deux prochaines décennies. Mais ce coût à long terme est déguisé en « recomplètement » militaire ordinaire.

Le coût du rapatriement final des soldats et du matériel est une autre grosse facture qu'il faudra payer. Elle recouvre la démobilisation des militaires, leur transport jusqu'aux États-Unis, les services à leur fournir pour leur transition du service actif au statut d'ancien combattant, et le transport du matériel, des armes et des munitions. Il y a 2 000 chars Abrams et véhicules blindés Stryker et Bradley ; 43 000 autres véhicules, dont plus de 18 000 Humvees ; plus de 700 avions ; et plus de 140 000 tonnes d'équipement et de fournitures – et il faudra réparer, transporter, stocker et redistribuer tout ce matériel quand il reviendra aux États-Unis. Nous estimons que la démobilisation coûtera plus de 20 milliards de dollars (en supposant que les coûts normaux de rotation des effectifs seront couverts par les crédits ordinaires de la guerre).

Les coûts de la guerre « dissimulés » dans les dépenses de défense

Aux termes de la loi américaine sur le budget, le financement des guerres doit être séparé des crédits ordinaires de la défense. Les guerres constituent un coût supplémentaire : l'argent que nous dépensons pour l'Irak et l'Afghanistan *s'ajoute* au budget normal de la défense. Les dépenses militaires totales des États-Unis sont de très loin supérieures à ce que nous dépensons pour les guerres. En 2007, par exemple, les États-Unis ont consacré 526 milliards de dollars à la défense, en plus des 173 milliards votés pour les conflits irakien et afghan. Mais, en pratique, le chevauchement est important. Les soldes ordinaires des militaires américains en Irak sont payées sur le budget ordinaire de la défense. Leurs suppléments de rémunération, comme la solde de combat et les primes de risques, sont financés par les crédits supplémentaires affectés à la guerre.

Les dépenses militaires ont connu une vive augmentation en pourcentage du PIB – de 3 % du PIB en 2001 à 4,2 % pour l'exercice 2008. Mais ce n'est pas un record historique, loin s'en faut. Un autre constat est plus inquiétant, l'augmentation des dépenses de défense en pourcentage du financement discrétionnaire (c'est-à-dire celui qui n'est pas obligatoirement affecté à des dépenses imposées par des droits, comme les pensions de retraite) : elles sont passées de 48 % de ce type de financement en 2000 à 51 % aujourd'hui. Autrement dit, nos besoins de défense engloutissent une plus large part de l'argent des contribuables qu'ils ne l'ont jamais fait.

L'un des moyens qu'utilise l'administration Bush pour dissimuler le coût réel des conflits d'Irak et d'Afghanistan consiste à cacher des dépenses de guerre au sein de ce budget « normal » de la défense en plein essor. Depuis que nous avons envahi l'Irak, le budget du Pentagone a connu une augmentation cumulée de plus de 600 milliards de dollars[28]. Il est difficile de déterminer le pourcentage exact de ces financements ordinaires qui est aspiré dans l'effort de guerre (ou vice versa)[29]. Comme nous l'avons vu au chapitre 1, la comptabilité du Pentagone est si mauvaise et si peu transparente que le département de la Défense a toujours été très loin d'obtenir un satisfecit de bonne gestion financière. Des auditeurs indépendants ont cité des faiblesses matérielles[30] dans ses systèmes de gestion financière, les soldes de ses fonds, ses dénombrements de stock, ses matériels et fournitures de fonctionnement, ses immobilisations corporelles, ses matériels achetés à des contractants, ses obligations environnementales, ses écritures comptables, ses comptes fournisseurs – bref, partout. Ces auditeurs ont qualifié les comptes du département de la Défense de « fallacieux », « déficients » et « inadéquats[31] ».

Que des crédits de défense « ordinaires » soient utilisés pour la guerre, on peut le voir très clairement dans les « transferts » budgétaires mensuels du Pentagone, où toute somme non dépensée sur les programmes en cours n'est pas reportée sur le mois suivant mais immédiatement réaffectée aux dépenses de guerre. Autre exemple : le Pentagone est aussi en train d'effectuer un investissement énorme pour développer les « forces spéciales » – afin d'entraîner davantage de soldats capables d'opérer sur des terrains difficiles comme l'Irak et l'Afghanistan.

Néanmoins, dans notre scénario du meilleur cas de figure, nous avons accordé au département de la Défense le bénéfice du doute et supposé qu'aucun de ces 600 milliards de dollars de plus n'est lié à l'Irak et à l'Afghanistan ; autrement dit, nous postulons que le Pentagone a réussi à séparer du reste ses besoins de financement pour la guerre, et que toutes les dépenses de guerre ont donc été classées comme telles.

Mais, dans notre scénario réaliste-modéré, nous considérons qu'un quart de ces dépenses de défense supplémentaires est allé à l'effort de guerre. Nous le faisons pour prendre en compte les nombreux domaines dans lesquels la guerre, indirectement, a beaucoup accru les coûts « de base » du Pentagone, par exemple le financement du renseignement, le recrutement et les rémunérations.

Les efforts de recrutement donnent un aperçu éclairant de l'impact de la guerre d'Irak sur le taux de croissance global des dépenses militaires. Pour recruter et retenir ses soldats, le département de la Défense a dû les payer beaucoup plus. Le Pentagone a revalorisé la solde militaire régulière de 28 %, doublé la solde spéciale*, ajouté le « cumul** » de la pension

---

* *Special pay* est un terme générique désignant tout ce qui s'ajoute à la solde normale, dont la solde de combat et les primes de risques, mais aussi des accessoires de solde rétribuant, par exemple, des compétences particulières.

** Jusqu'en 2004, la loi interdisait de percevoir à la fois une pension d'invalidité du VA et une retraite de l'armée. Depuis, le système du *concurrent receipt* autorise ce cumul pour les militaires qui ont servi vingt

de retraite de l'armée et de celle des anciens combattants – et financé le tout en grande partie sur son budget ordinaire. De plus, quand des soldats bien entraînés sont tués ou blessés, il faut en former de nouveaux pour les remplacer. Or, nul n'en sera surpris étant donné l'opposition à la guerre et le nombre effrayant de victimes, les autorités militaires ont beaucoup de difficultés à atteindre leurs objectifs de recrutement et de rengagement, pour les soldats comme pour les officiers. En 2005, l'armée de terre est restée en deçà de ses objectifs de recrutement la plupart des mois de l'année, et elle a fini par les réduire pour les atteindre[32]. S'efforçant de stimuler l'engagement, le Pentagone a relevé l'âge limite de trente-cinq à quarante-deux ans, et progressivement assoupli ses normes d'apparence extérieure et de comportement. En 2006, il a commencé à autoriser davantage de criminels condamnés à entrer dans l'armée de terre[33]. En 2007, celle-ci a atteint son objectif de recrutement, mais 73 % seulement de ses recrues avaient un diplôme de fin du secondaire – bien en deçà des 90 % demandés par le Pentagone. Le recrutement chez les Noirs et les femmes a abruptement chuté. Le nombre de recrues de la « catégorie 4 » – les plus mal notés aux tests d'aptitude – a augmenté. L'érosion des normes pourrait même dégrader le moral et l'efficacité de l'armée de terre, et rendre l'effort prolongé de reconstruction des forces armées plus difficile et onéreux que jamais[34].

La garde nationale de l'armée de terre*, les réserves de l'armée de terre et les réserves des Marines ont aussi connu des problèmes de recrutement. Les candidatures à West Point et à

---

ans ou davantage et qui ont un taux d'invalidité lié au service armé de 50 % ou plus.

* La garde nationale de l'armée de terre (Army National Guard) est la composante de la garde nationale qui sert de réserve à l'armée de terre. Une autre composante (Air National Guard) sert de réserve à l'armée de l'air.

la Naval Academy se sont réduites de 10 à 20 % par rapport à leurs niveaux d'avant guerre. L'armée de terre prévoit déjà qu'il lui manquera bientôt 3 000 officiers de ligne, bien qu'elle accorde des promotions plus rapides (de capitaine à major), des primes et d'autres avantages [35]. Le directeur de la gestion du personnel officier au commandement des ressources humaines de l'armée, le colonel George Lochwood, estime que l'armée de terre n'a que la moitié des *senior captains** dont elle a besoin [36].

Le Pentagone a réagi en embauchant des milliers de recruteurs supplémentaires, en intensifiant ses campagnes nationales de publicité et en proposant aux nouvelles recrues des primes d'engagement allant jusqu'à 40 000 dollars. Il offre aussi des avantages plus généreux en matière d'éducation, de retraite et d'invalidité, procure une « voie rapide » vers la naturalisation aux recrues hispaniques et à leurs familles, et a revalorisé les allocations aux familles des soldats. Aux militaires expérimentés, qui risqueraient sans cela de quitter l'armée pour occuper des postes lucratifs dans les firmes contractantes privées, on propose aujourd'hui des primes de rengagement qui vont jusqu'à 150 000 dollars. Pendant l'exercice 2007, après avoir manqué ses objectifs de mai et de juin, l'armée de terre a adopté le plan de prime « Quick Ship » : désormais, les jeunes reçoivent immédiatement une prime s'ils se présentent à l'entraînement de base dans les trente jours qui suivent leur engagement. L'ensemble des forces armées consacre plus de temps et d'effort à étudier les besoins et l'« usure » du personnel militaire. Le coût par recrue est passé pour le Pentagone de 14 500 dollars en 2003 à 18 842 dollars, chiffre prévu pour 2008 [37]. Ces coûts supplémentaires pour le

---

* *Senior captains* : il ne s'agit pas vraiment d'un grade dans l'armée de terre américaine ; l'expression désigne simplement les capitaines qui sont le plus près d'une promotion au grade supérieur, celui de major.

contribuable sont essentiellement dus à l'impopularité de la guerre d'Irak, mais beaucoup sont dissimulés dans le budget ordinaire de la défense.

Les autorités militaires ont fini par admettre que faire la guerre en Irak sans accroître l'envergure des forces armées a un impact sur nos capacités de défense ailleurs – constat « depuis longtemps nécessaire », écrit Michael O'Hanlon, expert respecté des questions militaires : « Il aurait dû être fait au plus tard au milieu de l'année 2003, dès qu'il est devenu évident que la stabilisation de l'Irak post-Saddam serait une mission longue et difficile [38]. » Le Pentagone a aujourd'hui l'intention d'augmenter les effectifs des armées de 92 000 personnes d'ici à 2012 : il lui faudra donc redoubler d'efforts pour recruter et retenir les engagés, et les États-Unis devront dépenser davantage pour que le volontariat reste la seule base des forces armées [39]. À ce jour, le président a demandé 5 milliards de dollars à cette fin dans sa requête de crédits de guerre spéciaux, et 12 milliards de dollars de plus dans le budget ordinaire de la défense. Selon le CBO, qui a évalué l'ensemble des crédits nécessaires, il faudra encore y consacrer 147 milliards de dollars dans la période 2009-2017. Il serait normal de considérer ces surcoûts comme une composante de la guerre, mais le Pentagone va les présenter, pour l'essentiel, comme une augmentation des dépenses militaires « de base ». Nous avons inclus pour cette expansion 16 milliards de dollars par an dans notre scénario réaliste-modéré [40].

Les coûts de cette guerre sont si élevés que nous osons à peine mentionner des « petites » sommes de quelques milliards seulement. Mais il y a de nombreuses dépenses qui ne sont pas comptabilisées. Par exemple, malgré l'imprévoyance générale qui a caractérisé cette guerre, le Pentagone, dans les derniers mois avant mars 2003, a dépensé sur ses crédits ordinaires 2,5 milliards de dollars pour préparer l'invasion. Il est facile d'oublier que, dans beaucoup d'autres contextes, 2,5 milliards de dollars seraient une somme substantielle [41].

Dans ce livre, nous nous concentrons sur *le surcroît de dépenses qu'a occasionné la guerre* pour le budget et pour le département de la Défense. Certains ont fait valoir qu'entrer en guerre en Irak a pu nous faire économiser un peu d'argent. Un des plus grands défis auxquels les économistes sont confrontés quand ils essaient d'évaluer les coûts est ce qu'on appelle dans le jargon le « contrefactuel ». Que se serait-il passé si nous n'avions pas fait la guerre ? Selon un point de vue couramment admis, nous en serions restés au statu quo, et nous aurions donc continué à faire respecter les zones d'interdiction de vol (les restrictions que nous avions imposées à l'Irak après la guerre du Golfe, et qui interdisaient à ses avions de survoler certaines régions du pays). De ce point de vue, donc, entrer en guerre nous a épargné une petite dépense : nous n'avons plus été tenus de faire respecter les zones d'interdiction de vol. Dans nos calculs, nous soustrayons au coût de la guerre celui des patrouilles dans ces zones, estimé par le Pentagone à 10 milliards de dollars par an[42]. Mais se pose alors la question : où sont allées ces économies ? Il est clair qu'elles n'ont pas réduit les dépenses du département de la Défense. L'explication la plus plausible est que cet argent a servi à augmenter celles de la guerre d'Irak, ce qui suggère que, là encore, nous avons sous-évalué les coûts réels.

Les coûts pour d'autres composantes de l'État

Si le gros des dépenses de guerre va être effectué par le département de la Défense, le département d'État, celui des Anciens combattants et la Social Security, le conflit irakien imposera aussi des coûts à d'autres composantes de l'État. Elles comprennent le département du Travail (assurances et indemnités d'accident du travail pour les contractants), le département du Logement et du Développement urbain (prêts immobiliers aux anciens combattants), le département de l'Agriculture, et la Small Business Administration (prêts subventionnés aux petites entreprises et aux exploitations agricoles). Plus l'augmentation des coûts de carburant pour tous les services de l'État. Bien qu'ils puissent être importants, nous n'avons inclus aucun de ces impacts budgétaires dans notre addition des coûts de la guerre.

Voici par exemple une dépense de l'État peu connue mais qui s'alourdit : l'assurance et les indemnités d'accident du travail que nous payons aux contractants privés qui opèrent en Irak, dans le cadre d'un programme géré par le département du Travail. Le Defense Base Act de 1941 impose à tous les contractants et sous-contractants de l'État américain de souscrire une assurance accident du travail pour leurs employés civils qui participent à des projets financés par les États-Unis à l'étranger. Cette assurance couvre les frais médicaux, les heures de travail perdues et les indemnités de décès et d'invalidité. Elle concerne l'ensemble des contractants payés par les États-Unis, qu'il s'agisse d'un ingénieur américain ou d'un chauffeur de camion irakien[43]. Cela signifie que toute compagnie américaine est tenue d'assurer chacun de ses salariés contre le risque d'être tué ou blessé. Comme cette assurance elle-même a un coût prohibitif en temps de guerre (ce qui dissuade les entreprises de faire des offres pour ces missions en Irak), le gouvernement américain paie à la place des firmes contractantes les primes en question aux compagnies d'assurances. Mais malgré l'assurance, si les contractants sont tués ou blessés dans un « acte de guerre » (que la blessure ou le décès soient ou non intervenus pendant les heures de travail), c'est le contribuable américain qui devra payer les pensions d'invalidité, les frais médicaux et les indemnités de décès[44].

Le recours aux contractants a battu tous les records : ils sont plus de 100 000 à opérer en Irak ; et avec tant de contractants, bien évidemment, les dépenses montent. Deux coûts sont pris en charge par l'État : celui des primes d'assurance et celui des versements d'indemnités. Il est difficile d'évaluer ce que paie l'État en primes d'assurance : aucune administration ne réglemente les primes et personne ne surveille les coûts globaux. On estime que ces primes coûtent de 10 à 21 % des salaires. Ce qui veut dire que l'État américain doit payer 10 000 à 21 000 dollars d'assurance pour un garde de sécurité privé qui gagne 100 000 dollars par an. Les rémunérations hebdomadaires vont de 60 dollars pour les traducteurs et les manœuvres irakiens à 1 800 dollars pour les chauffeurs de camion et jusqu'à 6 000 dollars pour les gardes de sécurité privés qu'emploient des compagnies comme Blackwater Security. Mais, même en supposant que nous ne payions que 15 % d'un salaire hebdomadaire de 1 000 dollars, pour 100 000 contractants cela ajoute 780 millions de dollars aux coûts annuels de l'État.

Les indemnités de décès versées aux parents survivants et l'indemnisation des accidents du travail sont des coûts annuels de longue durée, payables pendant de nombreuses années avec revalorisation automatique en fonction du coût de la vie. Les taux de morts et de blessés chez les contractants en Irak ont été élevés. Cette situation est due à la nature même du conflit : les soldats de la logistique et le personnel de soutien (traducteurs, chauffeurs de camion, réparateurs, travailleurs du bâtiment) constituent pour les insurgés une cible *soft* – plus facile à attaquer[45]. À ce jour, on estime que 1 001 contractants américains ont été tués et plus de 12 000 blessés. En limitant notre calcul à cet échantillon et en postulant que seule la moitié des morts et des blessés va donner lieu à une demande d'indemnisation, nous pouvons dire que le coût à long terme du versement de ces pensions pourrait dépasser les 3 milliards de dollars[46].

Le chapitre suivant se concentre sur les frais médicaux que les anciens combattants de retour vont imposer au VA. Mais beaucoup d'autres dépenses de santé, difficiles à quantifier, seront à la charge d'autres composantes de l'État. Par exemple, de nombreux anciens combattants rentrés auront de faibles revenus – en partie à cause de leur invalidité –, et leurs familles pourront donc bénéficier de Medicaid et du SSI*, le programme de complément de revenu de la Social Security. Quand ils auront soixante-cinq ans, les anciens combattants seront pris en charge par Medicare. Il est probable que nombre d'entre eux auront des frais médicaux plus élevés à cause de leur service dans les forces armées – encore un exemple de coûts des guerres d'Irak et d'Afghanistan que les États-Unis paieront plusieurs décennies après la fin de ces conflits[47].

Il y a deux autres catégories de coûts pour le budget, et aucune des deux n'est insignifiante : la guerre a fait monter les prix du pétrole et de l'énergie pour tout le monde, État fédéral américain compris ; et elle a porté un coup à notre macroéconomie – or, quand la macroéconomie est plus faible, les rentrées fiscales le sont aussi. Quand il y a moins de recettes et plus de dépenses, les déficits sont plus importants. Au chapitre 5, nous évaluons la réduction du PIB ; à partir de là, nous pouvons estimer la perte de recettes fiscales. Dans le « meilleur cas de figure » – vraiment le meilleur –, en nous limitant aux sept années 2003-2009, la perte n'est que de 11 milliards de dollars ; des estimations plus raisonnables la situent entre 128 et 368 milliards de dollars. Mais, préférant nous tromper en sous-évaluant les coûts qu'en les surévaluant, nous ignorons simplement ces pertes de revenus du fisc.

On peut considérer que la hausse de la facture énergétique du département de la Défense est implicitement incluse dans les dépenses de guerre ; mais la montée des prix pétroliers a imposé des charges importantes à d'autres services de l'État. Les administrations civiles de l'État fédéral consomment plus

---

* Le SSI (*supplemental security income*) est une allocation versée par la Social Security (indépendamment de la pension d'invalidité) aux personnes âgées ou handicapées à revenu faible ou nul pour leurs dépenses de première nécessité (alimentation, vêtements, logement).

de 4 milliards de dollars d'énergie par an, et ces coûts sont particulièrement importants pour le département de l'Énergie, le service postal, le VA (dans les hôpitaux, par exemple), la NASA, les transports et l'Administration générale des services [48]*. Quand le prix du brut a grimpé de 25 à près de 100 dollars le baril, ces administrations ont dû absorber ces coûts sans recevoir d'augmentation compensatoire dans leur budget. Nous avons inclus 400 millions de dollars par an de ces coûts énergétiques supplémentaires dans notre calcul de l'impact budgétaire de la guerre [49]. Certains services de l'État ont compensé la hausse des coûts énergétiques en gelant les dépenses. Ils ont été contraints de réduire leurs programmes, et c'est une autre dimension des coûts de la guerre.

Les coûts d'emprunt et de paiement des intérêts de la dette

Au début de la guerre d'Irak, l'État américain était déjà en déficit. Puisque aucun impôt nouveau n'a été levé (la fiscalité, notamment pour les Américains aux plus hauts revenus, a été en fait allégée peu après l'entrée en guerre) et que les dépenses non militaires ont continué à augmenter, il n'est pas déraisonnable de postuler, dans une analyse *de l'établissement du budget* [50], que tous les crédits de guerre jusqu'à ce jour ont été empruntés, et ont donc accru l'endettement antérieur du budget fédéral. À notre dette nationale de 9 000 milliards de dollars, nous avons déjà ajouté, dans notre scénario réaliste-modéré, près de 1 000 milliards de dollars pour financer la guerre jusqu'à présent [51].

---

* L'Administration générale des services (General Services Administration) est un organisme de l'État fédéral créé en 1949 pour gérer le fonctionnement de base de tous les services de l'État, en leur fournissant du matériel, des locaux, des moyens de transport, des moyens de communication, etc.

Tout cet argent devra être remboursé – avec des intérêts. Ce qui ajoutera finalement trois catégories de paiements : les intérêts que nous avons déjà payés sur l'argent que nous avons déjà emprunté ; ce que nous devons encore sur ce que nous avons emprunté ; et ce qu'il nous faudra encore emprunter pour financer les opérations futures de la guerre, y compris les intérêts que nous aurons à payer sur tous nos emprunts futurs. Dans la première catégorie, nous avons déjà dépensé 100 milliards de dollars, dont environ 75 milliards pour le seul conflit irakien.

Certains ont soutenu que nous ne devrions pas inclure les paiements d'intérêts en tant que *coût de la guerre*. C'est l'administration Bush qui a choisi de financer le conflit de cette façon, qui a décidé de réduire les impôts et de ne pas diminuer les autres dépenses. Elle aurait probablement pu s'acquitter des coûts de la guerre par une autre méthode, donc ne pas avoir à payer d'intérêts sur les fonds utilisés pour la faire. On pourrait avancer le même argument pour de nombreux autres coûts du conflit irakien : certaines blessures évoquées plus haut ne sont pas nécessairement des conséquences intrinsèques de la guerre elle-même, mais de la façon dont elle a été dirigée. La guerre – la manière dont on l'a faite et dont on l'a financée – est à penser comme un tout indissociable ; ce sont les implications budgétaires de ce « tout » que nous tentons d'évaluer ici.

Voici une autre façon d'appréhender les conséquences du conflit – et de la façon dont nous l'avons financé. Chaque année, nous avons emprunté 200 milliards de dollars pour faire la guerre ; même quand le conflit s'apaisera – s'il le fait –, les paiements des pensions d'invalidité et des frais médicaux des anciens combattants de retour vont grimper. Lorsqu'on emprunte pour acheter une voiture, les intérêts payés sont souvent du même ordre que le prix du véhicule. Il en va de même pour la guerre : les intérêts sur ce que nous avons emprunté et les intérêts sur ce qu'il nous faut emprunter pour payer les intérêts de notre dette initiale s'accumulent. Nous estimons dans notre scénario réaliste-modéré que ces paiements d'intérêts, jusqu'en 2017 seulement, se monteront à 1 000 milliards de dollars (somme dont la valeur actualisée en dollars constants 2007 est supérieure à 800 milliards de dollars, pour l'Irak et l'Afghanistan réunis). La prochaine administration devra faire face à ces factures, et en même temps au défi d'autres grands problèmes nationaux dont la solution est depuis longtemps différée : des infrastructures qui s'effondrent, insuffisantes pour répondre aux besoins de la croissance américaine ; un système de santé qui ne soigne pas un pourcentage important de la population ; et un système scolaire dont les faiblesses sont bien connues depuis longtemps. Même si de nouveaux impôts sont introduits, la guerre et ses lendemains auront rendu l'endettement du pays bien plus lourd qu'il ne l'aurait été sans eux – jusqu'en 2017, selon notre scénario réaliste-modéré, plus lourd de 3 600 milliards de dollars (soit 2 800 milliards de dollars constants 2007), et, à cette date, le gros de la facture des soins médicaux et des pensions d'invalidité ne sera pas encore venu à échéance.

Ce livre contient un message simple, un message qu'il est nécessaire de répéter encore et toujours : on ne rase pas gratis et il n'y a pas de guerre gratuite. D'une façon ou d'une autre, nous paierons ces factures. Les conservateurs insistent sur le coût des augmentations d'impôts : il y a une perte nette, une perte d'efficacité, de production, du fait de la réduction des incitations due à la hausse des impôts. Si nous décidons de rembourser un jour ces dettes, le coût pour l'économie pourrait être de loin supérieur à ces milliers de milliards de dollars ajoutés à notre endettement. Nous devons inclure le coût *supplémentaire* du fardeau fiscal nécessaire pour nous acquitter des sommes dues, fardeau que l'administration Bush a reporté sur nos enfants. Si nous décidons de continuer à remettre à plus tard le remboursement de ces dettes et de ne payer que les intérêts, les impôts vont augmenter année après année, sans fin – avec tous les coûts qui s'ensuivent. Si nous décidons de laisser monter l'endettement en empruntant de plus en plus à l'étranger, nous nous appauvrirons en tant que nation ; et, malgré tous nos emprunts, une partie de l'endettement aura lieu aux dépens de l'investissement intérieur, public ou privé, ce qui, là encore, pèsera lourdement sur la croissance future. Il y aura un prix à payer pour la guerre, mais il y en aura un aussi pour avoir tenté de « faire comme si » les coûts n'existaient pas, en les remettant à plus tard, dans le futur. Ces « billets échus » supplémentaires pourraient aisément accroître les coûts de la guerre de 50 % ou davantage. La facture des intérêts cumulés est un rappel de ces réalités économiques.

Ces coûts, nous les paierons d'une façon ou d'une autre, aujourd'hui, l'an prochain et dans les décennies qui viennent : par des augmentations d'impôts, des investissements publics et privés moins ambitieux, des réductions des avantages sociaux – car on ne peut pas faire une guerre, en particulier une guerre aussi longue et coûteuse que celle-ci, sans en payer le prix.

En additionnant les crédits demandés, passés et futurs, les frais médicaux et pensions d'invalidité des anciens combattants et les dépenses dissimulées dans le budget du département de la Défense, nous situons les dépenses totales pour le seul conflit irakien entre 1 300 et 2 000 milliards de dollars – sans compter les paiements d'intérêts. Si nous faisons la somme des coûts totaux des deux conflits, le résultat va de 1 700 milliards de dollars dans le « meilleur cas de figure » à 2 700 milliards de dollars dans notre scénario réaliste-modéré. Ajoutons maintenant aux chiffres de l'Irak la valeur actualisée des intérêts jusqu'en 2017 seulement : le total monte à 1 750 milliards de dollars pour le scénario le plus optimiste et à 2 650 milliards pour le plus réaliste. Additionnons enfin les deux conflits, intérêts compris : nous parvenons à un total de 2 300 milliards de dollars dans le meilleur cas de figure et au montant monstrueux de 3 500 milliards de dollars dans le scénario plus réaliste. Et n'oublions pas que même l'estimation « réaliste » est minorée.

Mais ce ne sont là que les coûts budgétaires. Ces chiffres ne comprennent pas les coûts imposés à l'économie : le coût économique intégral des tués ou des invalides, celui de la montée en flèche des prix du pétrole, l'affaiblissement de la croissance future en raison de l'« éviction » de l'investissement par la montée du déficit.

TABLEAU 2.2. *L'addition : les coûts budgétaires de la guerre d'Irak*

Coût en milliards de dollars	Dans le meilleur des cas	Scénario réaliste-modéré
Total des coûts de fonctionnement à ce jour (*dépensé à ce jour – 2001-2007*)	473	473
Coûts de fonctionnement futurs (*coûts de fonctionnement futurs seulement*)	382	669
Coûts futurs des anciens combattants (*leurs frais médicaux + leurs pensions d'invalidité + leurs pensions de la Social Security*)	371	630
Autres coûts militaires/Ajustements (*cachés dans budget de la défense + futur rééquipement + démobilisation – économies zones d'interdiction de vol*)	66	267
Total *(sans intérêts)*	1 292	2 039
Plus intérêts		
Coûts des intérêts (*intérêts payés à ce jour + intérêts futurs sur la dette actuelle + intérêts futurs sur les emprunts futurs*)	462	616
TOTAL *(avec intérêts)*	1 754	2 655

TABLEAU 2.3. *L'addition : les coûts budgétaires de la guerre d'Afghanistan* *

Coût en milliards de dollars	Dans le meilleur des cas	Scénario réaliste-modéré
Total des coûts de fonctionnement à ce jour (*dépensé à ce jour – 2001-2007*)	173	173
Coûts de fonctionnement futurs (*coûts de fonctionnement futurs seulement*)	139	244
Coûts futurs des anciens combattants (*leurs frais médicaux + leurs pensions d'invalidité + leurs pensions de la Social Security*)	51	87
Autres coûts militaires/Ajustements (*cachés dans budget de la défense + futur rééquipement + démobilisation*)	66	137
Total *(sans intérêts)*	429	641
Plus intérêts		
Coûts des intérêts (*intérêts payés à ce jour + intérêts futurs sur la dette actuelle + intérêts futurs sur les emprunts futurs*)	151	200
TOTAL *(avec intérêts)*	580	841

* Comprend l'Opération Liberté durable (Afghanistan) et certains coûts de l'Opération Noble Aigle (renforcement de la sécurité des bases en Irak et en Afghanistan). Certains coûts de la participation américaine aux opérations dirigées par l'OTAN en Afghanistan ne sont peut-être pas pris en compte.

TABLEAU 2.4. *L'addition : les coûts budgétaires des guerres d'Irak et d'Afghanistan*

Coût en milliards de dollars	Dans le meilleur des cas	Scénario réaliste-modéré
Total des coûts de fonctionnement à ce jour (*dépensé à ce jour – 2001-2007*)	646	646
Coûts de fonctionnement futurs (*coûts de fonctionnement futurs seulement*)	521	913
Coûts futurs des anciens combattants (*leurs frais médicaux + leurs pensions d'invalidité + leurs pensions de la Social Security*)	422	717
Autres coûts militaires/Ajustements (*cachés dans budget de la défense + futur rééquipement + démobilisation – économies zones d'interdiction de vol*)	132	404
Total *(sans intérêts)*	1 721	2 680
Plus intérêts		
Coûts des intérêts (*intérêts payés à ce jour + intérêts futurs sur la dette actuelle + intérêts futurs sur les emprunts futurs*)	613	816
TOTAL *(avec intérêts)*	2 334	3 496

Ceux qui ont payé le prix le plus lourd sont les hommes et les femmes qui se sont battus en Irak et en Afghanistan. Les sommes qu'ils recevront pour leurs pensions d'invalidité et leurs frais médicaux sont très loin de mesurer ce que la guerre leur a vraiment infligé. Mais ces coûts budgétaires constituent, au moins, un point de départ – que nous allons examiner dans le chapitre suivant.

3

Le coût véritable des soins
aux anciens combattants

La guerre d'Irak a été une épreuve permanente pour nos soldats sur le terrain. Plus de la moitié ont moins de vingt-quatre ans ; certains sortent à peine du lycée. Beaucoup ont été maintenus en service actif de combat bien plus longtemps qu'ils ne s'y étaient engagés au départ. Sur l'ensemble des effectifs envoyés en Irak à ce jour, environ 36 % ont été prélevés dans la garde nationale et les réserves : ce sont des hommes et des femmes qui en général doivent quitter un conjoint, un emploi et des enfants en bas âge[1]. Pendant leur service, ils ne sont nulle part à l'abri du combat incessant et de la menace constante de la mort.

Cet ensemble d'hommes et de femmes comprend aussi un nombre sans précédent de soldats blessés ou traumatisés qui ont survécu[2]. Dans les guerres du Vietnam et de Corée, il y a eu respectivement 2,6 et 2,8 blessés pour 1 mort. Dans la Première et la Seconde Guerre mondiale, le rapport a été respectivement de 1,8 et 1,6 blessé pour 1 mort. En Irak et en Afghanistan, il est de plus de 7 pour 1 – le plus élevé, et de loin, dans l'histoire des États-Unis. Si nous englobons les blessures hors combat, le rapport monte à 15 blessés pour chaque décès[3].

En chiffres ronds, cela signifie qu'à la fin du mois de novembre 2007 environ 67 000 soldats américains avaient été blessés, traumatisés ou étaient tombés malades en Irak et en Afghanistan. Il est vrai que certaines de ces blessures extérieures au champ de bataille auraient pu survenir même si les intéressés avaient servi en temps de paix. Mais le contribuable américain devra payer le coût de leurs pensions d'invalidité et de leurs soins médicaux quelle que soit la façon dont ils ont été blessés. Selon nos estimations, au moins 45 000 blessures et maladies sont directement attribuables au conflit actuel. Nous nous sommes fondés sur une comparaison du nombre de morts et de blessés dans les cinq ans qui ont précédé l'invasion de l'Irak et dans les cinq ans qui l'ont suivie. Elle révèle une augmentation de 50 % du taux de blessés hors combat (par exemple dans un accident de véhicule, dans un accident d'avion, et dans d'autres circonstances ne relevant pas de la bataille)[4].

À la date d'août 2007, les deux tiers des militaires évacués médicalement d'Irak l'ont été pour maladie[5]. Les conditions de vie des soldats, qui se caractérisent par la promiscuité et parfois le manque d'hygiène, créent un terrain favorable pour des agents pathogènes microbiens qui provoquent, en Irak et en Afghanistan, des diarrhées et des infections aiguës des voies respiratoires supérieures, semblables aux maladies déjà constatées pendant la guerre du Golfe. Un nombre non négligeable de militaires ont été atteints de diverses affections portées par des insectes (la leishmaniose, maladie portée par le sang et potentiellement mortelle, transmise par la piqûre des mouches des sables, a frappé des milliers de soldats américains), ainsi que par les infections nosocomiales, la brucellose, la varicelle, la méningococcie et la fièvre Q[6]. Un nombre plus restreint d'hommes et de femmes des forces armées ont subi de graves effets indésirables après avoir mal réagi au vaccin contre la maladie du charbon (anthrax), aux comprimés antipaludéens Lariam et à d'autres médicaments obligatoires.

Trouver ces chiffres n'a pas été aussi facile que cela aurait dû l'être, car le Pentagone s'efforce de garder secrètes les véritables statistiques des victimes. S'il indique tous les décès d'hommes et de femmes sous l'uniforme, tant au combat que dans les opérations hors combat, le bilan officiel des pertes du département de la Défense ne prend en compte les blessés que s'ils l'ont été au combat. Le Pentagone tient un compte *séparé, difficile à trouver*, des militaires blessés au cours d'opérations « hors combat » : ce chiffre comprend ceux qui ont été blessés dans les accidents de véhicules, les crashes d'hélicoptères, les accidents intervenus pendant les manœuvres, et ceux qui ont été frappés pendant leur service d'une maladie ou affection physique ou mentale assez grave pour nécessiter leur évacuation médicale vers l'Europe. (Même ce compte-là ne comprend pas les soldats blessés hors combat qui ne sont pas évacués par avion.) Les autorités militaires ont une marge d'appréciation considérable pour classer « hors combat » n'importe quelle blessure – et quelques incitations à le faire, parce qu'elles ne veulent pas mettre un succès au crédit de l'ennemi. Par exemple, les crashes d'hélicoptères qui ont lieu de nuit ne seront peut-être pas inclus (même s'il est dangereux de voler de jour), tant qu'on n'est pas absolument certain que l'appareil a été abattu par l'ennemi. Nous avons trouvé cette liste presque par accident : le département des Anciens combattants a publié en septembre 2006, dans son document « Les faits : les guerres de l'Amérique », un compte complet des pertes, hyperlié à la source statistique complète du département de la Défense qui enregistre toutes les pertes, au combat et hors combat. Depuis que Linda Bilmes a publié son article initial en janvier 2007, le Pentagone a exigé que le VA utilise exclusivement les chiffres de victimes *au combat* publiés sur le site Internet principal du département de la Défense, et sur le second site des forces armées, restructuré depuis peu, il est devenu difficile de localiser et d'interpréter le compte de l'ensemble des pertes. Malgré ces efforts d'« opacification », les organisations d'anciens combattants ont réussi, en faisant jouer le Freedom of Information Act, à obtenir l'accès à l'ensemble des données, à les faire circuler au Congrès et à les rendre publiques[7].

L'énorme bond des taux de survie que nous avons signalé plus haut est un hommage aux progrès de la médecine militaire opérationnelle sur le champ de bataille, mais il a des conséquences budgétaires que le gouvernement a régulièrement omis d'anticiper. Tous les anciens combattants blessés, quelle que soit la façon dont ils l'ont été, ont droit à des pensions d'invalidité et à d'autres prestations (traitement médical, soins de longue durée, allocations, bourses d'études, aide au logement, aide à la réintégration et conseil juridique, entre autres). Il y a là des coûts importants, tant pour assurer les avantages que pour gérer les programmes. Et le sous-financement peut avoir de graves conséquences pour les anciens combattants – et même alourdir les coûts à long terme. Actuellement, par exemple, une conjonction de manque de personnel, de systèmes mal conçus et d'incompétence administrative crée souvent des problèmes dans le transfert des anciens combattants de la liste de paie du département de la Défense à celle du VA pour obtenir des pensions d'invalidité. Non seulement les besoins accrus des anciens combattants récents ont parfois pour effet qu'ils n'obtiennent pas les soins qui leur sont nécessaires, mais souvent ils ne peuvent être servis qu'en évinçant des anciens combattants de plus longue date, qui doivent attendre plus longtemps – et ne recevront peut-être jamais les soins qu'il leur faut[8].

Ce chapitre examine la capacité de l'État américain à payer les pensions d'invalidité, à assurer des soins médicaux de très bonne qualité et à offrir d'autres avantages essentiels aux anciens combattants des conflits d'Irak et d'Afghanistan. La population sur laquelle nous nous concentrons ici est composée des 751 000 soldats qui ont déjà servi en Irak et en Afghanistan et ont été démobilisés. Les projections sur les coûts futurs sont fondées sur la poursuite de la demande venue de ces anciens combattants et sur la demande à prévoir de la part des militaires encore déployés (le chapitre 4, en revanche, examinera le coût total pour la société d'un petit sous-ensemble de cette population : les grands blessés et les soldats frappés d'une grave maladie mentale).

La plupart des sources que nous employons dans notre analyse, dont les chiffres du VA, ne font pas la différence entre les anciens combattants qui rentrent d'Irak, d'Afghanistan ou de pays voisins comme le Koweït. Un tiers de ceux qui servent dans la guerre d'Irak ont été déployés deux fois ou davantage, et beaucoup ont servi à la fois en Irak et en Afghanistan et/ou dans d'autres endroits[9]. Certes, s'il s'agit d'évaluer le coût à long terme des soins aux anciens combattants pour l'État, savoir où ils ont servi n'a pas d'importance. Mais l'écrasante majorité des décès et des blessures s'est produite en Irak – 90 % des blessés énumérés sur les listes de victimes du Pentagone l'ont été dans ce pays[10]. Nous attribuons donc 90 % du coût des soins médicaux et des pensions d'invalidité au conflit irakien.

Ce chapitre se concentre sur les coûts budgétaires pour les États-Unis des soins de santé et pensions d'invalidité à fournir aux anciens combattants rentrés. Comme les États-Unis continuent à mettre l'accent sur le développement de l'armée irakienne pour remplacer la présence américaine, il est utile de se demander aussi quel sera le coût pour l'Irak des soins médicaux et avantages à long terme de toute sorte que ce pays assurera aux Irakiens qui combattent dans cette guerre. Il est clair qu'il sera lourd – dès à présent, plus de 7 620 soldats irakiens sont morts, et plusieurs dizaines de milliers ont été blessés (au chapitre 6, nous examinerons les coûts pour l'Irak et pour d'autres pays).

Les blessures et traumatismes subis par les soldats américains en Irak

Aux États-Unis, nous constatons des coûts humains sans précédent chez les anciens combattants qui reviennent d'Irak et d'Afghanistan. Plus de 263 000 ont été soignés dans les centres médicaux du VA pour toute une série de problèmes. Plus de 100 000 ont été traités pour des troubles mentaux et, dans 52 000 cas, un état de stress post-traumatique (ESPT) a été diagnostiqué[11]. 185 000 autres ont fait appel à des services d'aide et de réadaptation dans des « centres de l'ancien combattant » où l'on se présente sans rendez-vous[12]. Jusqu'en décembre 2007, 224 000 soldats rentrés ont déposé une demande de pension d'invalidité. La plupart de ces anciens combattants apportent des preuves de multiples problèmes de santé. La demande moyenne signale cinq états handicapants distincts (par exemple, perte de l'ouïe, maladie de la peau, altération de la vision, mal de dos et traumatisme psychique). Les plus infortunés de nos anciens combattants ont subi des horreurs inimaginables : lésions cérébrales traumatiques, amputations, brûlures, cécité et traumatisme spinal. Certains ont des blessures multiples, état que les médecins appellent « polytraumatisme ». Un ancien combattant rentré sur quatre a déposé une demande d'indemnisation pour plus de huit états invalidants distincts[13].

Actuellement, les engins explosifs improvisés, les mines antipersonnel et autres types de bombes au bord des routes sont à l'origine des deux tiers des blessures traumatiques au combat[14]. Les explosions créent de rapides changements de

94

pression, les ondes de choc, qui peuvent provoquer des blessures directes au cerveau, telles que la commotion, la contusion (blessure dans laquelle la peau n'est pas percée) et l'infarctus cérébral (des zones de tissus meurent à la suite d'une perte d'irrigation sanguine). Les ondes de choc peuvent aussi projeter des fragments de métal ou d'autres matières dans les corps et les têtes. Les soldats d'aujourd'hui portent un gilet de protection en Kevlar et des casques, ce qui réduit la fréquence des blessures par pénétration de la tête mais n'empêche pas les blessures au cerveau « fermées », produites par les explosions. Ces blessures peuvent donner lieu au diagnostic de « lésion cérébrale traumatique » (LCT).

La LCT est l'une des blessures caractéristiques de cette guerre, car, à la différence des conflits précédents où le taux de mortalité pour les soldats ainsi blessés était de 75 % ou davantage, la majorité peuvent à présent être sauvés[15]. Des « équipes chirurgicales de l'avant » pansent les blessures ouvertes sur le champ de bataille et les blessés sont évacués vers la base de l'armée de l'air de Landstuhl (Allemagne) dans les vingt-quatre heures. Les anciens combattants qui se présentent pour traitement médical dans les hôpitaux du VA disent avoir été exposés à un nombre d'explosions situé entre 6 et 25 pendant leur participation aux combats.

La LCT est classée bénigne, modérée ou grave selon le temps pendant lequel le patient a perdu connaissance et la durée de l'amnésie qui a suivi la blessure. Dans les cas bénins et modérés, les patients peuvent souffrir de divers symptômes : déficits cognitifs, problèmes comportementaux, vertiges, maux de tête, tympans perforés, problèmes visuels et neurologiques. Ces blessures sont différentes du type de commotion, ou « bleu au cerveau », qui peut guérir. Des études récentes ont montré que la LCT infligée par les bombes peut provoquer des dommages permanents au niveau cellulaire même chez les victimes de chocs bénins et modérés[16]. Dans les cas graves, les patients peuvent subir un dommage permanent qui aboutira à un « état végétatif persistant ». Près du quart des soldats blessés par les explosions meurent[17].

Le Dr Gene Bolles, ancien combattant du Vietnam qui a plus de trente ans d'expérience chirurgicale, a dirigé pendant deux ans le service de neurochirurgie du centre médical régional de Landstuhl. Voici ce qu'il en dit dans une interview récente :

> Ce que j'ai vu là-bas [...], constamment dans nos unités de soins intensifs, c'étaient des jeunes, hommes et femmes, très grièvement blessés, souvent avec un seul membre [qui leur restait], de graves brûlures, aveugles – rien que des blessés graves, très graves. J'ai vu des soldats s'effondrer en larmes, submergés par l'émotion, quand ils me disaient des choses qu'ils avaient vues et ce qui les obsédait. Ils m'en ont tellement dit qu'il m'a fallu du temps pour avoir une bonne nuit de sommeil. Ce sont les blessures les plus graves que j'ai vues dans ma carrière[18].

Piégés dans les limbes

Quand nos militaires qui ont subi des blessures mentales et physiques finissent par rentrer aux États-Unis, ils ou elles sont confrontés à de multiples difficultés pour se faire soigner rapidement et obtenir des allocations d'invalidité. Les soldats de retour se trouvent, en quelque sorte, pris dans des limbes entre le département de la Défense (DOD), qui est responsable des militaires en service actif (et des soins médicaux dans les hôpitaux militaires), et le département des Anciens combattants (VA), qui gère les traitements médicaux et les pensions d'invalidité des démobilisés. Le VA a deux composantes : la Veterans Benefits Administration (VBA), qui s'occupe de toute une série de programmes liés à l'invalidité et détermine qui est en droit d'en bénéficier ; et la Veterans Health Administration

(VHA), responsable des hôpitaux, cliniques et autres centres de santé du VA. En dépit de multiples rapports officiels, groupes de travail et déclarations d'intention, le Pentagone et le VA n'ont pas réussi à offrir une transition « en douceur » aux soldats invalides.

L'opinion publique a pris conscience de ces problèmes de transition après un scandale largement répercuté par les médias : celui du service des consultations externes du centre médical de l'armée de terre Walter-Reed, où les soldats attendant d'être officiellement démobilisés étaient logés dans des conditions répugnantes. Alors que l'hôpital fonctionnait à plein régime et connaissait un afflux de milliers de blessés revenus d'Irak, le Pentagone avait ordonné de réduire les coûts et les dépenses à Walter-Reed (d'y enfoncer des « coins d'efficacité », disait la formule officielle), parce qu'il était prévu à terme de fermer cet établissement[19]. Après que l'état des lieux eut été rendu public, une commission bipartisane de neuf membres nommés par le secrétaire Robert Gates publia un rapport cinglant : le Pentagone, disait ce texte, avait fait preuve d'une négligence « pratiquement incompréhensible » pour l'entretien de ces locaux et d'« un mépris presque palpable » de l'assistance à nos anciens combattants[20].

Mais le fond du problème à Walter-Reed, en fait, c'est le système bancal et redondant qui fait passer les blessés et blessées du statut de militaire à celui d'ancien combattant. Si les patients du service des consultations externes de Walter-Reed avaient été transférés dans les hôpitaux du VA, l'armée aurait interrompu tout paiement et ils seraient restés sans aucun revenu tant qu'ils n'auraient pas été admis à bénéficier d'une pension du VA – ce qui pouvait prendre des mois, voire des années. Des centaines de services de soins externes dans tout le pays reçoivent des anciens combattants piégés de la même façon. Comme le secrétaire adjoint à la Défense Gordon England l'a expliqué au comité des Forces armées du Sénat,

« l'un des problèmes de la transition du DOD au VA est que le processus d'évaluation du taux d'invalidité est "taille unique" ; nous suivons au sein du département de la Défense et pendant la transition vers le VA les mêmes procédures de base pour tout le monde. Les dossiers des 11 % de blessés ou grands blessés de guerre suivent *exactement le même circuit* que ceux des 89 % restants – les militaires de carrière qui prennent leur retraite [21] ».

Tout au long du processus, c'est essentiellement à l'ancien combattant qu'incombe la lourde tâche d'obtenir la validation médicale de son dossier et de remplir l'ensemble des documents administratifs, dont un formulaire de demande de soins et d'indemnisation de vingt-trois pages (à la différence des systèmes australien, néo-zélandais et britannique où, de fait, l'État accepte d'emblée sa demande). Le département de la Défense omet souvent de fournir la documentation statistique nécessaire pour transférer les anciens combattants de ses listes de paie et de ses systèmes de soins à ceux du VA. C'est pourquoi les intéressés sont souvent dans l'obligation de se soumettre à un second cycle de tests diagnostiques pour pouvoir prétendre aux pensions d'invalidité et aux traitements médicaux du VA.

De nombreux anciens combattants sont simplement submergés par le volume et la complexité des formulaires qu'il leur faut remplir. Comme l'a dit le parlementaire républicain de Virginie Tom Davis III : « On pourrait mettre tous les soldats blessés au Ritz-Carlton, ça ne résoudrait pas les problèmes de personnel, de gestion et de suivi qui les font languir dans les limbes des consultations externes pendant des mois, tandis que la paperasse de onze systèmes disjoints se brasse et s'égare [22]. »

Même certains grands blessés ont perdu cette seconde bataille contre la bureaucratie. Cet e-mail reçu par Linda Bilmes le 6 février 2007 n'en est qu'un exemple parmi beaucoup d'autres :

Chère Prof. Bilmes,

Je vous ai vue à Democracy Now* *[une émission de télévision] le 6 février 2007. J'ai envoyé de nombreuses lettres et parlé aux services du Sénat. Il est clair que nous n'arrivons à rien. Mon neveu, Patrick Feges, a été grièvement blessé en Irak en novembre 2004. Il a reçu la visite du président Bush à l'hôpital Walter-Reed, la médaille Purple Heart des mains du gouverneur Perry, mais à ce jour AUCUNE pension. Il a harcelé le VA, mais après toutes ces lettres les problèmes ne sont pas résolus. Le président Bush peut annoncer les chiffres qu'il voudra sur les blessés ou les coûts, rien ne va régler ce problème si personne ne s'en occupe. Ou ne s'en soucie.*

Merci,

Kathleen Creasbaum, tante de Patrick.

Patrick Feges, de Sugarland, Texas, se rendait à pied au mess à Ramadi, en Irak, quand un obus de mortier a explosé. Le souffle lui a tranché une artère et déchiqueté l'estomac. Alors âgé de dix-neuf ans, il a été classé cas « très critique » et traité dans quatre hôpitaux de trois pays pendant cinq semaines. Finalement, une opération chirurgicale à Walter-Reed lui a sauvé la vie. Patrick s'en est remis, mais il a perdu de sa mobilité aux chevilles et aux genoux, souffre de douleurs abdominales et ne peut pas rester longtemps debout. À cause de ses blessures, il a dû renoncer à son projet de devenir mécanicien. Il a alors décidé de suivre les cours d'une école de cuisine avec la bourse d'études et la pension qu'il était en droit d'attendre du VA. Dix-neuf mois plus tard, il n'avait toujours pas reçu un seul centime, et il habitait chez sa mère qui avait pris un second emploi de nuit pour avoir de quoi le faire vivre,

---

* Émission d'information progressiste créée par la journaliste Amy Goodman en 1996 et aujourd'hui diffusée par près de 700 stations de radio et de télévision.

lui et ses quatre frères et sœurs. (Patrick a finalement reçu sa bourse d'études et sa pension d'invalidité avec les arriérés, mais seulement après que nous eûmes signalé son cas à des militants d'associations d'anciens combattants, Paul Sullivan et Steve Robinson, qui sont intervenus auprès du VA et ont raconté son histoire à *Newsweek*[23].)

Malgré l'intérêt des médias pour les malheurs de soldats comme Patrick Feges, une commission présidentielle, une autre commission créée par le secrétaire à la Défense Robert Gates et de nombreuses auditions de témoins au Congrès, les anciens combattants sont toujours confrontés à de longs délais pour obtenir leur pension d'invalidité.

Dans la suite de ce chapitre, nous évaluons le coût des deux grands types d'assistance auxquels ils ont droit : la pension d'invalidité et les soins médicaux.

La pension d'invalidité

Il y a aux États-Unis 24 millions d'anciens combattants vivants, dont environ 3,5 millions (et leurs parents survivants) reçoivent des pensions d'invalidité. Globalement, en 2005, les États-Unis ont payé 34,5 milliards de dollars au titre des pensions annuelles d'invalidité versées aux anciens combattants des guerres précédentes, ceux de la guerre du Golfe (211 729), du Vietnam (916 220), de Corée (161 512), de la Seconde Guerre mondiale (356 190) et de la Première Guerre mondiale (3). De plus, l'armée américaine paie un milliard de dollars par an en pensions de retraite-invalidité[24].

Les soldats déployés en Afghanistan et en Irak, qui sont plus de 1,6 million (et des centaines de milliers d'autres devraient servir dans ces pays avant la fin des conflits), sont tous potentiellement en droit de demander une pension d'invalidité à la Veterans Benefits Administration. Cette pension est versée à tout ancien combattant qui a « des handicaps liés au service armé » – c'est-à-dire dus à une maladie, affection ou blessure qui est survenue ou s'est aggravée pendant que l'intéressé était en service actif. Les bénéficiaires ne sont pas tenus de chercher du travail et aucune autre condition n'est attachée à ce programme [25].

La pension est accordée en fonction du taux d'invalidité, mesuré sur une échelle de 0 % à 100 % par échelons de 10 % [26]. Son montant va de 1 380 dollars par an pour un taux d'invalidité de 10 % à près de 45 000 dollars par an en cas d'invalidité totale [27]. La pension moyenne est de 8 890 dollars, bien que ce chiffre soit sujet à d'énormes variations. Les anciens du Vietnam, par exemple, reçoivent en moyenne 11 670 dollars [28]. Tout ancien combattant qui a un taux d'invalidité « lié au service [29] » d'au moins 30 % peut prétendre à des avantages supplémentaires, concernant par exemple le recyclage professionnel, la rénovation du logement, le transport, l'aide en cas de dépendance, les travaux ménagers et les prothèses. Une fois admis au bénéfice de la pension, il la reçoit à vie, comme un droit irrévocable. S'il meurt, ses parents survivants deviennent ayants droit.

L'ancien combattant n'a aucune date limite pour solliciter une pension d'invalidité. La majorité des demandes sont déposées dans les premières années après le retour, mais beaucoup d'invalidités ne se manifestent que plus tard. Les anciens combattants sont autorisés à rouvrir un dossier pour être augmentés. Le VA gère encore des centaines de milliers de nouvelles demandes déposées par des anciens du Vietnam pour des états de stress post-traumatique et des cancers liés à l'agent orange.

Le processus qui permet de déterminer si un ancien combattant est invalide, et à quel taux, est long et complexe. Le ou la militaire doit d'abord franchir les diverses étapes du processus d'évaluation de l'invalidité dans les forces armées. Cela commence par une estimation du « bureau d'évaluation médicale » (Medical Evaluation Board, MEB), qui a lieu dans un centre de santé de l'armée : un médecin identifie un état susceptible d'interférer avec l'aptitude de l'intéressé à faire son devoir de soldat. Si celui-ci est jugé inapte au service, il est alors renvoyé devant un « bureau d'évaluation physique » (Physical Evaluation Board, PEB), qui décide si la maladie ou blessure à l'origine de l'inadaptation est liée ou non au service armé. Selon sa situation particulière, le ou la militaire peut alors prétendre à une pension de retraite-invalidité ou à une indemnité forfaitaire de fin de service pour invalidité [30].

L'ancien combattant doit alors déposer son dossier devant l'un des 57 bureaux régionaux de la Veterans Benefits Administration (VBA), où un agent d'indemnisation évalue ses infirmités liées au service armé et lui attribue un taux d'invalidité. Il incombe au demandeur de fournir les preuves de son passé dans l'armée, des examens médicaux qu'il a subis et du traitement qu'il a reçu dans les centres hospitaliers du VA, du département de la Défense et les établissements privés. Quand l'ancien combattant a des invalidités multiples, l'agent d'indemnisation lui attribue un taux composite. Si un demandeur n'est pas d'accord avec la décision du bureau régional, il peut faire appel devant une instance du VA, le Bureau des appels des anciens combattants. Très souvent, un ancien combattant demande à être reconnu invalide à plusieurs titres, par exemple un trouble psychique et une affection dermatologique. Mais la VBA peut décider de n'approuver qu'une partie de la demande – ce qui provoque fréquemment un appel. Si l'ancien combattant reste insatisfait, il peut continuer à faire appel à des niveaux plus élevés devant les cours fédérales des États-Unis [31]. Il y a appel dans un dossier sur huit.

Le processus d'approbation des demandes a suscité de nombreuses plaintes, et fait l'objet d'études et d'enquêtes du Government Accountability Office. Même en 2000, avant la guerre, le GAO avait repéré des problèmes chroniques : gros retards sur les demandes en cours, longs délais pour prendre en compte les nouvelles, taux d'erreurs élevés dans le traitement des dossiers, manque de cohérence des divers bureaux régionaux[32]. Dans une étude de 2005, le GAO a constaté que le temps nécessaire pour compléter le dossier de demande d'un ancien combattant allait de 99 jours au bureau de Salt Lake City à 237 jours à Honolulu[33]. Dans une étude de 2006, il a découvert que 12 % des dossiers contenaient des erreurs[34].

La Veterans Benefits Administration a accumulé un énorme retard dans les demandes en cours, dont plusieurs milliers de dossiers de la période du Vietnam, voire plus anciens. En 2000, la VBA avait une masse non traitée de 228 000 demandes initiales de pension en instance, dont 57 000 attendaient depuis plus de six mois[35]. À la fin de 2007, en partie en raison de la forte hausse des demandes d'anciens combattants récemment blessés, son retard était de plus de 400 000 nouvelles demandes, dont 110 000 attendaient depuis plus de six mois[36]. Le nombre total de demandes, nouvelles ou en cours d'examen, est de plus de 600 000. Le VA a indiqué qu'il s'attend à recevoir 1,6 million d'autres dossiers au cours des deux prochaines années.

Actuellement, la VBA met, en moyenne, six mois pour traiter une demande initiale et près de deux ans pour traiter un appel[37]. En revanche, les firmes privées du secteur santé/services financiers traitent plus de 25 milliards de demandes par an, dont 98 % dans les soixante jours après réception, et le temps nécessaire pour les demandes qui donnent lieu à contestation *est compris* dans ce délai[38]. L'effet le plus dramatique de ce goulot d'étranglement de six mois dans le traitement des demandes adressées au VA est peut-être de priver les anciens combattants de pension au moment précis où – notamment s'ils sont psychiquement atteints – ils risquent le plus de se suicider, de sombrer dans la toxicomanie, de divorcer, de perdre leur emploi ou de devenir SDF.

Pour éviter une longue période sans revenus, certains militaires recourent au programme « Paiement de la pension à la démobilisation ». Il leur permet de déposer leur demande jusqu'à six mois avant leur démobilisation afin de pouvoir commencer à recevoir la pension dès qu'ils quittent l'armée. Mais, avec la pratique massive des prolongations de déploiement, le nombre des second et troisième déploiements et la mise en œuvre de la disposition « Arrêter les pertes »[39], la date de démobilisation est devenue imprévisible, ce qui rend bien plus difficile de faire usage de ce programme ; et il n'est pas accessible aux membres de la garde nationale[40].

Le passage des centres hospitaliers du département de la Défense à ceux du VA est plus compliqué pour les grands blessés. Un ancien combattant blessé a pu être initialement soigné au centre médical de l'armée de terre Walter-Reed avant d'être transféré dans un hôpital du VA. Avec l'incompatibilité des formulaires et systèmes de suivi du département de la Défense et du VA, ces anciens combattants peuvent avoir beaucoup de mal à obtenir l'intégralité de leur pension d'invalidité à leur démobilisation. Et non seulement cette discordance des documents papier et du suivi informatique crée des problèmes inutiles pour le transfert des anciens combattants, mais elle rend aussi plus difficile l'analyse des données relatives aux blessures de guerre dans les travaux de recherche médicale et autres.

Le piètre système comptable du Pentagone cause encore plus de problèmes aux anciens combattants. Les enquêteurs du GAO ont découvert que le département de la Défense a poursuivi des centaines de soldats blessés au combat pour non-remboursement de dettes – inexistantes – aux forces armées. Dans l'une de ces affaires, un sergent-chef de la réserve de l'armée de terre qui avait perdu sa jambe droite jusqu'au genou a été contraint de batailler dix-huit mois pour contester une dette de 2 231 dollars qu'on lui imputait par erreur. Avec ce passé de mauvais payeur, il s'est vu refuser un prêt immobilier. On a saisi le salaire d'un autre sergent-chef qui avait subi de très lourdes atteintes au cerveau et souffrait de l'ESPT, et on lui a coupé l'eau et l'électricité : l'armée lui avait imputé par erreur une dette de 12 000 dollars parce qu'il n'avait pas déclaré administrativement son retour à la vie civile. Dans un troisième cas, un sergent-chef de l'armée de terre paralysé jusqu'à la taille n'a reçu aucune solde pendant ses quatre derniers mois de militaire : elle avait été saisie en remboursement d'une dette inexistante de 15 000 dollars. Cela s'est passé en janvier 2005 ; ce n'est qu'en février 2006 que le sergent a enfin reçu cet argent. Et il y a encore le cas de cette soldate dont on avait constaté par erreur l'« absence non autorisée » alors qu'elle était en traitement pour éclats d'obus inopérables au genou. Paradoxalement, ces fausses dettes sont souvent inscrites dans les livres parce que le militaire a perdu un équipement personnel (comme son gilet pare-balles, ou ses lunettes de vision nocturne) quand il a été grièvement blessé et évacué hors d'Irak. Des centaines de blessés peuvent se trouver dans cette situation[41].

Étant donné les problèmes qui existent actuellement dans le système, il est impératif de prendre en considération les demandes de pension des « futurs anciens combattants » des conflits d'Irak et d'Afghanistan. Il est difficile de prédire combien au juste vont revendiquer une pension d'invalidité plus ou moins importante, mais nous savons que 31 % des soldats rentrés ont déjà déposé une demande. Nous pensons que ce pourcentage va augmenter.

La guerre du Golfe offre une base de comparaison. Les demandes de pension d'invalidité que feront les soldats des guerres d'Irak et d'Afghanistan seront sûrement évaluées sur la base des mêmes critères que celles des anciens combattants de la guerre du Golfe[42]. Environ 45 % de ceux qui ont participé à ce conflit ont déposé des demandes de pension d'invalidité. 88 % d'entre elles ont été acceptées, au moins en partie [43]. Les États-Unis paient actuellement 4,3 milliards de dollars par an pour les pensions des anciens combattants de la guerre du Golfe [44]. Certains ont soutenu que cette guerre avait suscité un nombre de demandes anormalement élevé parce que les soldats avaient été surexposés à des toxines chimiques. Mais, dans les deux guerres d'Irak, un nombre non négligeable d'anciens combattants ont été exposés à l'uranium appauvri des obus antichars tirés par les chars américains M1 et les avions de combat américains A-10. Et, en Irak comme en Afghanistan, nos militaires ont été déployés pendant des mois d'affilée dans une guerre au sol acharnée avec exposition massive à la guérilla urbaine [45]. Le psychiatre du VA Jonathan Shay, lauréat du prix MacArthur 2007 pour son travail avec les anciens militaires des unités de combat, estime qu'« en termes de santé mentale les ravages de la guerre d'Irak sont plutôt comparables au Vietnam – la différence étant que les soldats d'aujourd'hui sont confrontés à un tout autre contexte technologique et intellectuel, et, bien sûr, que le taux de survie est beaucoup plus élevé [46] ».

En outre, un certain temps s'écoule entre le moment où un trouble psychique est diagnostiqué et celui où l'ancien combattant parvient à déposer une demande de pension d'invalidité à son sujet. Le VA a diagnostiqué à ce jour 52 000 cas d'ESPT, mais il n'y a eu que 19 000 demandes. Le GAO écrit dans son rapport que les demandes pour ESPT mettent en moyenne un an à se manifester. Il est probable que leur nombre va vite augmenter désormais. Nous estimons donc que le nombre de demandes de pensions d'invalidité liées au conflit actuel va probablement être égal, voire supérieur, à celui de la guerre du Golfe.

Sur les 1,6 million de militaires américains déployés jusqu'à présent dans les conflits irakien et afghan, 751 000 avaient été démobilisés en décembre 2007. Tous sont potentiellement en

106

droit de déposer une demande de pension d'invalidité et, en décembre 2007, 224 000 anciens combattants l'avaient fait. Jusqu'au milieu de l'été 2007, 90 % des demandes de pension d'invalidité ont été acceptées[47].

Les coûts probables du versement des pensions d'invalidité aux anciens combattants sont énormes. Pour récapituler, dans notre scénario optimiste, nous sommes parvenus à un chiffre de 299 milliards de dollars pour l'estimation de ces pensions. Dans notre scénario modéré, le résultat a été de 372 milliards de dollars. Ces chiffres ne tiennent pas compte de certaines allocations reçues par les anciens combattants, notamment les prestations de santé, d'invalidité et d'emploi que versent les États fédérés, les municipalités et le secteur privé aux anciens combattants de retour. Ils laissent aussi de côté les coûts liés aux membres des familles des anciens combattants, dont les indemnités et bourses d'études pour les conjoints et les enfants survivants.

Nous avons postulé dans notre « meilleur cas de figure » que la pension moyenne serait la même que pour la guerre du Golfe : 6 506 dollars. C'est une hypothèse minimaliste, car les anciens combattants de la guerre du Golfe ont déposé en moyenne une demande d'indemnisation pour trois états handicapants, tandis que ceux des guerres en cours signalent en moyenne cinq problèmes[48]. De plus, nous savons déjà que le taux de grands blessés est bien plus élevé dans les conflits en cours qu'il ne l'a été pendant la guerre du Golfe.

Le scénario réaliste-modéré postule que le paiement moyen par demande correspondra à celui qu'ont vraiment reçu, en moyenne, les nouveaux demandeurs en 2005, soit 7 109 dollars[49]. Cela pourrait rester une estimation faible, puisque les anciens combattants du Vietnam reçoivent en moyenne plus de 11 000 dollars et que beaucoup d'experts disent que les blessures de cette guerre ressemblent davantage à celles de la guerre du Vietnam.

L'alourdissement de la charge de travail

Le paiement des pensions aux anciens combattants invalides n'est pas seulement un problème de coût, bien sûr, mais aussi d'efficacité. Les ex-militaires des guerres d'Irak et d'Afghanistan déposent des dossiers d'une complexité inhabituelle. À ce jour, il y a un retard de 40 000 demandes en instance d'anciens combattants des guerres récentes, mais l'immense majorité des hommes et femmes de nos forces armées ne se sont pas encore manifestés. Si sensible que soit la Veterans Benefits Administration aux épreuves des anciens combattants invalides, sa sympathie ne peut dissimuler le fait que le système ploie déjà sous une énorme pression. Si ne serait-ce qu'un cinquième des soldats rentrés qui sont en droit de le faire déposent une demande chaque année, et même si le nombre total de dossiers se limite à un pourcentage comparable à celui de la guerre du Golfe, le « meilleur cas de figure » pour le VA est un nombre de demandes dans les dix prochaines années qui pourrait facilement dépasser les 700 000, avec près de 75 000 nouveaux demandeurs par an (voir tableau 3.1) [50].

TABLEAU 3.1. *Augmentation prévue des demandes de pension d'invalidité dans le scénario du « meilleur cas de figure »*

DÉMOBILISÉS À CE JOUR

	2007	2008	2009	2010	2011	2012	2013	2014	2015	2016	2017
Effectif cumulé des démobilisés à ce jour	751 000	751 000	751 000	751 000	751 000	751 000	751 000	751 000	751 000	751 000	751 000
Taux de demande de pension	27,3 %	28,5 %	29,7 %	31,0 %	32,2 %	33,4 %	34,7 %	35,9 %	37,1 %	38,4 %	39,6 %
Bénéficiaires démobilisés à ce jour	204 873	214 125	223 377	232 630	241 882	251 134	260 387	269 639	278 891	288 144	297 396
Montant de la pension ($)	6 502	6 697	6 898	7 105	7 318	7 538	7 764	7 997	8 237	8 484	8 738
Coût total des pensions (milliards de $)	1,3	1,4	1,5	1,7	1,8	1,9	2,0	2,2	2,3	2,4	2,6

FUTURS DÉMOBILISÉS

	2007	2008	2009	2010	2011	2012	2013	2014	2015	2016	2017
Effectif cumulé des futurs démobilisés	0	104 900	209 800	314 700	419 600	524 500	629 400	734 300	839 200	944 100	1 049 000
Taux de demande de pension	19,4 %	21,4 %	23,4 %	25,4 %	27,5 %	29,5 %	31,5 %	33,5 %	35,6 %	37,6 %	39,6 %
Bénéficiaires démobilisés	0	22 432	49 110	80 035	115 205	154 205	198 286	246 196	298 352	354 755	415 404
Montant de la pension ($)	6 502	6 697	6 898	7 105	7 318	7 538	7 764	7 997	8 237	8 484	8 738
Coût total des pensions (milliards de $)	0,0	0,2	0,3	0,6	0,8	1,2	1,5	2,0	2,5	3,0	3,6

TOTAL GÉNÉRAL

	2007	2008	2009	2010	2011	2012	2013	2014	2015	2016	2017
Chiffre net des demandes de pension d'invalidité	204 873	236 557	272 487	312 664	357 087	405 757	458 673	515 835	577 244	642 899	712 800
Coût/demande ($)	6 502	6 697	6 898	7 105	7 318	7 538	7 764	7 997	8 237	8 484	8 738
Total général (milliards de $)	1,3	1,6	1,9	2,2	2,6	3,1	3,6	4,1	4,8	5,5	6,2

La VBA emploie plus de 9 000 spécialistes des indemnisations, qui ont mission d'aider le demandeur à obtenir les preuves de ses droits conformément à la logique impénétrable de centaines de réglementations, procédures et directives. Ils doivent aussi, pour chaque demande, évaluer le taux, établir le dossier, autoriser les versements, conduire des entretiens directs et téléphoniques, traiter les appels contre la décision, envoyer divers documents de notification. Ils décident de la date précise à laquelle l'ancien combattant a été en droit de recevoir la pension, puisque celle-ci lui est accordée rétroactivement. Autrement dit, ces agents jouent un rôle crucial qui détermine si un ancien combattant pourra ou non obtenir sa pension.

Mais actuellement cette administration est confrontée à un énorme problème de personnel. Selon le VA, les nouveaux employés ont besoin de deux à trois ans d'expérience et de formation pour devenir pleinement productifs. En mai 2007, 40 % des fonctionnaires du service des demandes y travaillaient depuis moins de trois ans ; et 20 % depuis moins d'un an [51]. Beaucoup d'agents expérimentés ont été retirés du traitement des demandes et chargés de former les nouveaux. En outre, plusieurs bureaux régionaux de la VBA utilisent encore des systèmes d'information et de télécommunication archaïques qui rendent bien difficile aux spécialistes de travailler efficacement, car ceux-ci sont contraints d'utiliser de vieux fax peu fiables pour se faire envoyer des documents cruciaux par les anciens combattants et les fournisseurs de soins.

Parmi les propositions qu'étudie actuellement le Congrès pour résoudre ces problèmes, il y a les crédits nécessaires à l'embauche de 500 à 1 000 agents administratifs supplémentaires pour traiter les dossiers en retard. Mais cette mesure ne suffira pas à elle seule à réduire les longs délais que subissent les anciens combattants. Au mieux, quelques centaines de nouveaux employés inexpérimentés (en supposant qu'ils puissent tous être recrutés rapidement) ne pourraient améliorer que marginalement le temps de traitement des demandes, dans une période où l'administration est confrontée à un énorme afflux de dossiers compliqués. En fait, on peut même imaginer qu'à court terme, à cause de l'effort nécessaire pour former et intégrer un grand nombre de personnes sans expérience, les délais de traitement seront plus longs, les erreurs plus fréquentes et les appels plus nombreux. Et il y a un autre facteur aggravant : beaucoup d'agents expérimentés de la VBA prendront leur retraite dans les cinq prochaines années [52].

La prise en charge médicale des anciens combattants

Le VA assure aussi des soins médicaux à plus de cinq millions d'anciens combattants chaque année, dans le cadre de la Veterans Health Administration. Ce système comprend les soins externes, dentaires, optiques, psychiatriques, les services hospitaliers externes et internes de 158 hôpitaux, 800 cliniques, 136 maisons de repos, 209 centres pour anciens combattants et autres établissements de soins dans tout le pays. Les soins sont gratuits pour tous les anciens combattants pendant les deux premières années qui suivent leur service actif. Après quoi, le VA impose à certaines catégories d'anciens combattants un ticket modérateur, dont le montant est fonction de leur taux d'invalidité et de leur revenu [53]. Le Congrès va probablement augmenter le nombre d'années de soins gratuits, en le portant de deux à quatre ou cinq, et c'est une initiative que nous soutenons pleinement.

Le VA s'est longtemps enorgueilli de l'excellence des soins qu'il offre. Ses hôpitaux et cliniques, notamment, sont connus pour le travail héroïque qu'ils accomplissent dans des domaines comme la rééducation. Le personnel médical a l'expérience du travail avec les anciens combattants et assure aux invalides un environnement fait de sympathie et de soutien. Le VA joue aussi un rôle majeur dans la formation des étudiants en médecine. 107 des 126 écoles de médecine des États-Unis sont officiellement affiliées à l'un de ses hôpitaux. Ceux-ci forment 20 000 étudiants en médecine et 30 000 internes par an[54].

Avec cette brillante réputation, la demande de traitements au VA dépasse aujourd'hui l'offre, et de très loin. En 2003, l'ex-secrétaire du VA Anthony Principi a décidé de rationner les soins en fonction de l'importance du besoin et du niveau de revenu. Il a suspendu l'admission de la catégorie la moins prioritaire d'anciens combattants (le « groupe de priorité 8 »), ceux dont le revenu dépassait un certain niveau et qui n'étaient pas invalides, et il a augmenté les tickets modérateurs et participations aux frais des autres catégories. Cela a mis le système de soins du VA hors de portée d'au moins 400 000 anciens combattants.

Les soldats et autres militaires qui rentrent d'Irak et d'Afghanistan sont aujourd'hui confrontés à de longues listes d'attente – en particulier dans certaines spécialités – et dans certains cas à l'absence totale de soins. À ce jour, 35 % des 751 000 anciens combattants d'Irak et d'Afghanistan démobilisés, en droit de bénéficier du système de soins du VA, ont demandé un traitement dans ses établissements médicaux. Ce chiffre représente moins de 5 % de l'ensemble des visites de patients, mais il va s'accroître. « Comme pour les autres cohortes d'anciens militaires », explique le VA, « le pourcentage d'anciens combattants [d'Irak et d'Afghanistan] qui reçoivent des soins dans nos établissements et le pourcentage de ceux auxquels une affection est diagnostiquée tendront à augmenter au fil du temps, à mesure que ces anciens combattants continueront à entrer dans notre système médical et à développer de nouveaux problèmes de santé[55] ».

La guerre d'Irak a été remarquée pour les types de blessures physiques infligées, notamment les lésions cérébrales traumatiques, mais la plus grande demande non satisfaite concerne les soins psychiatriques[56]. La tension des déploiements prolongés, la disposition « Arrêter les pertes », une guerre au sol très éprouvante et l'incertitude sur la démobilisation et les permissions ont fait leur effet. On a diagnostiqué un problème psychique chez 38 % environ des anciens combattants traités jusqu'à présent – un pourcentage sans précédent. Ces problèmes sont l'état de stress post-traumatique, la dépression grave et la toxicomanie. Selon Paul Sullivan, « les blessures typiques des guerres en cours seront (1) la lésion cérébrale traumatique, (2) l'état de stress post-traumatique (ESPT), (3) les amputations et (4) les blessures médullaires, et l'ESPT sera la plus controversée et la plus chère[57] ».

Les troubles psychiatriques sont extrêmement onéreux, à la fois parce qu'ils exigent un traitement de longue durée et parce que ceux qui en souffrent sont plus susceptibles de développer des problèmes de santé physiques. Des études sur longue période des anciens combattants du Vietnam ont aussi montré que l'ESPT aggrave l'état de santé physique pendant toute la vie de l'ancien combattant[58]. Selon la Veterans Disability Benefits Commission, les patients atteints d'ESPT ont les pires bilans de santé globaux dans la population des anciens combattants, et un sur trois a révélé une inaptitude permanente au travail et a été classé « individuellement inemployable ». Le National Institute of Medicine a constaté que l'ESPT représente 8,7 % des demandes de pension d'invalidité, mais 20,5 % des montants versés à ce titre[59].

La présence très forte de l'ESPT résulte des multiples rotations dans les missions de combat, de la fréquence des engins explosifs improvisés et de l'absence d'une « ligne de front » bien définie. Les soldats rentrés d'Irak et d'Afghanistan soulignent aussi l'ambiguïté morale d'une situation où ils voient des combattants en vêtement civil, où ils ne savent pas qui est un ami ou un ennemi. Les études ont trouvé une corrélation forte entre la durée du service dans une zone de guerre et la probabilité de développer l'ESPT[60]. C'est pourquoi les hommes et les femmes qui en sont à leur second ou troisième déploiement courent à cet égard un risque élevé, que nous pouvons anticiper. La plupart de ceux qui font un second ou troisième déploiement ne sont pas encore rentrés. De plus, les psychiatres soulignent qu'un grand nombre de symptômes de l'ESPT – la confusion mentale, les vertiges, la tendance à sursauter facilement, la léthargie, les insomnies, les problèmes de concentration et de communication – peuvent aussi être des symptômes d'une lésion cérébrale traumatique, et qu'il y a donc quelque difficulté et un certain chevauchement dans les diagnostics.

Comparés aux anciens combattants des conflits précédents, ceux des guerres d'Irak et d'Afghanistan sont beaucoup plus susceptibles de demander une assistance psychiatrique, en partie grâce aux efforts des organisations d'anciens combattants pour les alerter sur ces problèmes et à une campagne de dépistage menée par le VA lui-même. Il n'y a aucune donnée fiable sur la longueur des listes d'attente pour les anciens combattants rentrés, mais même le VA admet qu'elles sont si longues qu'elles ont pour effet de laisser sans traitement un nombre non négligeable de patients psychiquement atteints. Dans le numéro de mai 2006 de *Psychiatric News*, Frances Murphy, M.D., alors sous-secrétaire à la coordination des politiques de santé au VA, a déclaré que les soins psychiatriques et les soins aux toxicomanes sont purement et simplement inaccessibles dans certains établissements du VA. Elle a ajouté que, lorsque les services existent, il y a des endroits où « les listes d'attente rendent ces types de traitements pratiquement inaccessibles »[61].

Des associations d'anciens combattants ont déposé une plainte en justice en nom collectif contre le département des Anciens combattants au nom d'anciens militaires et de leurs familles qui demandent ou reçoivent des indemnités de décès ou des pensions d'invalidité pour l'ESPT. Les plaignants estiment que cette catégorie compte 320 000 à 800 000 anciens combattants, chiffre qu'ils obtiennent en multipliant le nombre de soldats déployés par leur évaluation de l'incidence de l'ESPT (20 à 50 %). Les plaignants ne demandent pas de dommages et intérêts ; ils veulent que le VA reconnaisse plusieurs défaillances dans sa politique. « Ce n'est pas un procès sur des problèmes isolés, ou sur le type habituel de retards et tracas administratifs que nous avons tous de temps à autre avec les bureaucraties », souligne Gordon P. Erspamer, l'avocat qui représente à frais réduits* les anciens combattants. « Cette affaire porte sur la quasi-disparition de l'aptitude du VA à soigner des hommes et des femmes qui ont servi leur pays courageusement et honorablement, qui ont été grièvement blessés et qui sont maintenant traités en citoyens de deuxième classe. Les délais qu'impose le VA ont créé des barrières impénétrables qui privent de secours des milliers d'anciens combattants invalides [62]. »

L'administration Bush a suivi pour les anciens combattants rentrés de guerre le même modèle de sous-financement que pour les opérations militaires elles-mêmes. Pendant l'exercice 2006, le VA a dû demander 2 milliards de dollars de crédits d'urgence, dont 677 millions pour répondre à une augmentation inattendue de 2 % du nombre de patients (dont la moitié étaient des anciens combattants d'Irak et d'Afghanistan), 600 millions pour corriger son estimation inexacte du coût des traitements de longue durée, et 400 millions pour couvrir une augmentation imprévue de 1,2 % des coûts par patient due à l'inflation médicale. Pendant l'exercice précédent, le VA avait demandé une rallonge d'un milliard de dollars en crédits d'ur-

* Il les représente *pro bono*, « pour le bien public », c'est-à-dire presque en bénévole.

gence, dont un quart pour des besoins non anticipés en rapport avec le conflit en cours et le reste pour compenser une sous-estimation globale des coûts par patient, de la charge de travail, des listes d'attente et des soins aux personnes dépendantes[63]. Le modèle du sous-financement relevé en 2005 – année où les projections sur les besoins avaient été fondées sur des chiffres de 2002, donc antérieurs au début de la guerre d'Irak – s'est répété chaque année tout au long de la guerre. Le VA a dit au Congrès qu'il pouvait faire face à la forte montée de la demande, en dépit de preuves accablantes du contraire[64]. Pour l'exercice 2008, le Congrès demande un supplément de 3 milliards de dollars en crédits d'urgence (en plus du montant requis par le président) pour que le réseau médical du VA puisse faire face à la vague montante des demandeurs.

Tandis que la demande de soins augmente, le département des Anciens combattants, déjà submergé, risque d'être incapable de la satisfaire, en particulier dans les zones rurales où il a du mal à recruter des professionnels de la santé. Les unités de soins des lésions cérébrales traumatiques et les établissements psychiatriques manquent de personnel, et le VA a également besoin d'étendre des systèmes comme le tri infirmier qui aident à maximiser l'efficacité d'emploi de ressources médicales rares. La qualité des soins restera probablement élevée pour les anciens combattants traités dans les nouveaux centres des polytraumatismes ; mais, étant donné l'état actuel du service, il est clair que tous les établissements ne peuvent offrir une qualité d'un tel niveau en temps voulu.

L'insuffisance des budgets et le témoignage d'experts comme le Dr Murphy suggèrent que les anciens combattants qui rentrent d'Irak et d'Afghanistan, notamment ceux qui ont des problèmes psychiatriques, n'obtiendront peut-être pas les soins dont ils ont besoin. Ces anciens combattants courent de gros risques : chômage, perte du domicile, violence familiale, criminalité, alcoolisme, toxicomanie – et tout cela impose au pays un poids humain et financier supplémentaire. Quand le

VA est défaillant, les coûts sont transférés à d'autres ; les États fédérés et les municipalités fournissent de nombreux services sociaux dont les anciens combattants ont besoin, mais certains ploient déjà sous une énorme pression et ils ne pourront peut-être pas faire face.

Comme nous l'avons vu au chapitre 2, nous avons estimé, dans notre scénario du meilleur cas de figure, que le coût annuel des soins à fournir aux 48 % des anciens combattants actuels qui finiront par demander à se faire soigner au VA est de 3 500 dollars, en nous fondant sur des informations selon lesquelles c'est à peu près ce que le VA dépense aujourd'hui pour traiter les anciens combattants des guerres d'Irak et d'Afghanistan[65]. Mais ce chiffre est presque certainement trop faible, parce que la facture moyenne actuelle comprend les visites initiales obligatoires pour faire avaliser son état de santé (aval nécessaire à l'ancien combattant pour l'unique raison qu'il donne droit à la pension d'invalidité). Le coût de ces visites est bien inférieur à celui d'un traitement. Pour répéter ce qui a été dit au chapitre 2, ce scénario suppose que 1,8 million de soldats américains au total seront déployés, et que les effectifs des troupes se réduiront à 55 000 soldats non combattants en 2012. Les taux de blessés et d'autres coûts seront réduits de 50 % à partir de cette date. Dans le cadre de cet ensemble d'hypothèses, l'État américain consacrera, pour toute leur vie, 121 milliards de dollars aux dépenses de santé des anciens combattants, 277 milliards de dollars à leurs pensions d'invalidité du VA et 25 milliards de dollars à celles de la Social Security. Le coût total à long terme pour l'État fédéral sera donc de 422 milliards de dollars.

Dans le scénario réaliste-modéré, nous utilisons le *coût annuel moyen* actuel, pour le VA, du traitement de tous les anciens combattants présents dans le système : 5 765 dollars[66]. Ce scénario suppose que 2,1 millions d'hommes et de femmes en uniforme, au total, participeront au conflit, et que les États-Unis maintiendront une présence militaire active dans la région jusqu'en 2017. En postulant que le taux de morts et de blessés restera ce qu'il est aujourd'hui, nous estimons que 50 % de ceux qui s'inscrivent pour se faire soigner dans le réseau médical du VA (le quart des anciens combattants invalides) feront du VA leur pourvoyeur de soins à vie. Dans le cadre de ces hypothèses, les soins médicaux à vie assurés aux anciens combattants coûteront 285 milliards de dollars, les pensions d'invalidité 388 milliards de dollars et les allocations de la Social Security 44 milliards de dollars. Ce qui porte le coût total à long terme pour l'État américain à 717 milliards de dollars.

TABLEAU 3.2. *Total des coûts liés aux anciens combattants : frais médicaux, pensions d'invalidité du VA et de la Social Security*

Coûts des anciens combattants (en milliards de dollars)	Dans le meilleur des cas	Scénario réaliste-modéré
Irak Médical	106,4	250,1
Irak Invalidité	242,9	341,2
Irak Social Security	21,7	38,4
Irak Total	**371**	**629,7**
Afghanistan Médical	14,7	34,7
Afghanistan Invalidité	33,7	47,3
Afghanistan Social Security	3,0	5,3
Afghanistan Total	**51,4**	**87,3**
COÛT TOTAL	**422**	**717**

Nous avons déjà souligné que le VA n'est pas la seule administration fédérale à laquelle les blessures et invalidités issues des guerres d'Irak et d'Afghanistan imposeront des coûts supplémentaires. Beaucoup de blessés, par exemple, ne parviendront pas à trouver un emploi garantissant une assurance maladie à leur famille ; Medicaid paiera donc une partie au moins de la facture. Le chiffre le plus important, et le seul que l'on puisse facilement quantifier, est celui des pensions d'invalidité de la Social Security. Dans notre scénario réaliste-modéré, le coût conjoint des frais médicaux, de la pension d'invalidité du VA et de celle de la Social Security représente presque les trois quarts de 1 000 milliards de dollars. Dans le « meilleur cas de figure », il pèse encore près de la moitié de cette somme.

Répétons-le : ces scénarios sont très mesurés dans plusieurs de leurs principaux postulats, par exemple quand ils supposent que la moitié seulement des anciens combattants rentrés solliciteront un jour à un titre quelconque le réseau médical du VA. En fait, ils sont nombreux à n'avoir aucune autre possibilité de se faire soigner, et, tant que ce pays n'aura pas créé une assurance maladie universelle, le système de soins du VA sera la seule option à leur portée. C'est aussi un acte de foi de postuler, comme nous l'avons fait, que le VA pourra recruter sans augmenter les salaires le personnel médical supplémentaire dont il a besoin pour dispenser les soins nécessaires.

Nous avons vu que les anciens combattants rentrés sont aujourd'hui confrontés à un cauchemar bureaucratique, dont de longs retards pour traiter leurs dossiers. Mais nous avons vu aussi que le système va être presque certainement confronté à une demande bien plus vaste. Sans restructuration majeure du mode de fonctionnement actuel, les anciens combattants sont pratiquement sûrs d'avoir à subir des retards encore plus importants sur leurs demandes, des listes d'attente plus longues et peut-être une diminution de la qualité des soins. Les centaines de milliers d'anciens combattants récents qui vont solliciter traitement médical et pension d'invalidité dans les années qui viennent vont submerger le système à tous les niveaux : prises de rendez-vous, tests de diagnostic, évaluations des demandes et accès aux spécialistes dans des domaines comme la lésion cérébrale traumatique. Ce sont probablement les anciens combattants atteints mentalement qui souffriront le plus du manque de personnel, et du fait que ceux qui donnent les rendez-vous sont incapables de repérer les cas à risque.

Nous n'avons pas inclus non plus le coût de l'augmentation des effectifs du personnel administratif et médical, qui sera nécessaire pour répondre à l'énorme demande. Certains milieux ont tendance à voir dans ces fonctionnaires une composante d'une bureaucratie pléthorique. Mais aucune organisation, publique ou privée, ne peut gérer des programmes de la taille de ceux qui nous occupent ici sans avoir des coûts administratifs importants. La nécessaire expansion du personnel du VA pour assumer ces obligations – de 500 à 750 milliards de dollars – va elle-même coûter des milliards, peut-être des dizaines de milliards de dollars. Ce type de « frais généraux » ou de « coûts de transaction » dépasse souvent 10 % ou plus des prestations versées, même dans des programmes privés bien gérés – ce qui indique que le supplément de dépenses administratives requis pourrait être non négligeable[67].

Les coûts budgétaires sur lesquels nous nous sommes concentrés ici ne sont qu'une partie du coût total de la guerre. Tout comme rien n'a été fait pour préparer le versement des pensions promises à nos anciens combattants, rien n'a été fait non plus pour préparer le financement d'un nouveau grand programme de droits à prestations. Officiellement, les pensions d'invalidité du VA sont un paiement « obligatoire » – elles ne sont pas fonction du processus annuel d'affectation des crédits. Ces dépenses sont traditionnellement appelées des « droits ». En revanche, le budget médical du VA est discrétionnaire – autrement dit, les législateurs lui allouent des crédits chaque année. Mais le pays a l'obligation morale d'assurer aux anciens combattants rentrés l'assistance médicale qui leur a été promise, et il est difficile d'imaginer qu'il revienne sur un tel engagement. Dans notre analyse, nous avons fait des projections de coûts et postulé que le Congrès accorderait les fonds nécessaires. (Il y a de légères différences entre nos estimations de ces coûts médicaux pour la période 2007-2017 et celles du CBO [dans notre « meilleur cas de figure », nous les évaluons à 16,6 milliards de dollars ; le CBO les situe entre 7 et 9 milliards de dollars]. La grande différence, ce sont les gros coûts *à vie* – donc bien au-delà des dix prochaines années –, que la méthodologie du CBO ignore.)

Quel que soit le scénario, les besoins de financement des pensions et avantages des anciens combattants constituent un troisième grand programme de droits à prestations aux côtés de Medicare et de la Social Security. Le président Bush a souvent évoqué publiquement le futur « trou financier » de la Social Security. Son ampleur dépend d'hypothèses sur la croissance des salaires, l'immigration et l'espérance de vie ; mais, dans la plupart des scénarios, la concrétisation de ce « trou financier » n'a rien d'imminent. La guerre d'Irak, en revanche, a créé depuis 2003 un nouveau « trou financier » lié à des droits acquis, et ce trou-là est vaste et s'élargit.

Ces nouveaux droits aux soins médicaux des anciens combattants vont exercer une pression supplémentaire sur le budget discrétionnaire – qui est la source des crédits du réseau médical du VA. L'histoire suggère qu'après une guerre l'opinion publique se désintéresse souvent des soins aux anciens combattants. Ceux-ci risquent fort d'être encore les perdants si nous ne sécurisons pas dans des fonds d'affectation spéciale les sommes nécessaires.

Les pensions d'invalidité et les soins médicaux aux anciens combattants sont deux des coûts à long terme les plus importants de la guerre d'Irak. Cette guerre – dans toutes ses dimensions – a des coûts budgétaires, mais elle a aussi d'amples coûts économiques et sociaux. C'est particulièrement vrai du lourd tribut humain qu'elle a imposé à nos soldats. Ce chapitre s'est concentré exclusivement sur l'impact budgétaire des soins aux anciens combattants. Il n'a pas pris en compte la valeur des vies perdues ou ravagées par de terribles blessures. Ni l'impact économique du grand nombre d'anciens combattants invalides qui ne peuvent pas participer pleinement aux activités productives. Ces coûts économiques et sociaux peuvent être de loin supérieurs aux coûts budgétaires assumés par l'État fédéral ; nous allons les examiner au chapitre suivant.

4

Les coûts de la guerre non payés par l'État

Les chapitres précédents se sont concentrés sur les coûts budgétaires de la guerre – les dollars dépensés par le Trésor public des États-Unis et, en dernière analyse, par le contribuable américain. Des coûts ahurissants : entre 1 700 et 2 700 milliards de dollars, même sans compter les paiements d'intérêts. Mais ce tableau n'est pas encore complet. Il ignore les coûts « sociaux » importants de la guerre – qui ne sont pas inscrits au budget de l'État fédéral mais n'en représentent pas moins un fardeau réel pour la société. Nous estimons qu'ils ajoutent 300 à 400 milliards de dollars au moins à la facture totale de la guerre – avant même d'intégrer à l'addition les coûts macroéconomiques, qui feront l'objet du chapitre suivant.

Certains des principaux coûts sociaux, dont la perte de la capacité de production des jeunes Américains tués ou grièvement blessés en Irak, sont quantifiables ; plusieurs autres ne sont pas faciles à quantifier, mais constituent néanmoins une proportion non négligeable des coûts cachés de la guerre.

Les coûts économiques et sociaux se distinguent des coûts budgétaires à plusieurs titres. D'abord, ils sont acquittés par d'autres acteurs que l'État : les anciens combattants, leurs

123

familles ou les collectivités locales où ils vivent. C'est ce qui se passe, par exemple, lorsqu'un membre de la famille est obligé de démissionner (ou de changer d'emploi) pour servir de garde-malade à l'ancien combattant invalide. Prenons le cas d'un ancien combattant gravement atteint, physiquement ou mentalement, et invalide à 100 %. Il recevra environ 45 000 dollars du département des Anciens combattants, plus peut-être 12 000 dollars de pension d'invalidité de la Social Security. Il aura droit à la prise en charge de ses soins médicaux et à quelques prestations supplémentaires. Mais quand on calcule ce que cela coûte de s'occuper d'un jeune homme (ou d'une jeune femme) qu'il faut aider à s'habiller, à manger, à se laver et à accomplir les autres actes de la vie quotidienne, qui a besoin d'une attention médicale constante, vingt-quatre heures par jour et sept jours sur sept, le compte n'y est pas. C'est quelqu'un d'autre – peut-être une épouse, un mari, un parent ou un bénévole de la localité – qui supporte le coût réel de ces soins.

Si les hôpitaux du VA ne peuvent pas recruter suffisamment de professionnels de la santé mentale pour traiter l'épidémie d'ESPT, le fardeau transféré aux anciens combattants et à leurs familles est encore plus lourd. Ce sont eux qui supportent les coûts des longues heures d'attente dans les queues, des délais de plusieurs mois avant d'avoir un rendez-vous chez un médecin, des centaines de kilomètres à faire pour être soigné[1].

Les coûts sociaux peuvent aussi s'écarter des coûts budgétaires quand le prix payé par l'État ne reflète pas pleinement celui du marché, ou quand il y a un impact plus large, à court ou à long terme, sur l'ensemble de l'économie. Le mode de calcul de la pension d'invalidité des anciens combattants est conçu pour définir une valeur approchée du revenu que l'intéressé aurait pu gagner s'il n'était pas devenu invalide. Mais une récente analyse approfondie de la Veterans Disability Benefits Commission[2] a montré que les montants payés aux jeunes anciens combattants et à ceux qui ont des troubles mentaux graves sont très loin de ce qu'ils auraient pu gagner[3]. De plus, la pension d'invalidité de l'État américain n'indemnise pas la douleur et les souffrances de l'ancien combattant et de sa famille, ni la dégradation de leur qualité de vie. Ces coûts sont très réels – mais difficiles à quantifier.

La valeur économique des vies perdues

L'un des principaux *coûts économiques* est la perte de la capacité de production des jeunes Américains qui ont été tués ou grièvement blessés en Irak. Nous avons évalué ces coûts, que nous appelons « coûts sociaux », pour les soldats qui ont été tués, blessés ou traumatisés. Quand un militaire est tué, par exemple, le coût budgétaire pour l'État est relativement faible. Si nul ne doute que les forces armées pleurent la perte des hommes et femmes qui les composent, le versement militaire officiel lorsque l'un d'eux meurt se monte à 500 000 dollars seulement : une « indemnité forfaitaire de décès » de 100 000 dollars et 400 000 dollars d'assurance-vie payés aux parents survivants.

Ce montant ne représente qu'un petit pourcentage de la valeur utilisée dans les estimations économiques – même les plus modestes – de la valeur d'une vie perdue, ce qu'une personne aurait pu gagner si elle avait concrétisé son espérance de vie normale. Pour penser la valeur économique d'une vie perdue, on peut partir de ce constat : quand quelqu'un est blessé ou meurt dans un banal accident de voiture, ou dans un accident du travail survenu au sein d'une entreprise privée, l'indemnisation est de loin supérieure à ce que reçoivent les soldats. Dans les procès pour décès imputables à une faute, par exemple, les jurys accordent souvent des sommes beaucoup plus élevées – dans des affaires récentes, ils sont allés jusqu'à 269 millions de dollars[4]. En 2005, un jury a accordé 8,5 millions de dollars à un conducteur de train qui avait subi une lésion cérébrale traumatique légère après un déraillement. Ce conducteur, qui ne semblait que légèrement commotionné, avait été soigné et avait quitté l'hôpital. Peu après sa sortie, il avait commencé à souffrir de maux de tête. Il avait été réhospitalisé pour passer un examen d'imagerie par résonance magnétique et avait été renvoyé chez lui, car l'IRM n'avait rien révélé d'anormal. Après quelques semaines, sa famille a signalé qu'il avait un comportement bizarre et buvait trop. Finalement, les images par résonance magnétique ont été réexaminées : elles montraient de petites hémorragies du cerveau, signe d'une lésion cérébrale fermée. Le conducteur de train ne pouvait plus travailler ; on lui a accordé des indemnités de 8,5 millions de dollars[5].

Ce genre d'histoire n'est que trop familier aux soldats rentrés d'Irak et d'Afghanistan avec des lésions cérébrales traumatiques légères. Il est très fréquent que les familles remarquent un changement de comportement et que l'ancien combattant ne puisse pas tenir un emploi. Les patients qui souffrent de lésions cérébrales traumatiques se caractérisent aussi par un taux d'utilisation des équipements médicaux plus élevé, et ils ont des problèmes de santé tels que des troubles cognitifs et des dysfonctionnements moteurs. En général, quand ils regagnent leur cadre de vie habituel, leurs dépenses de santé se font plus lourdes puisqu'ils recourent plus souvent à des services médicaux externes. Comme ils ont des troubles cognitifs de la mémoire, de l'attention et de ce que les scientifiques appellent la « fonction exécutive », ils peuvent avoir du mal à suivre les régimes médicamenteux, à venir aux rendez-vous et à mettre en œuvre d'autres aspects de leur protocole de traitement[6]. Même quand la LCT est correctement diagnostiquée, l'indemnité maximale versée par l'État est de moins de 60 000 dollars par an (pensions d'invalidité d'ancien combat-

tant et de la Social Security réunies). C'est un petit pourcentage du dédommagement évalué par les experts du
traumatisme cérébral pour la perte moyenne, à vie, qu'a subie
une personne ayant survécu à une LCT grave : il dépasse les
4 millions de dollars[7].

Les économistes ont mis au point une procédure systématique pour évaluer une vie perdue : on l'appelle la « valeur
d'une vie statistique » (VVS) ; l'État l'utilise, par exemple,
pour déterminer l'intérêt de certaines réglementations
publiques (disons, en matière de sécurité automobile ou de
protection de l'environnement) en comparant leur coût à la
valeur des vies sauvées. Pour prendre un seul exemple, si quelqu'un meurt dans une catastrophe naturelle, l'Environmental
Protection Agency évalue la perte liée à cette mort à 7,2 millions de dollars[8]. Ceux qui sont tués en Irak sont en général
des hommes et des femmes jeunes, au meilleur de leur forme
physique et au début de leur carrière professionnelle[9]. La vraie
perte économique qu'entraîne leur mort pourrait être bien
supérieure.

Cette méthode est aussi couramment utilisée par les compagnies d'assurances et d'autres entreprises privées, par exemple
pour déterminer l'indemnité appropriée en cas de « décès
imputable à une faute ». Dans la pratique, des valeurs très
diverses sont attribuées à la VVS, même par des administrations différentes, mais le chiffre de 7,2 millions de dollars
retenu pour la VVS d'un Américain tué dans une catastrophe
naturelle ou un accident du travail est proche du centre de cet
éventail de valeurs, et c'est lui que nous utilisons dans cette
étude[10]. Tous les chiffres sont très supérieurs aux 500 000 dollars versés pour les hommes et femmes de nos forces armées
– le montant dont nous nous sommes servis plus haut pour
calculer les coûts budgétaires.

Avec une VVS de 7,2 millions de dollars, le coût économique des plus de 4 300 morts américains en Irak et en Afgha-

nistan à ce jour dépasse déjà 30 milliards de dollars, chiffre de très loin supérieur à leur coût budgétaire de 2,15 milliards de dollars. Même cette estimation ne prend en compte aucun coût indirect – comme l'impact sur le moral ou l'aggravation du risque d'ESPT chez les camarades de ces soldats tombés, qui ont pu être témoins de leur mort.

Nous devons aussi appliquer la VVS au millier de contractants américains qui, selon les estimations, sont morts dans la région, et dont beaucoup étaient des spécialistes très qualifiés qui travaillaient à des projets de reconstruction comme la remise en état du réseau électrique et des équipements pétroliers. En évaluant ces morts, nous n'avons pas compté, là encore, leur impact sur le succès du projet en Irak ni le fait que leur taux de mortalité élevé rend plus difficile et coûteux aux firmes contractantes occidentales d'embaucher des remplaçants pour effectuer leur travail.

Si nous prenons en compte les contractants de l'armée américaine, et les pertes supplémentaires probables à venir dans ce conflit – même dans le meilleur cas de figure –, les coûts sociaux des morts de la guerre d'Irak augmentent jusqu'à dépasser les 50 milliards de dollars en dollars constants 2007. Certes, convertir froidement ces morts en chiffres financiers paraît bien dur, mais il est important de bien comprendre qu'à cause des décès de cette guerre notre économie et notre société vont souffrir.

Le coût économique des blessés graves

Les blessés aussi contribuent sensiblement au coût de la guerre, tant au sens budgétaire (avec le paiement de pensions d'invalidité à vie, l'aide au logement, l'assistance de vie et autres avantages sociaux) qu'au sens économique.

À ce jour, il y a eu plus de 65 000 « pertes non mortelles » chez les hommes et femmes des forces armées américaines déployées en Irak et en Afghanistan, dont près de la moitié au combat. Environ 14 000 ont été grièvement blessés et ne peuvent plus poursuivre leur service. Ils ont été soit blessés par des obus, explosifs, canons, mortiers, mines, grenades ou armes à feu, soit touchés par des affections pouvant provoquer des lésions cérébrales et spinales, la cécité, la déformation faciale, des fractures multiples, des troubles neurologiques, des atteintes cardiaques, des atteintes des organes internes et la dépression. Le chiffre total inclut aussi 35 000 militaires qui ont été blessés d'une autre façon pendant leur service (accidents de véhicule, de construction, de manœuvres, tirs amis) ou qui, tombés malades, ont fait l'objet d'une évacuation médicale.

Des milliers d'autres anciens combattants sont blessés et tombent malades pendant leur service mais ne sont pas évacués à titre médical. On entrevoit leur nombre quand on constate que *plus de 250 000* soldats rentrés ont déjà été traités dans un centre médical d'anciens combattants. 80 % d'entre eux ont déposé une demande de pension d'invalidité, ce qui signifie que plus de 200 000 hommes et femmes qui se sont battus en Irak ou en Afghanistan en reviennent avec un handicap physique ou mental. Mais il ne s'agit que des soldats déjà rentrés. Avant la fin de la guerre – et après –, ces chiffres vont probablement plus que doubler.

Attribuer à ces blessures une valeur en dollars est compliqué. La méthode habituelle des économistes consiste à poser la question : combien l'intéressé aurait-il payé pour que ça ne lui arrive pas ? C'est ce qu'on appelle la « valeur d'une blessure statistique ». On peut ici refuser de s'émouvoir et soutenir qu'un engagé volontaire dans les forces armées sait que sa décision implique le risque de mourir ou d'être blessé [11]. Mais cette logique n'est pas tout à fait imparable dans le cas des victimes de la guerre d'Irak. La majorité des soldats qui servent en Irak et en Afghanistan n'avaient pas pleinement compris le risque. Un tiers ont été prélevés dans la garde nationale ou sont des réservistes, qui ne pouvaient pas imaginer qu'on allait les déployer à l'étranger sur une longue période. Même chez les soldats réguliers de l'armée de terre, de l'aviation, de la flotte et des Marines, qui aurait pu raisonnablement s'attendre à être déployé quinze mois (au lieu des douze habituels), avec des permissions abrégées, un second, un troisième, voire un quatrième déploiement, des prolongations imposées et autres mesures qui ont rendu assez peu volontaire une partie de leur service ?

Nous avons évalué la perte économique des blessés en nous fondant sur la gravité de leurs blessures. Nous avons assigné des valeurs économiques aux soldats ayant subi une lésion cervicale, une amputation, la cécité ou d'autres blessures graves (brûlures, lésions spinales, atteinte des organes majeurs) ; des blessures (autres que celles déjà énumérées) qui ont nécessité une évacuation médicale ; et l'état de stress post-traumatique. Nous estimons que le soldat grièvement blessé et devenu inemployable subit une perte *économique* aussi importante que celui qui a été tué : le produit de leur travail est perdu pour l'économie. Donc, nous devons lui attribuer la « valeur d'une blessure statistique » de 7,2 millions de dollars, le montant que nous avons retenu pour définir la « valeur d'une vie statistique ». Quant à ceux qui ont été sérieusement blessés pendant leur service aux armées mais dont l'invalidité n'est pas totale, nous avons déjà dit que le VA déterminait le montant de leur pension en leur assignant un « taux d'invalidité ». C'est donc en appliquant ces pourcentages que nous évaluerons le coût économique global de leur infirmité [12].

Tandis qu'au chapitre précédent nous avons concentré notre attention sur ce que coûte à l'État la prise en charge de l'ensemble des anciens combattants d'Irak et d'Afghanistan, les coûts sociaux que nous étudions dans ce chapitre sont plus précisément ciblés sur les pertes économiques liées à ceux qui ont été tués, blessés, traumatisés ou très perturbés mentalement. Certains analystes se sont demandé si les morts et blessés hors combat devaient être attribués à la guerre. Il est clair qu'ils constituent un coût budgétaire pour l'État – les hôpitaux du VA ne refusent pas un soldat blessé quand son hélicoptère n'a pas été abattu par l'ennemi mais s'est écrasé au décollage. Il n'en est pas moins vrai qu'en temps de paix aussi il y a dans les forces armées des blessés par accident. La question est donc de savoir si la guerre d'Irak a provoqué un *excédent* de pertes hors combat par rapport à leur niveau prévisible dans les opérations de l'armée en temps de paix. Pour y répondre, nous avons comparé les taux de pertes accidentelles chez les soldats en service actif dans les cinq ans qui ont précédé la guerre et depuis 2003. Et nous avons constaté que le taux de mortalité hors combat des soldats déployés en Irak dans la période 2003-2007 se situait à *plus du double* de son niveau des cinq années antérieures à 2001 [13]. Le tableau est le même pour les blessures par accident.

Les experts attribuent cette augmentation à un fait précis : les soldats des forces de soutien logistique déployées en Irak courent des risques nettement plus élevés que dans les guerres précédentes. « Dans les conflits antérieurs », explique le Dr David Segal, directeur du Centre de recherche sur l'organisation militaire à l'université du Maryland, « il existait une différence considérable d'exposition aux traumatismes psychologiques entre les unités de combat et les unités de soutien. Aujourd'hui, la distinction ne compte pas. Les soldats affectés à la logistique et aux autres fonctions de soutien voient bien plus de combat que dans les guerres passées. Fondamentalement, dès qu'on pose ses bottes en Irak, on est dans une zone de combat [14] ».

Le coût économique des problèmes de santé mentale

Un autre coût économique important vient des troubles d'ordre psychiatrique liés à la guerre. Selon les principaux porte-parole du mouvement des anciens combattants, ce sera le problème médical majeur auquel seront confrontés les anciens d'Irak et d'Afghanistan[15]. Les chiffres à ce jour le confirment. Déjà, plus d'un ancien militaire rentré sur sept a été traité par le VA pour troubles mentaux. Les taux de suicide des deux dernières années dans l'armée de terre ont été respectivement de 17,3 et 19,9 soldats pour 100 000, les plus élevés depuis seize ans[16]. Dans les années précédentes, ce taux était en moyenne de 11,6 pour 100 000. Un quart des suicidés ont mis fin à leurs jours pendant leur service en Irak ou en Afghanistan.

Bien évidemment, les soldats qui ont servi plus longtemps ou qui ont été déployés plusieurs fois sont les plus exposés aux problèmes psychiatriques[17]. Une étude récente du département de la Défense, confirmant des travaux précédents, a constaté que les militaires déployés plus de six mois, ou qui l'avaient été plusieurs fois, étaient plus susceptibles de se révéler positifs dans les opérations de dépistage des troubles mentaux. L'une des raisons est claire : plus on sert longtemps, plus la probabilité d'assister à la mort ou à la défiguration d'un camarade s'accroît. L'étude indique que les deux tiers des soldats et des Marines montrant des signes de troubles psychiatriques connaissaient quelqu'un qui avait été tué ou grièvement blessé. Et elle révèle un lien direct entre la longueur du déploiement et les problèmes de moral dans l'armée de terre[18].

Les anciens combattants ont droit à une pension d'invalidité s'ils souffrent de maladie mentale ; mais la Veterans Disability Benefits Commission a découvert que la somme versée à cette catégorie d'ex-militaires sous-estimait considérablement leurs pertes économiques. La pension du VA, par exemple, ne couvrait que 69 % des revenus qu'un ancien combattant de trente-cinq ans handicapé mental aurait normalement gagnés sans son handicap. Pour ceux dont le taux d'invalidité d'ordre psychiatrique est de 100 %, la commission a constaté que l'écart des gains sur l'ensemble de leur vie – la différence entre ce qu'ils auraient pu gagner et la pension d'invalidité qu'on leur payait – pouvait atteindre 3,6 millions de dollars [19].

La commission a également découvert que les anciens combattants atteints de troubles mentaux graves étaient aussi les plus mal classés dans les évaluations générales de la santé et de la qualité de vie. Parmi ceux qui souffraient d'ESPT, un sur trois était absolument incapable de travailler (« individuellement inemployable »). De plus, les troubles psychiatriques de longue durée dégradaient l'état de santé physique. « L'invalidité physique, souligne la commission, n'entraîne pas une détérioration globale de la santé mentale. Mais il est clair que les troubles mentaux entraînent une détérioration globale de la santé physique [20]. » Ce qui confirme les résultats du Dr Charles Marmar, chef psychiatre à l'hôpital des anciens combattants de San Francisco, qui a effectué sur trente ans une étude longitudinale [*] des anciens combattants du Vietnam. Ses travaux ont établi chez les patients atteints d'ESPT une réduction du bien-être, des limitations physiques, une mauvaise santé, un chômage permanent, des jours passés au lit et des épisodes de violence [21].

---

[*] L'analyse longitudinale suit l'évolution d'un groupe particulier au fil du temps, contrairement à l'analyse transversale qui donne le « cliché » de toute une population à une date précise.

Le coût de la dégradation de la qualité de la vie

La Veterans Disability Benefits Commission donne une idée du type de grave détérioration de leurs conditions de vie que connaissent les anciens combattants : 57 % de ceux qui ont un taux d'invalidité, quel qu'il soit, souffrent de « fortes ou très fortes » douleurs physiques. Constat d'autant plus extraordinaire que cette catégorie comprend les anciens combattants qui n'ont qu'une invalidité à 10 %. Près de la moitié des membres de la catégorie étudiée dans l'enquête prenait quotidiennement un analgésique, et un quart avait besoin d'être aidé pour des activités courantes comme prendre un bain, s'habiller et préparer un repas. Globalement, 53 % des anciens combattants disaient que leur invalidité avait « un grand impact » sur leur vie. Les trois quarts souscrivaient à cet énoncé : « Vivre avec mon invalidité due à mon service aux armées me pose problème tous les jours [22]. »

C'est chez les anciens combattants atteints de troubles mentaux que la perte de qualité de vie était la plus forte. Le phénomène est difficile à quantifier, mais des études ont tenté de le faire. Par exemple, 99 % avaient un état de santé général plus dégradé qu'il n'aurait dû l'être à leur âge. Ils étaient aussi extrêmement mal classés quant à leur satisfaction globale pour leur vie. Même chez les « invalides à 10 % », celle-ci n'est que de 61 % ; et quand l'invalidité d'ordre psychiatrique atteint 50 à 90 %, la mesure de satisfaction oscille autour de 30 % [23].

Actuellement, le VA n'indemnise pas *explicitement* la dégradation de la qualité de la vie. Comme la pension ne couvre même pas la perte de revenu, il est clair qu'il ne reste rien pour ces pertes de bien-être. Mais plusieurs pays étrangers, dont le Royaume-Uni, le Canada, l'Australie et la Nouvelle-Zélande, paient des indemnités spécifiques pour les pertes de qualité de vie. Leur montant forfaitaire maximal va de 220 459 dollars en Australie à plus de 500 000 dollars en Grande-Bretagne [24].

La Veterans Disability Benefits Commission et la commission Dole-Shalala se sont inquiétées de cette non-indemnisation des pertes de bien-être. Sur la base de leurs recommandations et de celles du National Institute of Medicine, l'administration Bush a récemment proposé de révolutionner le système d'évaluation des pensions d'invalidité en y intégrant une nouvelle allocation liée à la qualité de vie, qui indemniserait l'ancien combattant des limitations dues à son invalidité dans ses actes quotidiens. Elle serait versée en plus de la pension mensuelle normale, qui est censée compenser la perte de la capacité de gagner sa vie. Dans notre analyse de l'impact budgétaire de la guerre, nous n'avons pas intégré la valeur économique de ces pertes de bien-être – ce qui prouve, à nouveau, que nos évaluations sont sous-estimées. Mais il est clair que, si ces recommandations sont adoptées, les coûts budgétaires en seront sensiblement accrus.

Les familles des anciens combattants sous tension

La pension d'invalidité versée par l'État n'indemnise pas la douleur et la souffrance des proches de l'ancien combattant, ni la dégradation de leur qualité de vie. Il s'agit de coûts très réels, mais beaucoup sont, là encore, difficiles à quantifier.

Les périodes de service répétées ont imposé une énorme tension affective, sociale et économique aux intéressés et à leurs familles. Voici comment Paul Rieckhoff, qui préside l'association Iraq and Afghanistan Veterans of America, décrit la situation :

> Aujourd'hui, quand un militaire est grièvement blessé, ses amis et les membres de sa famille mettent leur vie en suspens pour être à son chevet pendant les semaines et les mois de convalescence. Annette McLeod est dans ce cas. Quand son mari, le soldat Wendell McLeod, a été blessé pendant son service en Irak,

elle a aussitôt quitté sa maison de Chesterfield (Caroline du Sud) pour être auprès de lui au centre Walter-Reed de Washington. S'occuper de son mari, qui avait des blessures multiples au dos et à la tête, est devenu son travail à temps plein. Après trois mois passés à Walter-Reed, la direction des ressources humaines de l'usine où elle travaillait depuis vingt ans lui a dit qu'elle avait épuisé ses jours de congé. Elle a été obligée d'abandonner son emploi et tous ses avantages sociaux.

L'histoire des McLeod fait apparaître deux coûts supplémentaires de la guerre : l'obligation où se trouvent les proches de sacrifier leurs revenus et même leur emploi, coût que nous avons quantifié ; et la tension émotionnelle infligée aux familles, coût qu'il est impossible d'évaluer.

La loi actuelle protège peu ceux qui s'occupent des invalides, et il est donc assez courant qu'ils perdent leur emploi et en subissent les conséquences financières. La commission Dole-Shalala a estimé que, dans 20 % des familles d'anciens combattants blessés, traumatisés ou handicapés d'une autre façon (par exemple par une maladie mentale), quelqu'un s'est vu contraint de quitter son emploi pour devenir auxiliaire de vie à temps plein[25]. Beaucoup d'autres familles ont dû embaucher un garde-malade. Nous estimons qu'environ la moitié des familles ont opéré d'importants ajustements dans leur vie pour satisfaire les besoins de l'ancien combattant rentré.

Pour les familles qui doivent faire ces sacrifices, il y a un coût économique. Globalement, nous l'évaluons à plus de 50 milliards de dollars, même dans le scénario le plus optimiste. Ce chiffre est fondé sur l'hypothèse selon laquelle, pour 20 % des grands blessés (LCT, amputations, cécité, surdité, brûlures graves) et 30 % des cas graves d'ESPT, il faudra soit qu'un membre de la famille renonce à son emploi actuel, soit que l'on embauche quelqu'un à temps plein, pour assumer la fonction de principal auxiliaire de vie de l'ancien combattant.

De nombreuses familles feront aussi d'importantes dépenses pour assurer des soins médicaux aux anciens combattants ren-

trés, tant au lendemain de leur retour qu'à plus long terme
– au-delà des sommes payées par l'État. Les anciens combattants atteints de lésions cérébrales graves, de polytraumatismes, de cécité, de surdité, de brûlures graves, ou qui ont
subi des amputations, exigeront un surcroît d'attention médicale jusqu'à la fin de leurs jours[26].

Tant que ces soldats seront soignés dans le cadre du département de la Défense, l'essentiel des coûts sera payé par le système TRICARE du Pentagone[27]. Celui-ci couvrira les frais
d'hospitalisation et de traitement des anciens combattants dans
un hôpital militaire (à Walter-Reed, par exemple). Mais même
dans ce cas, les anciens combattants et leurs familles, dont
beaucoup n'ont pas d'assurance maladie ou invalidité complémentaire privée, seront obligés de régler tous les coûts qui ne
sont pas couverts. Pour les familles à faible revenu, ce fardeau
financier est particulièrement lourd. C'est ce qu'a fait remarquer au comité du Sénat sur les Anciens combattants le professeur Uwe Reinhardt, de l'université de Princeton. Il s'était
rendu, a-t-il dit, au chevet de son fils, un capitaine des Marines
blessé en Afghanistan. « Quand nous sommes allés à Landstuhl [l'hôpital militaire en Allemagne] voir notre fils, je me
suis dit : "Est-ce facile, concrètement, pour des gens des
milieux défavorisés, d'aller à Landstuhl ?" Ma femme et moi,
nous avons immédiatement sauté dans un avion, fait le voyage
et pris une chambre d'hôtel. Ces visites sont cruciales pour la
guérison. C'est donc un vrai problème[28]. »

Quand le ou la blessé(e) quitte l'armée, sa famille doit l'aider à réunir la vaste documentation et les nombreuses preuves
écrites qui lui permettront d'entrer dans le réseau médical des
anciens combattants. Pendant la transition de son statut de
militaire à celui d'ancien combattant, c'est en général sa
famille qui, en fin de compte, prend en charge sa subsistance
et ses soins médicaux.

Ces coûts peuvent être considérables, bien qu'ils soient, une
fois de plus, difficilement quantifiables. L'État paie les traite-

ments de base, la rééducation, la physiothérapie, les prothèses et certains médicaments. Il ne couvrira pas la plupart des soins infirmiers complémentaires et soins à domicile, des thérapies alternatives courantes, et de certains nouveaux médicaments et traitements récents. Globalement, nous sommes persuadés que les frais médicaux supplémentaires assumés par les anciens combattants et leurs familles seront importants, mais, pour cette étude, nous ne les avons pas quantifiés. Il importe de souligner que certaines blessures, comme les lésions cérébrales traumatiques graves, exigent des millions de dollars de soins tout au long de la vie de l'ancien combattant.

Évaluer les principaux coûts sociaux

Nous estimons ici les véritables coûts sociaux des conflits d'Irak et d'Afghanistan qui dépassent les coûts budgétaires, c'est-à-dire les surcoûts par rapport à ce que paie l'État. À chaque décès, nous attribuons une VVS de 7,2 millions de dollars, et nous en retranchons les 500 000 dollars que verse l'État pour chaque soldat tué. Pour les blessures graves, nous calculons la valeur de la perte économique qui leur est liée, et nous en retranchons le montant des pensions d'invalidité[29]. En additionnant la valeur des vies perdues, celle de la perte économique due aux blessures graves et aux troubles mentaux, et les coûts sociaux supportés par les proches qui ont dû abandonner leurs emplois ou embaucher des auxiliaires de vie pour les blessés, et en soustrayant de ce total les transferts de l'État aux anciens combattants invalides, nous trouvons que le coût économique de la guerre d'Irak ajoute 262 milliards de dollars au coût total, *en plus des dépenses budgétaires*, dans le scénario du meilleur cas de figure, et 367 milliards de dollars dans le scénario réaliste-modéré. Si l'on intègre l'Afghanistan et les opérations apparentées, le coût se situe entre 295 et 415 milliards de dollars.

Notre scénario optimiste prend en compte uniquement les blessés au combat qui n'ont pas repris leur service et la moitié des blessés graves hors combat (pour avoir une valeur approchée de ceux qui sont en « surnombre » par rapport au chiffre attendu dans une armée en temps de paix[30]). Nous avons supposé que ce « surnombre » de 50 % s'étendait aux autres formes d'invalidité, et nous n'avons donc inclus que 50 % des malades souffrant d'une forme sévère d'ESPT[31] et 50 % des victimes gravement atteintes hors combat par des affections comme la cécité, les troubles graves de la vision, la surdité et la lésion cérébrale traumatique.

Mais nous avons de sérieuses réserves sur cette méthode. Étant donné que 263 000 soldats ont déjà été traités par le VA et que 52 000 ont fait l'objet d'un diagnostic d'ESPT (affection qui ne se constate pas du tout en temps de paix), il semble tout à fait arbitraire de réduire de moitié le nombre de cas d'invalidité hors combat. De plus, en temps de paix, le taux de pertes chez les réservistes et les gardes nationaux aurait été très réduit, puisque très peu auraient été déployés.

Par conséquent, notre scénario réaliste-modéré tient compte de l'ensemble des pertes graves dans son calcul des coûts sociaux. Il inclut tous les blessés graves, au combat et hors combat : tous les soldats dont l'état a nécessité une évacuation médicale, plus un tiers des patients atteints d'ESPT, ainsi qu'une somme plus réduite pour la perte économique attribuable à tous les autres militaires assez sérieusement blessés pour avoir été évacués médicalement du théâtre.

Dans les deux scénarios, nous avons postulé que les hommes et femmes des forces armées qui ont été blessés, soignés puis rendus au service actif ne subiront aucune autre perte que la valeur de la petite pension d'invalidité qu'ils recevront pour ce problème. Nous n'avons intégré aucun coût pour la dégradation de la qualité de vie. Nous avons inclus le coût de la prise en charge des blessés par les familles en cas de blessures vraiment graves ou de troubles psychiques. Bref, nous avons été excessivement prudents. Si nous avions compté les surcoûts médicaux non remboursés à la charge des familles et les pertes de qualité de vie, le chiffre aurait pu être bien plus élevé.

Mais il reste encore d'autres coûts importants de la guerre, dont certains sont difficiles à quantifier mais néanmoins réels. Ce sont les coûts généraux pour notre économie et notre pays, ainsi que pour nos soldats et leurs familles.

Coûts sociaux non quantifiés

Au chapitre 2, nous avons évoqué les crédits budgétaires nécessaires pour combler le vide laissé aux États-Unis par le déploiement massif de gardes nationaux et de réservistes à l'étranger. Il est plus difficile de quantifier le prix que nous payons en ne conservant pas la garde nationale et les réservistes dans notre pays. Beaucoup de ces hommes et femmes opèrent normalement comme « premiers intervenants » dans les situations critiques qui surviennent à proximité de leur lieu de vie : chez les pompiers, dans la police et comme personnel médical de premiers secours. La débâcle de l'ouragan Katrina nous a donné une illustration spectaculaire des conséquences de leur retrait hors des communautés locales qu'ils servent : 3 000 gardes nationaux de Louisiane et 4 000 du Mississippi étaient stationnés en Irak quand l'ouragan a frappé.

En état de surextension, réservistes et gardes nationaux subissent un coût supplémentaire de la guerre : il n'y a plus assez de matériel pour les gardes restés aux États-Unis. Cette réalité a eu des conséquences mortelles à l'été 2007, quand la ville de Greensburg (Kansas) a été frappée par de soudaines tornades qui ont fait des dizaines de morts et des centaines de blessés. La garde nationale n'avait à sa disposition que 40 à

50 % de ses véhicules et de son matériel lourd : une grande partie de l'équipement nécessaire aux opérations de sauvetage avait été expédiée en Irak. « Nous aurions dû avoir les gardes nationaux ici, sur place, juste après la tornade », souligne Donald Betts Jr., de Wichita, membre du sénat du Kansas. « Pour sécuriser les lieux, déblayer les débris, vérifier s'il y avait encore des survivants : des gens pouvaient encore être sauvés. Le temps de réaction a été trop lent, et ça devient une habitude. C'est arrivé après Katrina : c'est comme si l'histoire se répétait. »

Le GAO a émis une mise en garde sur ce problème précis en janvier 2007 en publiant un rapport sur la pénurie de matériel dans la garde nationale. « L'utilisation massive de la garde nationale pour des missions fédérales outre-mer, écrit-il, a réduit l'équipement disponible pour les missions intérieures qu'elle accomplit sous l'autorité des États fédérés, alors même qu'elle est confrontée à un plus large éventail de menaces sur le territoire national [32]. » Selon le GAO et la garde elle-même, le Pentagone a dépouillé les unités locales de la garde d'environ 24 000 pièces de matériel afin de compléter l'équipement des soldats en Irak. Le GAO estime que jusqu'à 44 % de ces matériels ont désormais besoin d'être réparés ou remplacés [33].

Les coûts économiques complets du déploiement des gardes nationaux et des réservistes sont donc de loin supérieurs à la différence entre la solde qui leur est versée et ce qu'ils auraient produit si on ne les avait pas mobilisés. Quand ils se trouvent outre-mer, nous perdons, évidemment, les services extrêmement précieux qu'ils rendent dans les situations d'urgence ; mais le simple fait de savoir qu'ils sont là si une catastrophe se produit a aussi une valeur énorme. Les économistes l'appellent la valeur d'« assurance » de la présence de personnels *prêts* à réagir. Dans nos estimations, nous n'intégrons ni les coûts économiques de la perte de cette « assurance », ni les coûts économiques et budgétaires qu'induit toute réduction des capacités de premiers secours.

Faire la guerre en Irak avec tant de réservistes et de gardes nationaux a un coût pour notre pays et pour nos collectivités locales. Mais ce choix a aussi un coût pour les intéressés eux-mêmes. Les réservistes et gardes nationaux qui ont été rappelés sous les drapeaux perdent leur salaire civil pendant leur déploiement. Des enquêtes du département de la Défense en 2004 ont montré que 40 % d'entre eux étaient moins payés pendant leur service aux armées que dans leurs emplois civils. Des études menées sur l'ensemble des gardes nationaux et réservistes ont révélé que, chez les mobilisés qui subissaient une réduction de revenu, celle-ci était, en moyenne, de 3 000 dollars par an, même si dans certains cas elle pouvait se compter en dizaines de milliers de dollars.

Une étude réalisée par la RAND Corporation en 2006 a examiné l'écart des rémunérations totales après impôt chez les réservistes et gardes nationaux appelés à servir aux armées ; elle a conclu qu'il n'y avait aucune différence sensible entre ce qu'ils gagnaient avant et après leur mobilisation. Mais ce travail avait plusieurs défauts techniques. Il ne prenait pas en compte, par exemple, les coûts supplémentaires que supportaient les familles quand leurs membres étaient séparés [34]. Point plus important, il ne comprenait pas ce qu'il aurait fallu payer à ces soldats pour les indemniser des risques auxquels ils étaient confrontés [35]. La plupart ne s'étaient même pas portés volontaires pour leur premier déploiement, et encore moins pour le second, ni pour les prolongations. Un calcul complet des coûts économiques intégrerait une indemnisation à la hauteur de cette prise de risques.

Mais même un chiffrage rigoureux des pertes de salaires ne dirait pas tout. Les hommes et les femmes de la garde nationale et des réserves constatent que, en raison des déploiements de longue durée, leur carrière civile se heurte à de sérieux obstacles. Même s'il existe des lois conçues pour protéger l'emploi de ces soldats mobilisés, beaucoup l'ont perdu quand ils rentrent aux États-Unis, car leur entreprise a tourné la loi ou procédé à une réduction de personnel pour d'autres raisons[36]. La pression financière sur les réservistes qui sont travailleurs indépendants est particulièrement rude – certains ont fait faillite.

Gardes nationaux et réservistes ont aussi été confrontés à d'autres problèmes, allant de difficultés à se faire payer leur solde au refus de leur pension d'invalidité d'ancien combattant. Même aux premiers temps de la guerre, le GAO a constaté que, dans six unités choisies pour une étude de cas, 95 % des soldats de l'armée de terre issus de la garde nationale « avaient eu au moins un problème de solde lié à leur mobilisation[37] ». On refuse aussi plus souvent les pensions d'invalidité aux gardes nationaux et aux réservistes qu'aux membres des forces régulières – même si, en tant que groupe, les premiers déposent moins de demandes. À ce jour, 37 % des soldats d'active mais 21 % seulement des gardes et des réservistes ont ouvert un dossier au VA pour obtenir une pension. Néanmoins, 16 % des gardes et des réservistes ont vu leur demande rejetée, contre 6 % des militaires réguliers[38].

Il y a une raison importante de souligner ces coûts : dans les guerres futures (ou même dans celle-ci, si elle continue), nous ne devrions pas recourir aussi massivement que nous l'avons fait à notre garde nationale et à nos réservistes – leur rôle est d'intervenir dans les situations d'urgence et, après cinq ans de guerre, on ne peut pas considérer le conflit comme une situation d'urgence. Mais si nous continuons à compter sur les soldats de réserve et les unités de la garde, il faut créer un fonds spécial pour les aider financièrement, et pour modérer certains de ces coûts[39].

Nous avons noté plus haut que l'envoi de notre garde nationale en Irak a eu pour nous un *coût d'opportunité* : elle n'a pas été là pour assurer les secours dans des situations de crise comme Katrina. Ces coûts ont été réels. Avoir la garde nationale, c'est comme avoir une police d'assurance ; mais nous n'étions plus assurés.

C'est pour la même raison que nous payons chaque année plusieurs centaines de milliards de dollars pour notre armée : pour qu'elle soit là quand nous en avons besoin. C'est aussi une sorte d'assurance, contre une menace extérieure. Le fait que nos ressources militaires soient consacrées à l'Irak et à l'Afghanistan implique qu'elles ne sont pas utilisables pour faire face à d'autres menaces – en Iran, en Corée du Nord ou ailleurs.

Pendant que les armes de destruction massive inexistantes de l'Irak retenaient toute notre attention, les Nord-Coréens en ont acquis. Beaucoup d'observateurs estiment que notre obsession pour l'Irak a donné à la Corée du Nord une occasion d'agir, qu'elle a saisie, mais aussi une incitation puissante à le faire : une fois qu'elle aurait ces armes, il serait plus difficile à l'Amérique de l'attaquer.

De même, notre décision de frapper l'Irak préventivement a envoyé à l'Iran un message clair : la meilleure façon de dissuader les États-Unis d'intervenir militairement consiste à créer une force nucléaire de dissuasion. De fait, de nombreux experts ont conclu que le principal bénéficiaire de l'action américaine en Irak a été l'Iran, dont la position géopolitique est aujourd'hui plus forte qu'elle ne l'avait été depuis longtemps [40].

Comptabilisation des coûts socio-économiques

Ce chapitre s'est particulièrement concentré sur les coûts sociaux et économiques supportés par nos soldats et leurs familles, qui n'apparaissent pas dans les totalisations budgétaires. Certains sont faciles à quantifier, d'autres le sont moins. En calculant seulement ceux que nous pouvons chiffrer, nous relevons de 300 à 400 milliards de dollars le coût total de la guerre d'Irak [41]. (Nous n'ajoutons ici que l'*excédent* des coûts économiques après déduction des paiements budgétaires déjà effectués par l'État pour les décès ou pour l'indemnisation des blessés.)

Cela porte le coût total – sans y inclure les intérêts – à 2 000 milliards de dollars dans le « meilleur cas de figure » et à 3 100 milliards de dollars dans le scénario réaliste-modéré.

TABLEAU 4.1. *L'addition : ajout des coûts socio-économiques – Irak et Afghanistan*

Coûts en milliards de dollars	Dans le meilleur des cas	Scénario réaliste-modéré
Coûts socio-économiques		
Valeur d'une vie statistique – décès *(net des prestations décès)*	56	64
Valeur d'une blessure statistique – toutes les blessures	180	273
Frais médicaux de la société, de la famille, et autres	55	78
(Moins prestations invalidité)	- 12	- 16
Autres coûts sociaux	16	16
Sous-total coûts sociaux	**295**	**415**
Plus coûts budgétaires des guerres d'Irak et d'Afghanistan		
Total des coûts de fonctionnement à ce jour *(dépensé à ce jour)*	646	646

Coûts de fonctionnement futurs (*coûts de fonctionnement futurs seulement*)	521	913
Coûts futurs des anciens combattants (*leurs frais médicaux + leurs pensions d'invalidité + leurs pensions de la Social Security*)	422	717
Autres coûts militaires/Ajustements (*cachés dans budget de la défense + futur rééquipement + démobilisation − économies zones d'interdiction de vol*)	132	404
Sous-total coûts budgétaires	**1 721**	**2 680**
TOTAL COÛTS BUDGÉTAIRES + SOCIAUX (*sans intérêts*)	**2 016**	**3 095**

Il reste encore un coût important : celui qu'a payé l'ensemble de l'économie. Cette guerre n'a été bonne ni pour l'économie américaine ni pour l'économie mondiale, et nous allons probablement en ressentir les répercussions pendant des années. Au chapitre suivant, nous expliquons pourquoi il en est ainsi et nous tentons de quantifier certains de ces effets néfastes.

5

Les effets macroéconomiques des conflits

Depuis le début de la guerre d'Irak, les prix du brut sont passés d'environ 25 dollars à plus de 90 dollars le baril, et, au moment où nous achevons ce livre, ils continuent à augmenter[1]. Les Américains en ont ressenti les effets à la pompe à essence, de même que les habitants de tous les autres pays. Le pétrole de cuisson* coûte plus cher en Indonésie, de même que les tickets d'autobus en Éthiopie. Mais ce n'est pas tout. Avec les effets de diffusion, la hausse des prix pétroliers affecte pratiquement toutes les facettes d'une économie. Dans des pays importateurs de pétrole comme les États-Unis, elle accentue le déficit de la balance commerciale et crée des pressions inflationnistes. À ces pressions, les banques centrales réagissent souvent en relevant les taux d'intérêt. Puisque les États doivent alors consacrer plus de moyens financiers aux importations de pétrole et au service de leur dette existante, il leur devient plus difficile d'équilibrer leur budget. La montée des taux d'intérêt se traduit aussi par une réduction des dépenses d'investissement et de consommation, une baisse des cours de la Bourse et un ralentissement de l'économie. Aux

---

* 90 % des ménages indonésiens utilisent du kérosène pour faire cuire les aliments.

États-Unis, la guerre a frappé l'économie par d'autres biais. Ce chapitre essaie de cerner ces coûts macroéconomiques et, quand c'est possible, de les quantifier.

Mais d'abord, il nous faut dissiper le mythe répandu selon lequel les guerres seraient bonnes pour l'économie. C'est la Seconde Guerre mondiale qui a donné force à cette idée. Les États-Unis (et la majeure partie de la planète) se trouvaient alors en situation de dépression économique depuis des années. Il y avait un problème d'insuffisance de la demande. L'offre potentielle de l'économie – ce qu'elle pouvait produire si tout le monde avait été employé à temps complet – était supérieure à ce que les gens achetaient. Donc l'économie stagnait et le chômage était massif. La Seconde Guerre mondiale a créé une demande pour des chars d'assaut, des armements ; l'économie s'est mise à fonctionner à plein régime ; tous ceux qui voulaient travailler ont pu trouver un emploi – et la guerre exigeait même que ceux qui étaient capables de faire « deux huit sur trois » le fassent.

Aujourd'hui, aucun économiste sérieux ne soutient que la guerre est bonne pour l'économie. John Maynard Keynes nous a appris qu'en diminuant les taux d'intérêt et en augmentant les dépenses de l'État un pays pouvait maintenir l'économie du temps de paix en situation de plein emploi ou de quasi plein emploi. L'argent dépensé en armements est de l'argent jeté par les fenêtres : s'il avait servi à faire des investissements – dans des usines et des machines, dans des infrastructures, dans la recherche, dans la santé, dans l'éducation –, on aurait accru la productivité de l'économie et la production future aurait été supérieure.

Il ne faut pas se demander si l'économie a été ou non affaiblie par la guerre[2]. La seule question à se poser est : *affaiblie à quel degré ?* Quand on parvient à les chiffrer, ces coûts sont immenses. Dans le scénario réaliste-modéré que nous présentons dans ce chapitre, ils se montent à plus de 1 000 milliards de dollars.

Le pétrole

Dans le monde entier, pas seulement au Moyen-Orient, beaucoup sont persuadés que le gouvernement américain est entré en guerre parce qu'il voulait faire main basse sur le pétrole irakien[3]. Nous ne discuterons pas ici de leurs arguments. Il suffit de dire que, si nous avons fait la guerre pour nous assurer un pétrole bon marché, nous avons lamentablement échoué. Mais nous avons réussi à enrichir les compagnies pétrolières. Exxon-Mobil et les autres firmes du pétrole comptent parmi les rares bénéficiaires réels de la guerre, puisque leurs profits et le cours de leurs actions ont considérablement augmenté[4]. Pendant ce temps, l'économie dans son ensemble payait un prix élevé.

Pour évaluer ce prix, il nous faut répondre à trois questions. Quel pourcentage de la hausse du prix du pétrole peut-on attribuer à la guerre ? Quels ont été les coûts directs pour l'économie américaine de ces augmentations de prix ? Et quels ont été leurs effets secondaires – leur impact sur la macroéconomie en général ?

Les prix pétroliers ont commencé à grimper au moment précis où la guerre a commencé, et plus elle s'est prolongée, plus haut ils sont montés. Cela suggère certainement que la guerre a *quelque chose à voir* avec leur hausse. Sur ce point, presque tous les spécialistes du pétrole sont d'accord. Mais quel pourcentage de l'augmentation des prix s'explique par la guerre ? Pour répondre à la question, nous devons nous demander ce qu'auraient été les prix si la guerre n'avait pas eu lieu[5].

Les marchés à terme – qui synthétisent les prévisions des acheteurs et des vendeurs de contrats pétroliers sur ce que seront les prix dans un an ou davantage – nous apportent quelques lumières. Avant la guerre, ceux qui faisaient ces transactions pensaient que les prix resteraient dans la fourchette où ils se trouvaient, entre 20 et 30 dollars, pendant plusieurs années[6]. Les marchés à terme travaillent sur la base du « *business as usual* », c'est-à-dire qu'ils supposent qu'il ne va rien se passer d'extraordinaire. Au moment où les prix ont commencé à monter, l'événement qui sortait le plus manifestement de l'ordinaire était la guerre d'Irak, et il est bien difficile de voir quel autre bouleversement pourrait être un facteur d'explication aussi crédible des changements de la demande ou de l'offre, notamment en 2003 et en 2004. (En 2005, les ouragans Katrina et Rita ont provoqué une forte chute temporaire de la production américaine de pétrole, qui a fait monter les prix.) Aujourd'hui, « *business as usual* » signifie que le maelström déclenché par la guerre d'Irak va continuer, et les marchés à terme parient que les prix resteront élevés pendant plusieurs années[7].

Nous concluons donc que la guerre a sensiblement contribué à la hausse des prix du pétrole. Le montant exact de cette contribution n'étant pas mesurable avec précision, nous avançons deux estimations : la minimale, qui n'attribue à la guerre que 5 dollars de hausse par baril ; et une autre hypothèse, plus réaliste, qui fixe le chiffre à 10 dollars. (Nous avons discuté de ces estimations avec des experts de l'industrie pétrolière ; s'ils n'étaient pas d'accord entre eux sur l'importance relative de divers facteurs dans la grande ascension des prix, ils ont été unanimes à nous dire que nous avions plutôt sous-évalué le rôle de la guerre d'Irak.) Notre estimation minimale suppose que ces prix pétroliers élevés vont durer sept ans. Dans le scénario réaliste-modéré, c'est huit ans.

Sur la base de ces hypothèses, nous pouvons calculer le coût direct pour l'économie américaine. Puisque les États-Unis importent chaque année environ 5 milliards de barils[8], une hausse de 5 dollars par baril entraîne un surcoût de 25 milliards de dollars (et une hausse de 10 dollars un surcoût de 50 milliards de dollars) *par an*[9]. Sur les sept ans que prévoit notre estimation minimale, cela fait 175 milliards de dollars[10].

Dans notre estimation réaliste-modérée de 10 dollars, qui suppose que l'effet va durer huit ans, la dépense supplémentaire est de 400 milliards de dollars.

En voyant les prix du pétrole atteindre 100 dollars le baril, et les marchés à terme continuer à prédire le maintien de prix élevés pendant des années, nous nous disons que 5 à 10 dollars le baril sur sept ou huit ans, c'est vraiment trop peu. Même si nous n'attribuons au conflit irakien que la moitié de l'écart entre le prix actuel (95 à 100 dollars le baril) et celui d'avant la guerre (25 dollars le baril), le coût pétrolier de la guerre est aujourd'hui de 35 dollars le baril, et non 10. Et si, en étendant ce raisonnement, nous imputons au conflit irakien ne serait-ce que la moitié de la hausse des prix dans le monde de l'« après-Irak » jusqu'à l'horizon des marchés à terme actuels (2015), les seuls coûts pétroliers *directs* de la guerre dépassent 1 600 milliards de dollars.

Quand les prix du pétrole montent, cela signifie que l'on a moins d'argent à dépenser sur tout le reste. Depuis qu'ils ont commencé à grimper, les sommes supplémentaires que les familles américaines ont consacrées au carburant et au chauffage ont représenté environ 5 % de leurs revenus [11]. Même les pouvoirs publics – notamment les États fédérés et les municipalités, qui n'ont pas le droit de dépenser plus que le montant de leurs recettes – ont dû réduire d'autres dépenses pour financer le surcoût du pétrole importé. Quand ils paient le pétrole plus cher à l'Arabie Saoudite, à la Russie et au Venezuela, les États-Unis dépensent moins en produits américains, et cette baisse des achats entraîne, bien sûr, une baisse de la production.

Autrement dit, si nous avions gardé la somme – estimée au minimum à 25 milliards de dollars – que nous avons envoyée chaque année à l'Arabie Saoudite et aux autres exportateurs de pétrole, et si nous l'avions dépensée en achats de produits américains, le PIB des États-Unis aurait été plus élevé. L'augmentation des dépenses en produits fabriqués aux États-Unis aurait induit une hausse des salaires et des profits, et cet argent à son tour aurait été très majoritairement dépensé sur le territoire américain, ce qui aurait stimulé encore plus l'économie intérieure.

Si les experts sont unanimes à penser que payer 25 ou 50 milliards de dollars de plus par an pour le pétrole réduit le produit intérieur brut des États-Unis et les revenus des Américains, ils ne sont pas tous d'accord sur l'ampleur de cette réduction. Les économistes appellent *multiplicateur des importations pétrolières* le degré auquel un changement dans ces importations se convertit en changement dans le produit total. Si ce multiplicateur est supérieur à 1, cela veut dire qu'une réduction de 25 milliards de dollars dans la demande de produits américains entraîne une baisse du produit national supérieure à ce montant. Les estimations habituelles de ce multiplicateur le situent autour de 1,5 [12]. Dans notre évaluation minimale, nous supposons donc que le PIB s'est réduit de 25 milliards de dollars × 1,5, soit de 37,5 milliards de dollars, et cela pendant sept ans – au total, de 263 milliards de dollars [13].

La hausse des prix du pétrole n'a pas seulement affaibli notre économie mais aussi celles de nos partenaires commerciaux. Par conséquent, ils ont moins acheté aux États-Unis. Les modèles économétriques qui tentent de mesurer ces effets mondiaux aboutissent à des multiplicateurs supérieurs au chiffre de 1,5 que nous avons utilisé dans notre scénario minimaliste – parfois le double, ou le triple. Les analyses théoriques des effets mondiaux à long terme génèrent aussi des multiplicateurs bien plus élevés. Soucieux de rester très prudents, nous utiliserons un multiplicateur de 2 pour notre estimation réaliste-modérée [14]. Nous prenons notre réduction du PIB de 50 milliards de dollars par an pendant huit ans, nous appliquons le multiplicateur et nous arrivons à une réduction totale estimée du PIB de 800 milliards de dollars. Nous divisons cet impact de 800 milliards en trois composantes : l'impact direct, 400 milliards, un effet multiplicateur traditionnel de 200 milliards au titre de la « demande globale » intérieure, et un *effet multiplicateur mondial* de 200 milliards de dollars, que nous appelons l'*effet d'équilibre général mondial*. (Si, avec plus de réalisme encore, nous attribuons au conflit une hausse de 35 dollars par baril, l'impact pétrolier total de la guerre dépasse les 3 000 milliards de dollars.)

Bien évidemment, la hausse de la demande ne peut entraîner celle de la production que si l'économie a la capacité de produire davantage. Pendant la guerre, notre économie a fonctionné, malheureusement, bien au-dessous de son potentiel. Tout au long de cette période, il y a eu un excédent suffisant de capacité de production inemployé : si les consommateurs, par exemple, avaient accru leur demande de produits américains – au lieu de dépenser leur argent en pétrole étranger –, on aurait pu augmenter la production pour répondre à cette plus forte demande [15].

Les dépenses de l'État

Le chèque annuel époustouflant remis aux pays producteurs de pétrole a eu incontestablement un impact sur l'économie, mais les dépenses de l'État pour la guerre aussi. L'argent que l'État dépense en Irak ne stimule pas l'économie comme le feraient les mêmes sommes dépensées sur le territoire national. D'où la question : quel aurait été le PIB du pays si ne serait-ce qu'une partie des fonds affectés à la construction de bases militaires en Irak avait servi à construire des écoles aux États-Unis ? Cette *réorientation des dépenses* aurait eu pour effet un PIB plus élevé, tant à court terme qu'à long terme.

Nous avons montré plus haut que, lorsque les consommateurs américains, à cause du renchérissement du pétrole, ont diminué leurs achats de produits fabriqués aux États-Unis, cette baisse a réduit la production de l'économie américaine. En vertu du même mécanisme, une hausse des dépenses de l'État, disons d'un milliard de dollars, augmente le produit national d'un montant supérieur à un milliard de dollars, en fonction d'un facteur qu'on appelle le *multiplicateur des dépenses publiques*[16]. Mais des dépenses de nature différente ont des multiplicateurs différents. Le multiplicateur – le *bang for the buck**, l'augmentation du PIB par dollar que dépense l'État – est bien plus limité pour les fonds consacrés à l'Irak que pour les autres formes de dépenses publiques. Prenons, par exemple, 1 000 dollars utilisés pour embaucher des travailleurs népalais afin qu'ils rendent des services en Irak. Cette dépense n'augmente pas directement les revenus des Américains : nous disons donc qu'il n'y a aucun effet direct, premier, sur le PIB intérieur. De plus, il n'y a guère non plus d'effets seconds par la suite, sauf si les Népalais achètent des produits fabriqués aux États-Unis. En revanche, 1 000 dollars dépensés pour la recherche dans une université américaine auront un effet direct « complet » de 1 000 dollars, puis d'autres impacts élevés, puisque les universitaires vont consacrer leur argent à acheter des biens et services pour la plupart *made in America*.

Si les multiplicateurs qui mesurent l'effet des dépenses publiques sur le PIB sont différents en fonction de la nature de celles-ci, ceux qui sont liés aux dépenses de la guerre d'Irak comptent sûrement parmi les plus faibles. Dans notre scénario réaliste-modéré, nous supposons une petite différence de 0,4 point entre un multiplicateur normal des dépenses inté-

---

* « Effets, retombées par dollar. » *Buck* est un mot argotique pour désigner le billet vert, et *More bang for the buck* (« un plus gros "bang" par dollar ») la formule par laquelle le président Eisenhower a justifié dans les années 1950 son recentrage de l'armée américaine autour du nucléaire stratégique, jugé plus efficace et moins cher que les gros bataillons.

rieures de l'État et le multiplicateur des fonds consacrés à l'Irak. Réorienter vers l'investissement intérieur ne serait-ce que 800 milliards de dollars (sur les quinze ans que notre projection assigne à l'engagement américain en Irak[17]) ajouterait au PIB 320 milliards de dollars. C'est le chiffre que nous retenons dans notre estimation réaliste-modérée[18].

La réorientation des dépenses publiques est une des méthodologies utilisées dans l'*analyse de l'incidence*, que pratiquent les économistes du secteur public quand ils tentent de vérifier les conséquences de diverses politiques possibles. Toutes ces méthodologies sont fondées sur un postulat simple : les dépenses pour l'Irak remplacent (ou, comme disent les économistes, « évincent »), d'une façon ou d'une autre, d'autres types de dépenses. Chaque méthode s'efforce de dépister jusqu'au bout les conséquences complètes du remplacement. Tous les résultats indiquent des impacts macroéconomiques importants. La méthodologie de la réorientation des dépenses publiques suppose que les fonds consacrés à la guerre d'Irak ont évincé des investissements publics. D'autres méthodologies étudient les conséquences du remplacement d'investissements privés, ou d'une consommation privée, par les dépenses publiques de guerre.

Quand l'État choisit de laisser monter le déficit au lieu de réduire l'investissement public, l'investissement privé est « évincé ». Au chapitre 2, nous avons supposé que l'État n'avait pas réduit ses autres dépenses, du moins pas sensiblement ; la guerre d'Irak a simplement alourdi les déficits. Comme nous l'avons expliqué dans ce même chapitre, il y a d'excellentes raisons de penser que c'est bien ce qui s'est passé. Si nous avons commencé par la méthodologie de la réorientation des dépenses publiques, c'est parce que les effets macroéconomiques étaient plus faciles à voir dans ce cas. Mais les effets macroéconomiques des déficits sont au moins aussi importants. Quand les États-Unis sont en déficit année après année, la valeur de la dette nationale (ce que doit l'État américain) augmente. À la fin de l'exercice 2008, les guerres d'Afghanistan et d'Irak auront ajouté plus de 900 milliards de dollars à la dette publique des États-Unis. Dans notre scénario réaliste-modéré, à l'horizon temporel de cette étude (jusqu'en 2017), l'alourdissement de la dette dû au seul accroissement des dépenses militaires (sans compter les pensions d'invalidité et les frais médicaux des anciens combattants), en incluant les intérêts cumulés des emprunts de cette guerre financée à crédit, dépasse les 2 000 milliards de dollars[19].

L'analyse économique des effets de cette montée des déficits s'effectue en deux volets. D'abord, les Américains ont-ils épargné davantage pour réagir à l'aggravation des déficits ? Certaines théories (populaires chez les « économistes de l'offre* ») soutiennent que les déficits n'ont pas d'importance parce que les ménages économisent davantage, tout simplement : l'épargne privée augmente selon eux de 1 dollar pour chaque nouveau dollar de déficit[20]. Même en temps normal, les données infirment ces théories – l'épargne n'augmente que dans des proportions limitées[21]. Mais, dans l'épisode économique en cours, l'épargne n'a *pas du tout* augmenté pour compenser l'alourdissement des déficits : elle a diminué – jusqu'à des niveaux jamais vus depuis la Grande Dépression.

La fraction de l'augmentation des déficits qui n'est pas financée par une hausse de l'épargne induit soit une baisse de l'investissement, soit de nouveaux emprunts à l'étranger. Les déficits budgétaires ont joué un rôle dans l'ascension considérable de la dette extérieure des États-Unis – en 2006, l'Amérique a emprunté à l'étranger 850 milliards de dollars. Le pays le plus riche du monde n'a pas pu vivre selon ses moyens – en partie parce qu'il faisait l'une des guerres les plus chères

* Les *supply-siders*, parvenus sur le devant de la scène politique au début des années 1980 dans le sillage de Ronald Reagan.

de l'histoire. La gravité de cette situation n'a pas échappé à David Walker, le Contrôleur général. Il existe, a-t-il dit, des « ressemblances frappantes » entre la situation actuelle des États-Unis et les facteurs qui ont provoqué la chute de Rome, dont « une armée trop sûre de sa force, en surextension dans des pays étrangers, et l'irresponsabilité budgétaire du gouvernement central[22] ». Malgré l'importance de l'emprunt extérieur, les estimations admises suggèrent que les prêts de l'étranger ne financent que la moitié du déficit, ou moins encore. Le reste est prélevé sur l'investissement intérieur. Quand le secteur privé et l'État se disputent des ressources financières, l'investissement privé est évincé[23]. Or, là aussi, cet investissement intérieur privé a un multiplicateur de loin supérieur à celui des dépenses de la guerre d'Irak. Par conséquent, le PIB est plus bas qu'il ne devrait l'être. Cette perte est à déduire des effets expansionnistes (plutôt limités) de la guerre d'Irak elle-même – et l'effet net qui résulte de cette soustraction pourrait bien être un chiffre non seulement négatif, mais plus grand encore que l'impact défavorable que nous avons évalué par notre méthodologie de la réorientation des dépenses publiques[24].

Ces effets ont lieu *pendant* la guerre, mais d'autres sont aussi importants : ceux qui vont se produire *après*. L'argent consacré à l'Irak aurait pu être dépensé pour les écoles, les routes ou la recherche. Avec ces investissements-là, les retours sont élevés. On aurait pu le dépenser aussi de façon plus productive au sein même du département des Anciens combattants, dans ses programmes d'enseignement et de recherche, ou en développant des établissements médicaux comme les cliniques psychiatriques et les centres de traitement des lésions cérébrales traumatiques. Les dépenses de la guerre d'Irak ne rapportent aucun avantage de ce type.

Parce qu'on *n'a pas fait* ces investissements, la production future sera plus réduite. Nous avons examiné plus haut les effets *à court terme* de la décision de laisser filer le déficit comme nous l'avons fait. L'une des raisons pour lesquelles la montée des déficits préoccupe tant, c'est qu'ils évincent l'investissement privé. Lorsqu'il y a moins d'investissements, la production potentielle de l'économie à long terme se réduit. Si l'alourdissement de la dette estimé plus haut à 2 000 milliards de dollars évince seulement l'investissement privé à hauteur de 60 % de ce montant[25], la perte d'investissement est de 1 200 milliards de dollars. Si cet investissement devait nous rapporter un retour de 7 %, et si nous actualisons au taux « social » d'actualisation* de 1,5 %, la valeur de la production perdue se monte à plus de 5 000 milliards de dollars ; si nous actualisons à 4 %, cela fait plus de 3 000 milliards de dollars ; et à 7 %, 1 200 milliards de dollars[26].

Même si la totalité des nouveaux emprunts s'effectue auprès de prêteurs étrangers – donc sans aucune éviction de l'investissement intérieur –, la richesse américaine en sera réduite d'environ 2 000 milliards de dollars. En supposant que les États-Unis doivent payer des intérêts de 4,5 % seulement sur cette nouvelle dette, et fassent en sorte (désormais) de financer cette hausse des paiements d'intérêts par une hausse des impôts, il leur faudrait pour cela augmenter les impôts en permanence d'environ 90 milliards de dollars par an. Et il faudra soit augmenter les impôts, soit évincer d'autres dépenses, soit aggraver encore le déficit : toutes ces solutions sont déplaisantes, et chacune a des conséquences négatives. S'il y a par exemple éviction de dépenses d'investissement publiques, la production future en sera réduite – de centaines de milliards, voire de milliers de milliards de dollars[27].

---

* Il s'agit du taux d'actualisation qu'il convient d'appliquer aux investissements sociaux. Il y a eu ces dernières années un débat sur cette question, et il en ressort que les taux élevés utilisés jusqu'ici, qui décourageaient ce type d'investissement, ne sont pas justifiés dans leur cas.

On obtient des résultats semblables par la méthodologie de la « réorientation des dépenses publiques ». Dans ce cas, c'est l'investissement public et non pas privé qui est évincé. Supposons par exemple que, sur les 1 600 milliards de dollars du coût militaire direct de la guerre tel que l'évalue notre scénario réaliste-modéré, la moitié – 800 milliards – ait été consacrée à des investissements prudents qui rapportent un retour réel de 7 %[28]. Cela accroîtrait la production américaine de 56 milliards de dollars par an – indéfiniment. Chaque famille américaine aurait, en moyenne, une augmentation de revenu de 500 dollars pour toujours[29]. À un taux d'actualisation de 7 %, cela fait 800 milliards de dollars ; à un taux d'actualisation de 1,5 %, près de 4 000 milliards de dollars.

Sans surprise, les diverses méthodologies donnent toutes de gros résultats pour l'effet macroéconomique total, c'est-à-dire court terme plus long terme[30]. Par simple souci de modération, nous nous en tenons au chiffre de 1 100 milliards de dollars, celui qu'utilise le Joint Economic Committee[31]*. On ne rase pas gratis – et il n'y a pas de guerre gratuite. D'une façon ou d'une autre, aujourd'hui *et* dans le futur, nous paierons la guerre. Pour ce conflit-là, l'exécutif et le Congrès ont choisi de passer les factures aux administrations suivantes, voire aux générations futures. Nous sommes convaincus que les chiffres que nous avons utilisés dans notre scénario réaliste-modéré constituent presque à coup sûr une sous-estimation grossière des coûts réels que notre économie aura à payer[32].

---

* Comité économique commun des deux chambres du Congrès créé en 1946, composé de dix sénateurs et de dix représentants, et qui a mission de suivre l'évolution de l'économie des États-Unis en organisant des auditions et en faisant des recherches, et de conseiller le Congrès en matière économique.

Autres coûts macroéconomiques

De mars 2003 à octobre 2007, les cours boursiers se sont bien comportés, ce qui paraît, à première vue, ne pas cadrer avec les inquiétudes que nous avons exprimées dans ce chapitre. Mais pendant cette période, si l'on y réfléchit, la hausse des salaires a été modérée, les profits des entreprises sont montés en flèche – et *nous n'avons pas eu*, c'est clair, le type d'envolée des cours des actions auquel on peut s'attendre dans ces conditions. L'économiste américain Robert Wescott a estimé, dans les années qui ont immédiatement suivi le déclenchement de la guerre d'Irak, que la valeur du marché boursier était inférieure d'environ 4 000 milliards de dollars à ce qu'on aurait pu prédire sur la base de son comportement passé[33]. Les incertitudes causées par la guerre, le chaos qu'elle a provoqué au Moyen-Orient et la montée considérable des prix du pétrole ont modéré les cours par rapport au niveau où ils auraient dû être « normalement ». Cette décélération de l'enrichissement des entreprises s'est traduite par une consommation plus réduite qu'elle ne l'aurait été sans cela, ce qui affaiblit encore l'économie.

La Federal Reserve a cherché, bien sûr, à contrebalancer les effets négatifs de la guerre, dont ceux que nous avons évoqués dans ce chapitre. Elle a maintenu les taux d'intérêt à un plus bas niveau qu'ils ne l'auraient été autrement, et fermé les yeux quand les normes des prêts ont été assouplies, encourageant ainsi les ménages à emprunter davantage – et à dépenser plus. Alors que les taux d'intérêt étaient plus bas que jamais, Alan Greenspan, alors président de la Federal Reserve, a de fait invité les ménages à accumuler les risques, puisqu'il les a incités à gager sur leur maison des prêts hypothécaires à taux variable[34]. La faiblesse des taux d'intérêt initiaux a permis aux ménages d'emprunter davantage contre leur maison, et à l'Amérique de consommer bien au-delà de ses moyens.

Le taux d'épargne des ménages est vite devenu négatif pour la première fois depuis la Grande Dépression[35]. Mais les taux d'intérêt allaient remonter, ce n'était qu'une question de temps. Quand ils l'ont fait, les centaines de milliers d'Américains qui avaient des emprunts hypothécaires à intérêt variable ont vu augmenter leurs mensualités au-delà de ce qu'ils pouvaient payer – et ils ont perdu leur maison[36]. Tout cela était prévisible, et avait été prédit : les taux d'intérêt ne pouvaient pas rester à ces faibles niveaux sans précédent historique pour l'éternité[37]. Au moment où nous achevons ce livre, toutes les répercussions de la crise hypothécaire des *subprimes* ne se sont pas encore pleinement manifestées. La croissance ralentit et, une fois de plus, l'économie fonctionne nettement au-dessous de son potentiel.

La guerre d'Irak et en particulier la hausse des prix du pétrole ont contribué à un affaiblissement de l'économie américaine ; mais cet affaiblissement a été moins visible qu'il n'aurait pu l'être, à cause du bas niveau des taux d'intérêt et du laxisme des critères de prêt[38]. Sans ces politiques-là, nous aurions vu plus complètement les effets macroéconomiques négatifs du pétrole cher, des gros déficits et de la réorientation des dépenses publiques vers l'Irak[39]. La production aurait été plus réduite et les tendances à la dépression plus manifestes. Notre pays a vécu sur de l'argent emprunté et sur du temps emprunté. Dans les chapitres précédents, nous avons montré qu'en la finançant par le déficit nous n'avons pas payé les coûts *financiers* complets de la guerre au cours des cinq dernières années. Dans celui-ci, nous avons montré que nous n'avons pas payé non plus les *coûts macroéconomiques* complets de la guerre d'Irak. *Nous allons les payer dans les années qui viennent.* Pensons à la politique du président Lyndon B. Johnson pendant la guerre du Vietnam – « le beurre et les canons » : le pays l'a payée très cher, longtemps après la fin de cette guerre, sous la forme de l'inflation des années 1970. De même, les États-Unis paient aujourd'hui un prix très lourd pour la version actuelle de la politique « le beurre et les canons », et ils vont continuer à le payer pendant des années [40].

Dans nos estimations, nous n'avons pas inclus les coûts à long terme de l'impact de la guerre sur le marché boursier, ni « l'héritage d'endettement des ménages » légué par la politique américaine pendant cette décennie [41]. Il n'y a cependant guère de doute que, si l'économie avait été plus forte grâce à un pétrole moins cher et à des dépenses publiques plus stimulantes, la Federal Reserve n'aurait pas tant baissé les taux d'intérêt et ne serait pas allée à de telles extrémités pour encourager une consommation financée par l'emprunt. Et si la montagne de dettes était moins haute, l'économie américaine serait en meilleure position pour affronter les défis du futur.

Le tableau 5.1 (p. 165) récapitule les coûts macroéconomiques quantifiables. Dans l'estimation du « meilleur cas de figure », à seule fin d'être extrêmement minimalistes, nous avons exclu les conséquences macroéconomiques de la réorientation des dépenses publiques, la montée des déficits, les retombées de l'impact mondial de la guerre sur les États-Unis, les effets d'offre (pas seulement dus à la réduction de l'investissement, mais aussi à celle de la population active, qui a perdu tant les morts que les invalides et ceux qui les aident à vivre) et les impacts sur la croissance à long terme. Ce sont pourtant des coûts réels pour l'économie. Nous les avons inclus dans nos estimations réalistes-modérées. Mais même de ces dernières, nous avons exclu des coûts importants qui sont difficiles à quantifier : le degré auquel la montée de l'incertitude mondiale a modéré l'investissement, donc réduit encore davantage la demande et la production ; les « effets d'offre » du détournement de ressources (y compris de main-d'œuvre) pour faire la guerre ; les effets induits sur les cours du marché boursier ; et la baisse qu'ils ont entraînée dans la demande globale.

La guerre d'Irak a exacerbé les tensions internationales. Quels qu'aient pu être ses buts initiaux, elle n'a pas renforcé la stabilité et la sécurité au Moyen-Orient. Elle n'a pas réduit la menace du terrorisme. Bien au contraire, cette menace semble s'être intensifiée, comme le prouve le nombre des attentats terroristes récents[42]. Les perturbations dans les aéroports se sont aggravées et non apaisées, les attentats et tentatives d'attentats de ces dernières années à Bali, en Espagne et au Royaume-Uni démontrent à nouveau que le monde entier est touché. L'insécurité est évidemment mauvaise pour l'économie – les entreprises détestent le risque et travaillent dur pour le contrôler. Le risque est mauvais pour l'investissement et pour la croissance.

Tous les présidents récents ont souligné les vertus du commerce international et son effet stimulant pour l'économie. Mais les nouvelles barrières créées par la montée des tensions mondiales nées de la guerre d'Irak entravent la libre circulation transfrontalière des biens, des services et des personnes. Certains des nouveaux obstacles au commerce sont liés à la guerre contre le terrorisme, mais la guerre d'Irak a aggravé les choses.

Ces entraves ne sont pas un simple « inconfort ». La mondialisation a apporté d'énormes bénéfices au monde. Elle a intégré plus étroitement les divers pays en libéralisant la circulation transfrontalière des biens, des services et de la main-d'œuvre, essentiellement grâce à une baisse des coûts de transport et de communication, mais aussi parce qu'on avait abaissé les barrières d'origine humaine[43]. Nous avons aujourd'hui un nouvel ensemble d'entraves aux mouvements transfrontaliers, qui annule nombre des acquis de la période antérieure, et les coûts pour l'Amérique, et pour notre économie, risquent d'être particulièrement lourds. Les États-Unis ont eu la part du lion des gains de la mondialisation, tout à fait hors de proportion avec la taille de leur économie. Ayant énormément gagné à la mondialisation, ils ont beaucoup à perdre.

La guerre a contribué à changer les regards, comme nous le verrons plus longuement au chapitre suivant. Une grande partie des habitants de la planète a toujours eu des sentiments mêlés pour les États-Unis : de l'admiration pour leurs succès et leur démocratie, mais aussi de la jalousie, et du ressentiment pour leurs actes perçus comme abus de pouvoir. Aujourd'hui, le dosage de ce mélange s'est modifié : la rancœur et la colère contre l'unilatéralisme des États-Unis y pèsent beaucoup plus lourd. Avec Guantánamo et Abou Ghraïb, l'admiration pour la démocratie américaine et la politique américaine des droits de l'homme s'est transformée : on voit surtout, à présent, l'hypocrisie et le « deux poids, deux mesures » des États-Unis.

Ces changements de regard ont des conséquences économiques. Beaucoup de riches du Moyen-Orient – où, avec l'argent du pétrole *et* l'inégalité, les fortunes personnelles se comptent en milliards de dollars – ont quitté les banques des États-Unis pour aller ailleurs. Singapour a vu l'occasion et l'a saisie. D'autres, comme Dubaï, essaient d'en faire autant. Les entreprises américaines, en particulier celles qui sont devenues des symboles comme McDonald's et Coca-Cola, pourraient aussi souffrir, sinon de boycotts explicites, du moins d'une montée de l'antipathie pour tout ce qui est américain. Certaines firmes américaines ont été particulièrement frappées, mais ce phénomène a eu aussi un effet, difficile à quantifier, sur le plan macroéconomique.

Enfin, nous n'avons pas inclus dans nos estimations, notamment la minimale, les effets complets de la montée en flèche du déficit national, ni une partie de l'impact de ce qui apparaît si clairement aujourd'hui comme une politique monétaire mal conçue pour contrer la langueur de l'économie – langueur dont la guerre était au moins partiellement responsable.

TABLEAU 5.1. *L'addition : ajout des coûts macroéconomiques – Irak et Afghanistan*

Coûts en milliards de dollars	Dans le meilleur des cas	Scénario réaliste-modéré
Coûts macroéconomiques		
Impact du prix du pétrole	263	800
Impact budgétaire	0	1 100
Sous-total coûts macroéconomiques	**263**	**1 900**
Plus coûts budgétaires et socio-économiques		
Total des coûts de fonctionnement à ce jour (*dépensé à ce jour*)	646	646
Coûts de fonctionnement futurs (*coûts de fonctionnement futurs seulement*)	521	913
Coûts futurs des anciens combattants (*leurs frais médicaux + leurs pensions d'invalidité + leurs pensions de la Social Security*)	422	717
Autres coûts militaires/Ajustements (*cachés dans budget de la défense + futur rééquipement + démobilisation – économies zones d'interdiction de vol*)	132	404
Total coûts budgétaires	**1 721**	**2 680**
Total coûts sociaux	**295**	**415**
Total coûts budgétaires et sociaux	**2 016**	**3 095**
TOTAL COÛTS BUDGÉTAIRES, SOCIAUX ET MACROÉCONOMIQUES (*sans intérêts*)	**2 279**	**4 995**

Le compte est complet

En ajoutant ces coûts macroéconomiques à ceux que nous avons calculés dans les chapitres précédents, nous obtenons un compte complet des coûts de la guerre. Les chiffres sont renversants. Dans le scénario réaliste-modéré – les chiffres qui, selon nous, expriment le mieux (tout en restant très prudents) les coûts de l'aventure irakienne –, même sans comptabiliser les intérêts, le total pour le seul Irak dépasse les 4 000 milliards de dollars. Si l'on inclut l'Afghanistan, il monte à 5 000 milliards de dollars. Même dans l'autre scénario, le « meilleur cas de figure », où nous avons exclu la plupart des coûts macroéconomiques et postulé un riant scénario pour le dénouement du conflit, le coût de la guerre d'Irak atteint 1 800 milliards de dollars, et celui des deux théâtres réunis se monte à près de 2 300 milliards, sans les intérêts.

Mais il s'agit uniquement des coûts pour l'économie américaine. Notre guerre contre l'Irak a imposé des coûts aux autres – qui se chiffrent aussi en milliers de milliards. Nous allons les examiner dans le chapitre suivant.

6

Les conséquences pour le monde

Les conséquences mondiales de l'invasion de l'Irak sont de très grande portée. L'Irak a subi le gros des dégâts, mais, avec l'effondrement de l'État central dans presque tous les domaines, il est difficile de trouver des chiffres fiables sur lesquels effectuer le type d'analyse des coûts que nous avons mené pour les États-Unis.

Avant l'invasion, l'Irak était une dictature et un lieu de vie misérable pour beaucoup de ses habitants. Néanmoins, il avait survécu à dix ans de sanctions ; c'était un pays en dysfonctionnement mais viable. Depuis cinq ans que les États-Unis l'occupent avec pour but proclamé d'apporter la démocratie à sa population, la guerre a totalement détruit l'économie, la société et la souveraineté du pays.

Du point de vue mondial, le grand bond des prix pétroliers depuis le début de la guerre rejette dans l'ombre tous les autres coûts économiques. La hausse des prix du pétrole que notre scénario modéré attribue à la guerre représente un coût direct pour l'économie mondiale d'environ 1 100 milliards de dollars, si l'on prend en compte les répercussions macroéconomiques. En termes humains, le plus flagrant est la perte de vies humaines et la destruction de la société irakienne. Et les

167

coûts continuent à monter, pour le peuple irakien et son économie comme pour le reste du monde.

Pour la plupart des Irakiens, la vie quotidienne est devenue insupportable – à tel point que ceux qui peuvent se le permettre ont quitté le pays. En septembre 2007, un nombre ahurissant d'habitants avaient dû quitter leur foyer : 4,6 millions de personnes – un Irakien sur sept. C'est le plus grand déplacement de population au Moyen-Orient depuis la création d'Israël en 1948[1].

La moitié de ces Irakiens – dont beaucoup sont des femmes et des enfants – ont fui complètement le pays. Des millions de personnes ont trouvé un refuge temporaire en Syrie, en Jordanie et dans d'autres pays voisins. Les Irakiens sont aussi la nationalité la plus représentée parmi les demandeurs d'asile en Europe. Selon le haut-commissaire aux réfugiés des Nations unies, « ces milliers d'Irakiens [qui ont fui le pays] sont des victimes de la torture, de sévices sexuels et de violences faites aux femmes, d'attentats à la voiture piégée ou autres agressions violentes, et ils ont besoin de soins médicaux d'urgence. La majorité des enfants irakiens réfugiés ne vont pas à l'école[2] ».

Mais les pays voisins sont eux-mêmes soumis à une très forte pression par un afflux d'une telle ampleur. La Syrie, par exemple, n'acceptera plus d'Irakiens sans visa. Cette décision a obligé certains réfugiés à rentrer chez eux ; en septembre 2007, néanmoins, 2 000 Irakiens se présentaient encore à la frontière syrienne chaque jour[3]. À la fin de novembre 2007, en dépit de l'offre du gouvernement de Bagdad qui proposait 700 à 800 dollars aux réfugiés s'ils rentraient chez eux, plus l'autobus ou l'avion gratuit, le Haut-Commissariat des Nations unies pour les réfugiés (UNHCR) déclarait : « Le rapatriement à grande échelle ne sera possible que lorsque le retour pourra se faire dans de bonnes conditions – dont un soutien matériel et juridique et la sécurité physique. Actuellement, il n'y a aucun signe d'un mouvement de retour de grande ampleur vers l'Irak, car la situation sécuritaire dans de nombreuses régions du pays reste volatile et imprévisible[4]. »

Sur le territoire irakien, la situation est aussi terrible. Plus de 2,2 millions d'autres Irakiens sont des déplacés de l'intérieur qui ont quitté leur foyer, souvent à la suite de violences interconfessionnelles dans leur quartier. Puisque la Syrie a introduit une réglementation restrictive sur les visas et que peu d'Irakiens peuvent obtenir des visas pour des pays européens, la plupart ont été contraints de gagner des régions plus sûres à l'intérieur même de l'Irak.

Il est difficile d'estimer le coût financier – sans parler du coût humain – de cette catastrophe humanitaire. Les pays qui ont accepté des réfugiés se sont vus dans l'obligation d'assurer l'alimentation, l'eau, les sanitaires, les services de santé, l'abri, le transport, l'assistance juridique, la protection et l'éducation à des millions de personnes. Dans le cas de la Jordanie, par exemple, le coût estimé dépasse les 1 000 milliards de dollars[5]. En 2007, le budget de l'UNHCR pour les besoins des réfugiés irakiens se montait à 123 millions de dollars, mais c'est là un petit pourcentage du coût budgétaire total. Il n'y a là pas même l'esquisse d'une prise en compte de l'impact sur les économies des pays qui ont été directement touchés, comme la Jordanie, la Syrie, l'Égypte et le Liban[6].

Comme nous l'avons relevé au chapitre 1, les États-Unis n'ont assumé qu'une petite part de la prise en charge des réfugiés, en proportion de leur population. Ce n'est pas le seul cas où d'autres pays ont fait plus. Les États-Unis savaient que l'Irak ne pourrait financer sa propre reconstruction que si ses dettes existantes étaient effacées. Mais la plupart étaient dues à d'autres pays. L'Amérique a effacé les 2,2 milliards de dollars (4,1 si l'on inclut les intérêts) que lui devait l'Irak, mais elle a ensuite fait pression sur les autres créanciers pour qu'ils renoncent, à eux tous, à 29,7 milliards de dollars dans un accord conclu le 21 novembre 2004[7].

Le coût des morts et des blessés irakiens

L'un des coûts évidents pour le pays est la mort des soldats irakiens qui se battent de *notre* côté. Nous avons toujours conçu ces soldats comme des substituts des Américains ; d'ailleurs, notre effort principal a été de les entraîner pour qu'ils puissent se battre *à la place* des Américains. S'ils ne l'avaient pas fait, davantage d'Américains auraient été obligés de s'engager dans les combats et davantage d'Américains seraient morts. Au moment où ce livre va sous presse, 7 697 soldats irakiens qui combattaient aux côtés des troupes américaines ont été tués[8].

Bizarrement, le gouvernement américain ne garde pas trace du nombre de soldats irakiens blessés. Comme nous l'avons vu au chapitre 3, le nombre de soldats américains blessés au combat est plus de huit fois supérieur à celui des tués (si l'on compte tous les blessés, le rapport est de 1 à 15). Avec une estimation minimale fixant le nombre d'Irakiens blessés au double seulement du nombre de tués, cela ferait jusqu'à présent 15 394 blessés. Extrapolons ce chiffre à deux ans de guerre supplémentaires, dans un scénario minimaliste où le taux de décès reste le même, et nous parvenons à 23 946. Évidemment, quand les troupes irakiennes joueront un rôle plus important, comme le suppose le scénario du « meilleur cas de figure », elles risquent en fait de connaître un taux de pertes plus élevé.

Nous ne voulons pas dans ce livre assigner une valeur en dollars à la vie des Irakiens tués dans la guerre. Il n'est pas acceptable de fonder des calculs sur l'idée qu'une vie irakienne vaut moins qu'une vie américaine. Si nous donnons aux deux la même valeur, le coût total des morts militaires irakiens est de 172,4 milliards de dollars. Pour les blessures, si on les évalue à 20 % de la valeur d'une vie, il faut ajouter 69 milliards de dollars. Les salaires sont plus bas en Irak qu'aux États-Unis, le revenu moyen aussi, mais le principe est le même : l'économie irakienne s'est appauvrie en perdant ses jeunes[9].

Le nombre des militaires irakiens tués et blessés fait pâle figure à côté des pertes civiles. Celles-ci comprennent à la fois les civils innocents tués par les forces de la Coalition, qui sont comptabilisés dans les « dommages collatéraux », et ceux qui sont morts dans la guerre civile déclenchée par l'invasion. Il y a aussi les « disparitions » : en mars 2006, 30 à 40 Irakiens ont été enlevés chaque jour[10]. Beaucoup de ces enlèvements se sont terminés par la mort de la victime[11].

En décembre 2007, le compte officiel des pertes civiles de la guerre avait atteint 39 959[12]. Mais ce chiffre, déjà élevé, était une sous-estimation massive. Selon l'*Iraq Index* de la Brookings Institution, le total frise les 100 000 personnes. La montée de la violence a été telle que les chercheurs de cet institut écrivent : « À partir de 2006, nous avons constaté qu'il n'était plus possible de faire la distinction entre les actes de guerre et la criminalité[13]. » Pendant l'ensemble de l'année 2006, les décès officiellement enregistrés se sont montés à plus de 100 par jour[14]. À partir de 2007, une nouvelle catégorie de meurtres a fait son entrée dans les tableaux statistiques, celle des « exécutions extrajudiciaires » (« peine de mort » infligée sans la sanction des tribunaux ni de l'État) : il y en a eu 5 150 dans les sept premiers mois de l'année.

À ce sinistre compte, nous devons ajouter tous ceux qui sont tombés gravement malades ou qui sont morts parce que l'économie de l'Irak était détruite et qu'aucun système d'assistance adéquat n'a été mis en place. En des temps économiquement difficiles, certaines personnes vont être insuffisamment nourries, donc moins capables de repousser la maladie. Le manque d'eau potable et d'électricité et l'exode massif des médecins (d'une telle ampleur qu'aujourd'hui l'Irak a moins de la moitié des médecins qu'il avait au début de la guerre) ont aussi fait des victimes[15].

L'un des symptômes de la dégradation des conditions de vie en Irak a été l'apparition du choléra – maladie qui peut survenir quand l'alimentation en eau, les sanitaires, la sécurité alimentaire et les pratiques d'hygiène sont inadéquates. On est infecté après avoir bu de l'eau ou mangé des aliments qui ont été contaminés par les excréments de personnes infectées. Les collectivités surpeuplées où les réseaux sanitaires sont mauvais et l'alimentation en eau potable peu sûre sont des bouillons de culture pour *Vibrio cholerae*, la bactérie à l'origine du choléra. Les cas graves de choléra se caractérisent par d'abondantes diarrhées et des vomissements qui, en l'absence de traitement, peuvent conduire à une déshydratation rapide et à la mort. Le choléra est répandu dans certaines régions d'Afrique mais rare dans le reste du monde. En 2006, il y a eu moins de 2 500 cas signalés pour l'ensemble du continent asiatique (y compris l'Inde et la Chine). En 2006, personne n'est mort du choléra en Amérique du Sud, en Amérique du Nord, en Europe ou en Australie [16].

Avant la guerre, le choléra était extrêmement rare en Irak [17]. Aujourd'hui, c'est un sérieux problème de santé publique. Une épidémie de choléra a été détectée pour la première fois à Kirkouk, dans le nord de l'Irak, le 14 août 2007. Elle s'est répandue dans neuf des dix-huit provinces du pays. Plus de 3 315 cas ont été confirmés – plus que dans toute l'Asie en 2006 – et 30 000 personnes sont tombées malades, avec des diarrhées aqueuses aiguës. Au moins quatorze sont mortes de la maladie [18], qui continue à se répandre dans tout l'Irak, en particulier dans les provinces de Kirkouk et Soulaimaniya. Un nombre croissant de cas ont aussi été signalés dans les villes de Bagdad, Bassorah, Mossoul et Tikrit et dans les provinces de Diyala, Dohouk et Wasset.

L'Organisation mondiale de la santé a déployé des épidémiologistes en Irak ; elle est en train d'envoyer 5 millions de tablettes de traitement de l'eau et a pris d'autres mesures pour réduire la transmission de la maladie. Il est probable que l'épidémie sera finalement maîtrisée, mais l'OMS remarque qu'en Irak « la qualité globale de l'eau et des systèmes d'assainissement est très mauvaise, facteur dont on sait qu'il facilite considérablement la contamination par le choléra [19] ». Le coût direct de la lutte contre la maladie est difficile à estimer. Mais ce sera un coût supplémentaire bien malvenu pour une organisation dont le budget annuel de 3,3 milliards de dollars (à peu près ce que nous dépensons en Irak pendant une semaine) est déjà tant sollicité par l'action contre l'épidémie mondiale de sida, la tuberculose, la malaria, le SRAS, la malnutrition et bien d'autres maux.

Pour se faire une idée complète du nombre de morts qui sont attribuables à la guerre d'Irak, nous devons regarder ce qui est arrivé au taux de mortalité dans le pays *après l'invasion américaine*. Il existe des méthodologies bien établies pour déterminer les changements de taux de mortalité, et une étude menée par des chercheurs de la Johns Hopkins University les a appliquées ; elle a examiné un échantillon de villages, choisi scientifiquement, en comparant leurs taux de mortalité avant et après la guerre [20]. Cette méthode de l'échantillon est celle que l'on utilise pour les sondages d'opinion politiques. Un échantillon de 1 000 personnes peut prédire des résultats électoraux avec une forte fiabilité, souvent avec une marge d'erreur de 3 % ou moins encore, pour un pays comme les États-Unis. Les chercheurs de la Johns Hopkins ont utilisé un échantillon large (plus de 1 849 foyers irakiens comptant 12 801 membres) et ils ont fait de gros efforts pour vérifier que les décès qu'on leur signalait s'étaient réellement produits. En juillet 2006, ils ont chiffré l'augmentation du nombre de morts à 654 965 [21]. Depuis, le rythme du carnage s'est accéléré. Mais supposons que le taux de mortalité reste au niveau indiqué par l'étude de la Johns Hopkins jusqu'en mars 2010 : le nombre total de morts irakiens dépassera alors le million. Comme nous l'avons dit, nous n'avons aucun chiffre sur les blessés graves ; mais, avec la projection minimaliste selon laquelle il y a deux fois plus de blessés que de tués, ce compte-là dépassera les deux millions[22].

Assigner une valeur aux victimes civiles irakiennes pose le même problème que pour les morts et blessés militaires. Si on leur applique la même méthodologie qu'aux morts américains, on obtient un coût total un peu supérieur à 8 600 milliards de dollars, ce qui dépasse tous les chiffres que nous avons calculés jusqu'à présent. L'économie irakienne est plus pauvre, mais, là encore, le principe est le même, sauf sur un point : une société qui a perdu tant de ses membres est affaiblie plus que proportionnellement.

Comme nous l'avons fait ailleurs dans ce livre, il peut être utile d'envisager le contrefactuel : que se serait-il passé si nous n'avions pas envahi l'Irak ? Certaines études, dont quelques-unes soutiennent globalement la guerre, ont suggéré que 10 000 Irakiens par an seraient probablement morts dans l'autre scénario possible, celui de « l'endiguement », où les sanctions de l'ONU auraient été maintenues comme avant l'invasion. Il semble que cette estimation n'ait aucun fondement sérieux ; mais même si elle était vraie, elle signifierait 70 000 morts au lieu du million de notre projection (avec une chute correspondante du nombre des blessés.)

La conjecture contrefactuelle la plus difficile porte sur ce qui se serait passé à la fin du régime de Saddam Hussein – puisqu'il aurait forcément pris fin un jour. Aurait-il été remplacé par un autre régime baassiste tout aussi répressif ? Y aurait-il eu une transition plutôt démocratique – mais moins violente ? Ou le pays aurait-il éclaté dans la guerre civile ? Si l'on retient la dernière hypothèse, l'invasion américaine n'a fait que précipiter l'inévitable dislocation de l'Irak. S'il n'existe par définition aucune certitude sur « ce qui aurait pu se passer », le moins qu'on puisse dire est que l'occupation a clairement exacerbé un grand nombre de vieilles tensions. En détruisant l'infrastructure économique et politique, l'occupation américaine a fait en sorte que l'Irak ait moins de raisons de rester soudé. Puisqu'il fallait tout reprendre à zéro, beaucoup d'Irakiens des régions riches en pétrole se sont dit qu'ils y réussiraient mieux tout seuls[23].

Les coûts pour l'économie irakienne

La guerre d'Irak a porté un coup très dur à l'économie du pays, qui affrontait de graves difficultés dès avant l'invasion. L'Irak avait connu huit ans de guerre stérile contre l'Iran. Il avait subi une défaite humiliante dans la guerre du Golfe de 1991. L'embargo sur le pétrole irakien imposé par l'ONU et les États-Unis à la fin de ce conflit l'avait aussi rudement éprouvé. En 2001, son PIB était inférieur de 24 % à ce qu'il avait été dix ans plus tôt (en parité de pouvoir d'achat)[24]. Comme tant d'autres au Moyen-Orient, l'économie irakienne était dominée par le pétrole – qui représentait près des deux tiers du PIB[25]. Le pays avait une classe moyenne prospère, et la plupart des Irakiens étaient très optimistes pour l'avenir, quand leur pays serait délivré du fardeau de l'embargo.

Comme nous l'avons dit, le PIB de l'Irak, en termes réels, n'est pas plus élevé qu'en 2003, en dépit d'un quasi-quadruplement des prix du pétrole ; au moins un Irakien sur quatre est au chômage ; et Bagdad n'a l'électricité que neuf heures par jour – moins qu'avant la guerre[26]. Subir les étés de Bagdad à 55 °C – en dehors de la Zone verte où vivent les autorités d'occupation – est une expérience accablante. Les exportations de pétrole ont chuté, et elles n'ont pas encore retrouvé leur niveau d'avant la guerre[27].

Le désastre économique fait évidemment partie intégrante de la débâcle irakienne. Il en a été à la fois une cause et une conséquence, il a contribué à l'insurrection, et l'insurrection a eu un effet dévastateur sur l'économie. Dans certains endroits, la destruction va plus vite que la construction. 59 % des Irakiens considèrent que leur situation économique actuelle est « mauvaise », 11 % seulement la jugent « bonne » ou « excellente »[28]. L'incapacité du gouvernement soutenu par les États-Unis à procurer des emplois et des revenus lui a fait perdre, à juste titre, le peu de soutien qu'il avait. Pis encore, nous avons créé une combinaison explosive : un chômage massif d'hommes de dix-huit à trente-cinq ans et un accès facile aux armes.

L'incapacité d'assurer une sécurité convenable a rendu la reconstruction pratiquement impossible. Mais l'échec de l'économie irakienne résulte aussi d'une stratégie économique fondamentalement viciée. On a prêté beaucoup d'attention aux erreurs militaires et politiques majeures qu'a commises l'administration Bush, notamment dans la période cruciale des premiers jours de l'occupation. On en a prêté trop peu à la mauvaise politique qu'elle a suivie pour revigorer l'économie irakienne.

Avant même d'avoir stabilisé le pays, avant même d'avoir avancé un peu dans la reconstruction, les États-Unis ont tenté d'instaurer en Irak le capitalisme du libre marché. En septembre 2003, Paul Bremer a promulgué des lois qui abolissaient de nombreux droits de douane sur les importations et limitaient l'impôt sur les sociétés et l'impôt sur les revenus à un plafond de 15 %[29]. Il a été dit et répété aussi qu'on allait privatiser les entreprises publiques, bien que la convention de La Haye de 1907 « concernant les lois et coutumes de la guerre sur terre » interdise à la puissance occupante de vendre les biens du pays occupé[30]. Ce plan de privatisation faisait partie du discours de l'administration Bush depuis le début.

Dans son livre percutant *Imperial Life in the Emerald City* [La Vie impériale dans la Cité d'Émeraude], Rajiv Chandrasekaran du *Washington Post* rapporte un incident éloquent.

Thomas Foley, donateur du Parti républicain chargé en août 2003 de diriger le développement du secteur privé en Irak, se fait fort de privatiser l'ensemble des entreprises publiques du pays dans les trente jours ; comme on lui fait remarquer que ce projet est contraire au droit international, il réplique : « Je me moque de ce genre de choses. [...] Je me fous du droit international. Je me suis engagé auprès du président à privatiser les entreprises d'Irak[31]. »

Les bienfaits de la privatisation et des libres marchés dans les économies en transition sont discutables, bien sûr. Mais Foley et ses semblables n'ont pas compris que, tant que l'Irak n'était pas stabilisé, quiconque achèterait les entreprises d'État le ferait à un prix bradé et tenterait immédiatement d'en revendre les meilleurs morceaux, au lieu de s'accrocher pour faire vraiment des affaires et investir dans ce pays dangereux. Et, au moment même où les firmes irakiennes avaient le plus besoin d'aide, la politique américaine les a exposées à la libre concurrence, avec des droits de douane nuls ou très bas. C'est quelque chose que l'industrie américaine n'aurait jamais toléré. Cette politique a eu les effets prédits. Il y a eu peu d'investissements directs étrangers en dehors du pétrole, et de nombreuses entreprises n'ont pas pu rivaliser avec la marée des importations et ont fermé leurs portes, ce qui a propulsé le chômage encore plus haut.

Le département du Trésor a contribué à la débâcle en exigeant une politique monétaire restrictive. Une avalanche de dollars venus des États-Unis se déversait dans le pays – souvent sans laisser de traces comptables –, ce qui créait des pénuries dans certains secteurs de l'économie. Les prix montaient. Le Trésor a réagi de façon quasi mécanique : il a incité les Irakiens à relever les taux d'intérêt et à resserrer le crédit. Mais le problème de l'Irak n'était pas une surabondance de crédit. D'ailleurs, les responsables de l'USAID (l'administration chargée de l'aide extérieure des États-Unis) avaient fait de gros efforts pour tenter de trouver comment stimuler les petites entreprises, qui pouvaient être une source très importante de création d'emplois. Ils avaient conclu qu'un obstacle majeur était le manque d'accès au crédit, et avaient donc élaboré soigneusement un plan de garantie partielle susceptible de renforcer le flux de crédit allant aux PME, que l'on aiderait ainsi, espéraient-ils, à créer davantage d'emplois. Mais pendant qu'une composante de l'État américain tentait de mettre l'économie exsangue de l'Irak sur la voie de l'expansion en augmentant l'offre de crédit, une autre composante de l'État américain, craignant la « surchauffe », œuvrait à réduire l'offre de crédit – alors que le taux de chômage oscillait entre 25 et 40 %.

La politique américaine d'appel à des contractants privés a aussi involontairement contribué à l'échec du relèvement de l'Irak. La législation américaine des marchés publics exige que les contractants soient américains, sauf dans certaines circonstances. En Irak, une grande partie de l'argent américain dépensé pour la reconstruction est donc allée à des firmes américaines hors de prix, et non pas à la main-d'œuvre irakienne bon marché. L'un des élus de la Californie à la Chambre des représentants, Henry Waxman, a fait remarquer que les contractants non irakiens demandaient 25 millions de dollars pour repeindre vingt commissariats de police, ce que les entreprises locales, à en croire le gouverneur de Bassora, auraient pu faire pour 5 millions de dollars [32]. Ce n'était pas seulement du gaspillage : cela faisait aussi monter la rancœur chez les Irakiens.

Mais ce n'était pas une simple question de rancœur. Nous avions intérêt à donner du travail aux très nombreux jeunes au chômage (d'autant plus que, lorsque nous avions dissous l'armée irakienne, beaucoup avaient gardé des armes – des hommes jeunes, armés et mécontents qu'il serait peut-être facile d'amener à rejoindre l'insurrection). Dans un pays où, quelque temps après l'invasion, un homme sur deux était sans emploi, les Irakiens cherchaient désespérément du travail. Mais les firmes contractantes américaines ne pensaient qu'à réduire le plus possible leurs coûts de main-d'œuvre[33], et elles faisaient venir du Népal et d'autres pays à bas salaires des travailleurs qui étaient moins chers que les Irakiens. Encore un cas où les intérêts des contractants s'opposaient de front à l'intérêt national des États-Unis, qui était de créer rapidement des emplois et de rendre sa force à l'économie irakienne.

Les choses auraient pu être encore pires si l'administration Bush avait mieux réussi dans son entreprise de libéralisation et de privatisation. Mais, comme pour tant d'autres aspects de son action en Irak, elle n'est pas mieux parvenue à mettre en œuvre sa politique qu'à la concevoir correctement. Les lois de l'occupation ont bloqué la composante principale de son programme de privatisation : le secteur pétrolier.

Personne, ni les étrangers, ni les Irakiens, ne considère l'Irak comme un lieu sûr pour investir[34]. Tant que l'insécurité continue, les perspectives de la future économie du pays sont très sombres[35]. Nous ne nous sommes pas attelés à la tâche ambitieuse du calcul des pertes de l'économie irakienne. Et, là encore, une partie de ce calcul dépend du contrefactuel – ce qui se serait passé s'il n'y avait pas eu la guerre. Limitons-nous ici à dire que, quelles que soient les hypothèses, il est difficile d'imaginer que la situation pourrait être plus sinistre qu'aujourd'hui.

Les coûts pour le reste du monde

L'Irak et les États-Unis ont été les grands perdants de cette guerre ; mais beaucoup d'autres pays ont subi des coûts importants. Il y a d'abord les coûts directs pour les alliés des États-Unis qui se sont joints à l'invasion dans le cadre de la « Coali-

179

tion des volontaires ». Puis le coût pour l'économie mondiale – et pour des pays précis – de la hausse des prix du pétrole, et des effets macroéconomiques qu'elle a entraînés.

Il existe un autre ensemble de coûts dont nous ne dirons pas grand-chose mais qui pourrait bien, en définitive, être le plus important. La guerre d'Irak a contribué à un « choc des civilisations[36] », à l'idée qu'une nouvelle croisade est en cours contre l'Islam. Au Moyen-Orient, beaucoup voient une stratégie américaine qui consiste à semer la zizanie entre sunnites et chiites, dans le cadre d'un « grand dessein » lié à cette « nouvelle croisade ». Quelle que soit la base réelle de telles convictions, la guerre d'Irak a intensifié des sentiments d'animosité qui risquent fort d'être une source de conflit dans les années qui viennent.

En dépit du discours sur une coalition mondiale, la guerre en Irak a été essentiellement une aventure américaine, avec une petite couverture politique du Royaume-Uni. À en croire la Maison-Blanche, la « Coalition » comprenait 49 pays, un chiffre impressionnant ; mais les États-Unis ont fourni eux-mêmes 84 % des troupes et financé de nombreux contingents étrangers[37]. L'opposition à la guerre était si forte dans la population de beaucoup de ces « alliés » qu'elle a contribué à la chute des gouvernements italien, espagnol, polonais et australien. En 2007, les États-Unis fournissaient 94 % des troupes, 18 pays au moins avaient retiré les leurs, et notre principal allié, la Grande-Bretagne, avait déjà commencé à réduire considérablement les effectifs de son corps expéditionnaire. La « Coalition des volontaires » devenait de plus en plus une « coalition d'un seul ».

Au moment où ce livre va sous presse, le total des morts militaires chez les alliés des États-Unis en Irak est de 306[38], et ils ont eu 675 blessés. Si ces chiffres vont sûrement augmenter avant la fin de la guerre, leur hausse sera probablement réduite, du fait notamment que le Royaume-Uni, dont le contingent est le plus important, réduit rapidement sa présence en Irak. Si nous évaluons les vies perdues avec les mêmes critères que pour les militaires américains, le coût économique de ces décès est de 2,2 milliards de dollars[39]. En ajoutant les blessés, on augmente ce total d'au moins 40 %.

Il est difficile de faire un exposé exhaustif des dépenses budgétaires de nos alliés. Mais, si nous postulons qu'elles sont plus ou moins proportionnelles aux effectifs qu'ils ont engagés, nous pouvons dire, puisqu'ils ont fourni de 6 à 16 % des troupes, que leurs coûts opérationnels directs à ce jour doivent se situer entre 30 et 90 milliards de dollars. Supposons maintenant que l'Amérique ait fait la guerre au prix fort, en se souciant moins du coût et en recourant davantage à des contractants, et réduisons ce chiffre de moitié : nous obtenons une fourchette allant de 15 à 45 milliards de dollars, ce qui se rapproche davantage des données budgétaires publiées par le gouvernement britannique (voir ci-dessous). Les coûts futurs – dont les soins à dispenser aux anciens combattants et leurs pensions d'invalidité – vont augmenter ce chiffre. Même pour les pays dont les coûts militaires immédiats ont été pris en charge par les États-Unis, la guerre sera suivie d'une longue traînée de coûts liés à l'invalidité et aux soins médicaux, qu'ils devront financer eux-mêmes[40].

Les coûts pour l'Afghanistan

L'Afghanistan a payé très cher notre décision d'envahir l'Irak. Un élu de Pennsylvanie à la Chambre des représentants, Joseph Sestak, ancien combattant d'Afghanistan, l'a bien souligné : « La guerre [en Irak] a été entreprise au pire moment. Parce qu'on ne nous a pas laissés finir le travail nécessaire pour garantir pleinement la paix en Afghanistan, la direction d'Al-Qaïda qui a frappé les États-Unis le 11 septembre est toujours en liberté. Je le sais par mon expérience directe ; j'ai été envoyé une première fois en Afghanistan deux mois après le début des combats dans ce pays, et j'y suis retourné un an et demi plus tard. Au début de la guerre, je voyais ce qu'il fallait faire pour gagner la paix. La seconde fois, j'ai vu tout ce qu'il restait encore à faire en Afghanistan, alors que nous avions réorienté notre attention et nos précieuses ressources vers l'Irak, où la menace terroriste ne se trouvait pas [41]. »

L'Afghanistan, où les États-Unis ont balayé avec succès les Talibans en 2001 (mais perdu la trace d'Oussama Ben Laden à Tora Bora), voit s'étendre, hors de Kaboul, une situation d'illégalité. En raison de la négligence américaine depuis 2001, ce pays, qui avait réduit sa production d'héroïne sous les Talibans, est devenu après la guerre le plus gros fournisseur du marché mondial de l'héroïne [42]. Sa production a grimpé tous les ans depuis 2001. On dit souvent que cet argent finit dans les coffres des Talibans, et finance la résistance aux forces dirigées par l'OTAN. Simultanément, les attentats suicides (qui étaient rares dans ce pays) et d'autres types de violence se sont multipliés. En dépit de la présence de 50 000 soldats étrangers, dont le corps expéditionnaire américain et celui de l'OTAN, la situation semble devenir incontrôlable [43]. Le ministre afghan de la Défense a déclaré qu'il faudrait 200 000 soldats (près de trois fois les 70 000 qui sont prévus) pour garantir durablement la stabilité du pays [44].

Nous n'avons pas compté le coût des souffrances du peuple afghan, qui, après les années de guerre avec l'Union soviétique, puis une vie très dure sous les Talibans, avait espéré que l'engagement américain amènerait enfin la paix et la stabilité. En fait, 2007 a été l'année la plus tumultueuse depuis l'invasion du pays par des forces sous direction américaine en 2001 : les violences liées à l'insurrection ont fait environ 6 200 morts [45].

Les coûts pour la Grande-Bretagne

Depuis le début, le Royaume-Uni a joué un rôle essentiel – stratégique, militaire et politique – dans le conflit irakien. Dans la marche à la guerre de 2003, le soutien du Premier ministre britannique était indispensable à George Bush. Dans cette période où les États-Unis faisaient face à une opposition affichée de la France, de l'Allemagne, de la Russie, de la Chine et des Nations unies, Tony Blair est venu à Washington plaider devant les deux chambres du Congrès réunies pour une intervention militaire en Irak. Son soutien a été crucial pour permettre à l'administration Bush de convaincre le Congrès d'autoriser la guerre.

Blair a aidé Bush à deux titres. D'abord, aux yeux de l'électeur américain moyen, il personnifiait l'opinion mondiale « sensée ». La Grande-Bretagne avait une longue histoire d'expérience militaire en Irak, qui remontait à la Première Guerre mondiale [46]. L'opposition de la France, telle qu'elle a été présentée par les médias, ne constituait pas une divergence d'opinion raisonnable, mais prouvait que la France n'était pas une alliée fiable. La position de Blair a permis à la Maison-Blanche de continuer à prétendre qu'il existait une « Coalition des volontaires » prête à aider les États-Unis à envahir l'Irak. C'était politiquement capital, puisque les Nations unies étaient contre cette intervention.

Deuxièmement, Blair a joué un rôle crucial pour susciter à Washington un soutien bipartisan à la guerre. Les démocrates se sont souvenus de ses étroites relations avec Bill Clinton. Beaucoup voyaient en lui une âme sœur. C'est l'une des raisons pour lesquelles les démocrates (dont Hillary Clinton, John Kerry, John Edwards et autres) se sont alignés derrière Bush dans sa ruée vers la guerre, et ont si peu protesté. En fait, on peut soutenir que, si Blair avait demandé fermement aux États-Unis de retarder l'action militaire de six mois pour laisser les inspections des Nations unies se poursuivre (ou s'il avait décidé de jouer à l'honnête courtier qui s'efforce d'élaborer un consensus entre Américains et Européens), la Grande-Bretagne et son Premier ministre auraient pu bloquer les plans d'invasion de l'administration Bush en mars 2003. Et cela aurait peut-être changé le cours de l'histoire.

Mais la Grande-Bretagne a préféré faciliter la guerre à tous les points de vue. Militairement, elle y a contribué en envoyant 46 000 soldats, soit 10 % de l'armée d'invasion. Le ministère britannique de la Défense a indiqué que, si la préparation globale de l'opération a été dirigée par les États-Unis, « le Royaume-Uni y a été pleinement associé, notamment par des représentants permanents intégrés au Central Command américain à Tampa et ailleurs[47] ». Ne soyons donc pas surpris du parallélisme étroit de l'expérience britannique en Irak avec celle des États-Unis : montée des pertes humaines, montée des dépenses courantes, manque de transparence sur l'usage des crédits, surextension des ressources militaires, scandales liés aux conditions d'hospitalisation sordides de certains grands blessés et à l'insuffisance des soins médicaux qui leur sont dispensés.

Avant l'invasion, le chancelier de l'Échiquier Gordon Brown avait réservé un milliard de livres aux dépenses de guerre. À la fin de l'année 2007, le Royaume-Uni avait consacré, selon certaines estimations, 7 milliards de livres (14 milliards de dollars américains) au financement direct des opérations en Irak et en Afghanistan (dont 76 % pour l'Irak). Ce montant comprend des fonds issus d'une « réserve spéciale », et des dépenses supplémentaires du ministère de la Défense[48]. Comme aux États-Unis, la réserve spéciale s'ajoute au budget régulier de la Défense, qui a augmenté aussi et qui couvre des coûts ordinaires comme les soldes des militaires. Le système britannique est particulièrement opaque : le ministère de la Défense « retire » des fonds de la réserve spéciale quand il en a besoin, dans le cadre d'un accord avec le Trésor, sans approbation spécifique du Parlement.

Les citoyens britanniques n'ont donc que de faibles lumières sur l'ampleur des dépenses réelles. Comme le souligne l'Iraq Analysis Group : « Sans procédure de présentation des données conforme à des normes comptables, il est extrêmement difficile de savoir où va l'argent. Si l'existence de la réserve spéciale a été fort bien signalée, la proportion de cette réserve qui est dépensée en Irak et celle qui finance la "guerre contre le terrorisme" en général n'ont pas été rendues publiques. On ne devrait pas avoir à déposer des demandes au titre de la "liberté de l'information" pour les connaître. » De plus, la Grande-Bretagne (comme les États-Unis) devra assumer les gros coûts de rééquipement de son armée quand le conflit – ou la participation britannique au conflit – aura pris fin.

Morts, blessés et anciens combattants britanniques

À la fin de l'année 2007, le Royaume-Uni avait environ 5 000 soldats en Irak et 7 000 en Afghanistan. Il avait l'intention de réduire de moitié ses effectifs en Irak et de les augmenter en Afghanistan[49]. Les pertes britanniques en Irak se montaient à 174 morts, 206 blessés graves et 2 372 autres soldats qu'il avait fallu hospitaliser. En Afghanistan, elles étaient de 82 morts, 89 blessés graves et 957 autres soldats hospitalisés[50]. Ces chiffres comprennent un nombre important de militaires évacués à titre médical pour maladie, blessures et traumatismes hors combat. Ils n'incluent pas ceux qui souffrent de problèmes psychiatriques de longue durée du type ESPT.

Au Royaume-Uni, les anciens combattants blessés reçoivent une indemnisation plus généreuse que ce qui leur est généralement accordé aux États-Unis, dont le versement d'une somme forfaitaire pouvant aller jusqu'à 285 000 livres en cas de blessures multiples graves. Parmi les autres prestations financières figure le paiement à vie d'un revenu garanti, fondé sur la solde des militaires, indexé et net d'impôt[51]. De plus, dans les dossiers de demande de ces prestations, la « norme de preuve » britannique repose sur la « prépondérance des probabilités », selon la méthode en usage dans les autres lois britanniques sur les demandes d'indemnités, comme le Criminal Injuries Compensation Scheme (loi sur l'indemnisation des victimes d'actes criminels), et dans les tribunaux civils. Les anciens combattants ont cinq ans pour demander les paiements forfaitaires, voire plus pour certaines maladies qui se déclarent tardivement, comme le cancer, les troubles psychiatriques et l'ESPT. Par conséquent, le Royaume-Uni sera confronté à des coûts importants pour payer les pensions des hommes et femmes de ses forces armées revenus invalides des conflits d'Irak et d'Afghanistan.

Au Royaume-Uni, les soins médicaux sont assurés gratuitement par le National Health Service (NHS), et les soldats britanniques blessés sont soignés dans des unités spéciales du NHS. Mais, en 2007, peu après les révélations du *Washington Post* sur les horribles conditions d'hospitalisation au centre médical de l'armée de terre Walter-Reed, le journal dominical britannique *The Observer* a découvert que des militaires britanniques blessés étaient indignement traités à l'hôpital Selly-Oak de Birmingham. Le journal a publié des lettres de parents de soldats britanniques au ministère de la Défense, qui décrivaient des situations déplorables : celle, par exemple, du plus jeune soldat blessé en Irak, Jamie Cooper, dix-huit ans, forcé de passer une nuit couché dans ses excréments parce que le personnel de l'hôpital avait laissé déborder sa poche pour colostomie. Ses parents écrivaient que leur fils avait été « envoyé en Irak juste après son entraînement, sans aucune connaissance militaire réelle, et qu'il ne [recevait] pas les soins et l'attention dont il [avait] besoin pour se rétablir[52] ». Ces lettres de parents décrivent des environnements crasseux, des niveaux de bruit insupportables, et des installations inadéquates pour les visites. Certains disaient qu'on ne leur laissait pas d'autre solution que de quitter leur emploi pour s'occuper de leur fils. Au Royaume-Uni, « Selly-Oak » évoque maintenant les mêmes images de déshonneur et de honte que « Walter-Reed » aux États-Unis.

L'opinion publique britannique a réagi aux révélations sur Selly-Oak avec indignation. La Royal British Legion, qui compte 600 000 membres (les anciens combattants britanniques), a voté une motion mettant en cause le traitement médical pour la première fois de ses quatre-vingt-six ans d'histoire. Les médias britanniques ont largement couvert le manque de soins adaptés pour les soldats, notamment ceux qui souffrent de troubles mentaux, les difficultés qu'ils rencontrent pour accomplir la transition de la médecine militaire à la médecine civile, et les efforts de dissimulation du nombre total de blessés[53]. Les chiffres officiels montrent que, depuis 2003, 2 123 soldats ont été traités pour des problèmes psychiatriques liés à leur déploiement en Irak, mais les œuvres sociales des armées affirment que beaucoup d'autres cas sont passés entre les mailles du filet[54]. L'État a aussi recours à des prestataires privés pour soigner les soldats rentrés lorsque le délai d'attente pour le traitement du NHS est trop long. On ne sait pas très bien quelle ampleur a prise cette pratique, mais tout indique qu'elle pourrait ajouter des milliards de livres à la facture des soins aux anciens combattants britanniques[55].

Même des officiers supérieurs en activité protestent publiquement contre la façon dont la guerre a été dirigée. Le général Richard Dannatt, chef d'état-major général de l'armée de terre britannique, a décrit dans un rapport de 2007 comment le sous-financement, les sous-effectifs et la surextension amenaient les soldats britanniques à se sentir « dévalorisés, excédés et fatigués de l'Irak[56] ». Sa conclusion : « Désormais, les réserves de bonne volonté s'évaporent. Beaucoup de militaires expérimentés parlent de s'en aller. » Le général Dannatt a aussi souligné (comme nous l'avons fait pour les États-Unis) qu'à cause de la guerre d'Irak le Royaume-Uni est moins préparé à affronter d'autres menaces extérieures à sa sécurité.

Des parlementaires « de base » n'ont cessé de critiquer la gestion du conflit par le gouvernement, sur des sujets comme le sous-financement des troupes, le manque de logements pour les familles des militaires, la pression de plus en plus vive qui pèse sur les forces armées en général. Les récentes remarques de Lord Astor of Hever à la Chambre des lords donnent une petite idée du sentiment des Britanniques à cet égard :

> Je suis certain que tous les nobles lords auront vu des éléments du rapport de l'équipe de liaison auprès du chef d'état-major[*], le général Dannatt. La triste réalité qui ressort de ces entretiens avec des milliers de soldats, c'est une armée de terre au bout du rouleau. Il y a un mécontentement profond face aux conditions dans lesquelles les soldats doivent vivre et servir – la fréquence des annulations ou restrictions de permissions en raison de la surextension des opérations, les conditions de logement si souvent inadéquates. Nous envoyons des soldats en Afghanistan se battre vraiment 24 heures sur 24...
>
> Beaucoup de nobles lords et beaucoup de nobles et vaillants lords[**], dont les nobles et vaillants lords Lord Guthrie, Lord Boyce et Lord Bramall, ont expliqué que cette situation résulte essentiellement de dix ans de sous-financement par ce gouvernement. Il n'a pas échappé aux forces armées que le gouvernement

---

[*] La Briefing Team est chargée de tenir informé le chef d'état-major des opinions et des problèmes des personnels de l'armée britannique.

[**] Le règlement de la Chambre des lords fait obligation d'appeler *Noble and Gallant Lord* ceux de ses membres qui ont occupé de très hautes fonctions dans les forces armées. Les « nobles et vaillants lords » sont donc les experts de la Chambre en matière militaire.

est prêt à risquer davantage pour renflouer une banque financièrement inepte comme Northern Rock que ce qu'il consacre à l'ensemble du budget de la défense[57].

La fatigue de l'armée se manifeste dans le corps des officiers. Le nombre de ceux qui quittent prématurément l'armée de terre et la RAF est à son plus haut niveau depuis dix ans. Il ressort d'enquêtes récentes que leur décision est essentiellement due à la fréquence des déploiements et à « l'impossibilité de faire des projets » dans leur vie[58]. En novembre 2007, le lieutenant-colonel Stuart Tootal, commandant du 3e Para[59], a bien traduit ce que pensent les simples soldats quand il a démissionné pour protester contre la solde misérable qui leur est payée, le manque d'équipement pour entraîner les recrues, l'état des casernements de l'armée et le manque de centres médicaux spécifiquement destinés aux soldats blessés. Le colonel Tootal a mené ses hommes dans certains des combats les plus acharnés de la guerre d'Afghanistan, ceux de la province de Helmand dans le sud du pays, ce qui lui a valu de recevoir le Distinguished Service Order. Pendant son service de six mois, d'avril à octobre 2007, a-t-il déclaré, il avait dû lutter contre le manque de nourriture, d'eau et de munitions, et contre l'insuffisance du soutien des hélicoptères[60].

Le Premier ministre Gordon Brown a annoncé que la Grande-Bretagne allait réduire le nombre de ses soldats à 2 500 au printemps 2008, mais il paraît probable que cet effectif sera maintenu en Irak pour l'avenir prévisible[61].

Les coûts sociaux et économiques de la Grande-Bretagne

En plus des coûts des opérations militaires, du remplacement de l'équipement militaire, des soins aux anciens combattants et du réinvestissement dans les forces armées, la Grande-

Bretagne doit aussi assumer des coûts économiques et sociaux. Keith Hartley, du Centre for Defence Economics de l'université de York, a beaucoup écrit sur le sujet. « Il y a des coûts pour l'économie civile britannique, souligne-t-il, par le biais d'impacts comme la hausse des prix pétroliers, de possibles effets récessionnistes et la nécessité d'une augmentation des dépenses militaires, qu'il faut financer soit par une hausse des prélèvements fiscaux, soit par une baisse des dépenses publiques dans d'autres domaines [62]. »

Les coûts sociaux du Royaume-Uni sont sûrement de la même nature que ceux des États-Unis. Nous observons les mêmes réalités : les membres de la famille qui quittent leur emploi pour s'occuper du soldat blessé, les longs délais d'attente pour se faire soigner, les mauvaises conditions de soins qui obligent les parents à s'installer à résidence dans les hôpitaux, la dégradation de la qualité de la vie pour les milliers de personnes revenues invalides.

De même, il y a des coûts macroéconomiques pour la Grande-Bretagne comme pour les États-Unis. Mais ils seront peut-être moins lourds à long terme, pour deux raisons. D'abord, le Royaume-Uni n'a pas suivi la même politique de dispendieuse insouciance budgétaire ; deuxièmement, il a été jusqu'en 2005 exportateur net de pétrole. À l'avenir, sa production diminuant, il lui faudra importer davantage, et il ressentira donc plus fortement les effets négatifs de la hausse des prix pétroliers. Comme aux États-Unis, l'affaiblissement de l'économie qui aurait pu apparaître à la suite du renchérissement du pétrole ne s'est pas manifesté clairement, parce que le Royaume-Uni, comme les États-Unis, avait une « bulle de l'immobilier », qui a fortement soutenu la consommation. Les problèmes de prêts hypothécaires qui sont d'abord devenus flagrants aux États-Unis ont eu des retombées encore plus fortes en Grande-Bretagne, avec la première panique bancaire depuis plus d'un siècle, qui a nécessité une opération de renflouage de 30 milliards de livres. Comme les importations nettes du Royaume-Uni restent très incertaines, nous n'avons pas inclus d'estimation explicite des coûts macroéconomiques ; mais si on assigne à ces coûts des chiffres plausibles, ils pourraient aisément doubler ou tripler les coûts économiques globaux. Par exemple, des estimations admises situent à 500 000 barils par jour les importations de pétrole projetées pour 2010. Si la moitié de la différence anticipée entre le prix du pétrole à cette date et le prix d'avant guerre est attribuée à la guerre d'Irak, l'augmentation de la facture pétrolière – le revenu transféré de la population de Grande-Bretagne aux exportateurs de pétrole – est de 6,4 milliards de dollars ; avec un multiplicateur de 1,5 seulement, cela se traduit par un coût macroéconomique, pour 2010, de 9,6 milliards de dollars. Pour la période de l'étude où nous avons les prix des marchés à terme, de 2003 à 2015, les chiffres montent facilement à des totaux ahurissants de 100 milliards de dollars ou davantage. Si la guerre avait eu lieu un peu plus tôt, à une époque où le Royaume-Uni était exportateur de pétrole, il en aurait été l'un des bénéficiaires, aux côtés du Venezuela et de l'Iran. Aujourd'hui, il est avec les États-Unis l'un des grands perdants du conflit.

Estimations du coût total pour la Grande-Bretagne

Nous avons estimé les coûts pour le Royaume-Uni à ce jour, en supposant que les forces britanniques en Irak seront réduites à 2 500 personnes en 2008 et demeureront à ce niveau jusqu'en 2010. Nous nous attendons à une légère augmentation en 2008 des forces britanniques en Afghanistan : elles passeront alors de 7 000 à 8 000 personnes, puis resteront stables pendant les trois années suivantes. Les dépenses futures sont estimées sur la base de ces hypothèses. Nous

191

évaluons aussi à un milliard de dollars les coûts de rééquipement de l'armée, sur la base de commentaires faits par Lord Astor of Hever dans le *Hansard* de novembre 2007. Nous prévoyons que l'augmentation des dépenses militaires dans le budget du ministère de la Défense, caractéristique de la période de la guerre, continuera pendant toute l'année 2008 puis régressera en trois ans. Mais ces hypothèses risquent fort de sous-estimer les coûts de la démobilisation et du rapatriement vers le Royaume-Uni de l'énorme quantité de matériel qui se trouve actuellement en Irak. Le comité de la Défense de la Chambre des communes a récemment constaté que, en dépit de la réduction des effectifs, les coûts de la guerre d'Irak augmenteront de 2 % dans l'exercice 2008, et que les coûts de personnel ne diminueront que de 5 %. Simultanément, le coût des opérations militaires en Afghanistan devrait augmenter de 39 %. Les estimations de notre modèle pourraient se révéler nettement trop basses si ces tendances se poursuivent[63].

Nous supposons que ceux qui ont été « très gravement blessés ou traumatisés » en Irak et en Afghanistan auront droit au versement de la somme forfaitaire maximale, ainsi qu'à des prestations et pensions à vie ; et que les hommes et les femmes des forces armées qui sont classés comme « sérieusement blessés ou traumatisés » recevront des paiements forfaitaires moins importants (nous avons retenu 25 %), et des pensions à vie. Nous avons estimé que la moitié des autres soldats hospitalisés pour blessures, traumatismes ou maladies ne recevront aucune somme forfaitaire, mais auront droit à vie à la plus faible des pensions d'invalidité d'ancien combattant.

Nous avons postulé une valeur d'une vie statistique (VVS) de 7,2 millions de dollars (comme aux États-Unis) pour les soldats qui ont été tués ou « très gravement » blessés ou traumatisés (moins le versement de la somme forfaitaire). Et 20 % de ce montant pour ceux qui ont été « sérieusement » blessés ou traumatisés[64]. Nous n'avons pas attribué de coût aux autres soldats hospitalisés.

Sur la base de cet ensemble d'hypothèses, le coût budgétaire pour le Royaume-Uni des guerres d'Irak et d'Afghanistan jusqu'en 2010 se montera à plus de 18 milliards de livres (30,6 milliards de dollars américains). Si nous incluons les coûts sociaux, l'impact total sur la Grande-Bretagne dépassera les 20 milliards de livres.

TABLEAU 6.1. *Les coûts de la guerre d'Irak pour la Grande-Bretagne (2007) jusqu'à 2010, en livres sterling (milliers)*

Dépenses militaires	
Dépensé à ce jour	8 738
Dépenses futures	7 015
Soins médicaux et pensions d'invalidité des anciens combattants	2 265
Total des coûts budgétaires	**18 017**
Coûts sociaux des décès et invalidités (*net des coûts budgétaires*)	2 076
COÛT TOTAL	20 094

Autres coûts mondiaux

Le coût mondial le plus direct imposé au reste du monde résulte de la hausse du prix du pétrole : celle-ci est payée par tous les importateurs de pétrole. Certes, ce qui est un coût pour certains a été un bénéfice pour d'autres – les exportateurs de pétrole. Parmi les perdants, on trouve les alliés traditionnels des États-Unis en Europe et en Asie. Quant aux gagnants, ce sont, en gros, des dictateurs de pays producteurs de pétrole – dont certains n'ont pas fait mystère de leur intention d'utiliser ce surcroît de richesse pour faire avancer un programme anti-américain, et parfois antioccidental. Cette redistribution du pouvoir économique mondial n'est pas vraiment enthousiasmante. En fait, on a du mal à imaginer une autre initiative possible des États-Unis qui aurait été, à l'échelle mondiale, aussi radicalement contraire à leur intérêt.

Au chapitre 5, nous avons montré que la hausse du prix du pétrole a porté un coup à l'Amérique. Elle a aussi porté un coup aux économies d'Europe qui importent environ 3,7 milliards de barils par an[65]. Si 5 dollars par baril de cette hausse sont attribuables à la guerre d'Irak, ce conflit va renchérir leur facture pétrolière de 129 milliards de dollars dans le scénario (minimal) du « meilleur cas de figure » où cette hausse des prix liée à la guerre dure sept ans ; pour l'Europe, le Japon et les autres pays importateurs de l'OCDE réunis, ce surcoût sera de 235 milliards de dollars[66]. Dans notre estimation plus réaliste, où la guerre est à l'origine d'une hausse de 10 dollars par baril pendant huit ans, l'addition se monte à 295 milliards de dollars pour l'Europe et à 539 milliards de dollars pour l'Europe, le Japon et les autres pays importateurs de l'OCDE réunis – ce qui est considérable[67].

L'Europe n'a pas pu compenser les effets dépressifs de la hausse des prix du pétrole : elle en a été empêchée par son propre « Pacte de stabilité et de croissance », qui limite l'ampleur des dépenses financées au moyen d'un déficit budgétaire, et plus encore par une Banque centrale européenne exclusivement préoccupée de l'inflation[68]. La hausse du prix du pétrole a fait monter les pressions inflationnistes, donc a conduit à un relèvement des taux d'intérêt qui a ralenti la croissance. C'est pourquoi le *multiplicateur du prix du pétrole* approprié est plus élevé en Europe qu'aux États-Unis. Si nous décidons néanmoins d'utiliser un multiplicateur minimal de 1,5, nous obtenons un coût total pour l'Europe de 194 milliards de dollars dans le « meilleur cas de figure ». Il est plus raisonnable de retenir un multiplicateur de 2 (voir l'analyse du chapitre 5), et nous obtenons ainsi notre estimation réaliste-modérée : 590 milliards de dollars pour l'Europe.

Quant au Japon, sa capacité de réaction à l'impact dépressif de la hausse du prix du pétrole est entravée par un autre ensemble de contraintes. L'ampleur des déficits et l'énormité du rapport endettement/PIB (plus de 164 %) [69] limitent les possibilités de stimulation budgétaire. Avec des taux d'intérêt qui sont déjà proches de zéro, faire davantage en matière de stimulation monétaire est pratiquement impossible. Si nous utilisons un multiplicateur de 1,5, le coût pour le Japon dans le « meilleur cas de figure » est de 101 milliards de dollars. Dans le scénario plus réaliste (avec un multiplicateur de 2), il est de 307 milliards de dollars.

Globalement, dans le « meilleur cas de figure », le coût total pour les pays industriels avancés importateurs de pétrole autres que les États-Unis (l'Europe, le Japon, la Corée du Sud, etc.) est de 354 milliards de dollars ; mais, dans le scénario « réaliste-modéré » plus proche des faits, ce coût total pour nos alliés d'Europe, du Japon et des autres pays industriels avancés se montera à 1 100 milliards de dollars.

Le problème est que la hausse des revenus des pays producteurs de pétrole ne compense pas pleinement ces effets dépressifs. Tout comme aux compagnies pétrolières américaines, la guerre a beaucoup profité aux cheikhs pétroliers d'Arabie Saoudite, à Hugo Chávez au Venezuela et à Mahmoud Ahmadinejad en Iran. Les ventes d'armes à ceux qui contrôlent les champs pétrolifères – et à ceux qui voudraient bien les contrôler – ont augmenté, autre raison pour laquelle l'industrie de la défense et les firmes de l'armement ne se sont jamais aussi bien portées. Mais, même s'ils se montrent prodigues, ces pays ont une moindre « propension marginale à consommer » – la proportion du revenu qui est dépensée en biens et services –, donc le PIB mondial est moindre aussi. Les pays producteurs savent qu'il est à peu près certain que le pétrole cher ne va pas durer ; la prudence exige donc qu'ils épargnent un gros pourcentage du pactole – c'est l'une des raisons pour lesquelles le monde a été inondé de liquidités.

Il existe un autre groupe important qui a « perdu » à la guerre et à la montée des prix pétroliers qui l'a suivie : les pays pauvres importateurs de pétrole du monde entier. Une étude de l'Agence internationale de l'énergie, par exemple, a montré, pour un échantillon de treize pays importateurs africains, que la hausse des prix du pétrole après la guerre d'Irak a réduit leurs revenus de 3 % – ce qui fait plus qu'annuler l'augmentation de l'aide extérieure de ces dernières années et crée les conditions d'une nouvelle crise dans ces pays[70]. Étant donné le coût élevé du transport dans nombre d'entre eux, la hausse des prix du carburant se traduit par une hausse des prix alimentaires.

Bref, la guerre d'Irak a fait des perdants et des gagnants mondiaux. Nos vieux amis en Europe et au Japon sont parmi les perdants mondiaux. Mais, au total, le monde perd. Énormément.

La paix et la sécurité mondiales

Le rêve des envahisseurs américains était de créer un Moyen-Orient stable, prospère et démocratique. Mais leur intervention en Irak est en train d'aboutir au résultat diamétralement opposé – et les conséquences de l'aventure irakienne des États-Unis pour la paix et la sécurité mondiales ne se limitent pas au Moyen-Orient. Elle a contribué à nourrir l'extrémisme dans l'ensemble du monde islamique et au-delà. Avec cette montée de l'extrémisme, la tâche des dirigeants des républiques musulmanes modérées est devenue encore plus compliquée. Ils ont vigoureusement incité le président Bush à retirer ses troupes, car ils savent que, si la guerre continue, ils auront de plus en plus de mal à contenir les forces fondamentalistes[71].

Le prestige des États-Unis dans le monde n'a jamais été plus bas. Tout Américain qui a voyagé à l'étranger le sait. Et tous les sondages et enquêtes d'opinion le confirment. Certes, l'Amérique a toujours inspiré des sentiments mitigés, où la jalousie se mêlait à l'admiration, où le respect pour la démocratie américaine et sa défense des droits de l'homme se mâtinait de rancœur pour son arrogance et sa présomption. Mais, dans la plupart des pays, le positif l'emportait sur le négatif. C'était vrai non seulement chez des alliés traditionnels comme la Grande-Bretagne (où 83 % de la population avait une opinion favorable des États-Unis en 1999-2000) et l'Allemagne (78 %), mais même dans des pays musulmans comme l'Indonésie (75 %), la Turquie (52 %) et le Maroc (77 %). Franklin D. Roosevelt, John F. Kennedy et Bill Clinton ont été des héros mondiaux – dans certains pays étrangers plus encore qu'aux États-Unis. La guerre a changé radicalement le tableau : par rapport à 2002, les opinions favorables sur l'Amérique ont baissé dans vingt-six des trente-trois pays sondés par le Pew Research Center[72]. Son image s'est dégradée dans la plupart des pays musulmans du Moyen-Orient et d'Asie – et même chez de fermes alliés historiques des États-Unis.

En 2007, les opinions favorables étaient tombées à 9 % en Turquie et 29 % en Indonésie[73]. La même année, au Canada, en Grande-Bretagne, en Allemagne et en France, la confiance dans les qualités de dirigeant du président Vladimir Poutine dépassait celle qu'inspirait le président Bush. Nous avons relevé au chapitre 1 qu'aux yeux des habitants de nombreux pays la présence de l'Amérique en Irak était pour la paix mondiale une menace plus grave que celle de l'Iran. Il y a encore plus remarquable : un autre sondage Pew récent montre que, dans la totalité des pays où il a été mené, la présence américaine en Irak est considérée comme une menace plus grave pour la paix mondiale que la Corée du Nord. Bref, dans le monde entier, les États-Unis sont perçus comme plus dangereux que les pays inclus par le président Bush dans son « axe du mal »[74]. En Indonésie, république islamique modérée, 80 % des citoyens se sont dits « très » ou « assez » inquiets d'une menace militaire de l'Amérique contre leur pays. De fait, l'immense majorité des habitants des pays musulmans – et la majorité de la population chez beaucoup de nos alliés – estiment que la guerre d'Irak a fait du monde un lieu plus dangereux. Dans les pays musulmans, des majorités (parfois massives) pensent que les États-Unis ont pour but de dominer le monde et de prendre le contrôle du pétrole du Moyen-Orient[75]. Le plus troublant est que l'Amérique n'est plus perçue comme un bastion des droits civiques et de la démocratie. La guerre faite en Irak « pour la démocratie » a presque donné mauvaise réputation à la démocratie. 65 % des sondés en Allemagne, 66 % en Espagne et 67 % au Brésil ont dit leur antipathie pour les idées américaines sur la démocratie ; mais ces chiffres étaient malgré tout plus favorables que les réponses dans des pays musulmans comme la Palestine (71 %), le Pakistan (72 %) et la Turquie (81 %). Même chez nos anciens alliés en Grande-Bretagne et en Allemagne, on estime que l'Amérique fait du mauvais travail pour promouvoir les droits de l'homme. C'est ce qu'ont répondu 78 % des Allemands, et 16 % seulement ont dit qu'elle faisait du bon travail. Avant la guerre, 61 % des Allemands pensaient que l'Amérique faisait du bon travail.

Pourquoi est-ce important ? Dans les chapitres précédents, nous avons analysé (mais non quantifié) la façon dont le changement de regard sur les États-Unis avait nui aux entreprises et à l'économie américaines. Il est inévitable que ceux qui voient d'un mauvail œil l'administration Bush et la façon dont elle fait la guerre commencent aussi à voir sous le même jour l'Amérique et la façon dont elle fait des affaires. Ne soyons pas surpris si les pays les plus critiques sur la conception américaine de la démocratie sont aussi les plus critiques sur les méthodes des entreprises américaines : la majorité de la population en Allemagne et en France les juge défavorablement, et 83 % en Turquie.

Mais il y a un coût beaucoup plus important. La mondialisation a accentué l'interdépendance entre les pays. Beaucoup des grands problèmes les plus pressants – du réchauffement de la planète à la pandémie du sida et à la pauvreté – sont mondiaux par nature, et aucun pays ne peut les résoudre en agissant seul. Les guerres et les conflits dans une région du monde peuvent aisément déborder sur une autre. La guerre d'Irak a montré que même l'unique superpuissance restante, cet État qui dépense presque autant pour la défense que tous les autres réunis, ne peut pas imposer sa volonté à un pays qui a 10 % de sa population et 1 % de son PIB – du moins sans s'infliger à elle-même un coût plus lourd que ce qu'elle est prête à payer.

Les États-Unis ont fait du bon travail pour répandre l'idée de démocratie – du si bon travail qu'il y a maintenant un consensus mondial pour que les décisions sur la gestion de la planète soient prises avec un minimum de respect des principes démocratiques et de l'état de droit. Mais, dans leur marche à la guerre, les États-Unis ont foulé aux pieds ces principes.

Si le monde est devenu plus interdépendant et intégré, il existe des points de vue nettement différents sur la façon de traiter les milliers de problèmes planétaires auxquels nous sommes confrontés. Mais un des points sur lesquels tout le monde est d'accord, c'est qu'un véritable leadership est nécessaire. Aujourd'hui, il y a une sérieuse perte de confiance dans le leadership américain. Sera-t-il facile ou non de rétablir cette confiance ? Cela dépendra, en partie, de qui sera le prochain président des États-Unis, et de la vigueur avec laquelle il ou elle rejettera non seulement la manière dont l'administration Bush a fait la guerre, mais le processus par lequel les États-Unis sont entrés en guerre.

Les coûts et les conséquences d'une incapacité à rétablir le leadership américain seront probablement énormes – pour l'Amérique comme pour le monde. La démocratie est bel et bien importante pour faire barrage aux guerres : seul l'électorat américain a réussi à endiguer l'aventurisme militaire de l'administration Bush. Les Américains surestiment peut-être leur importance en matière de leadership, et il est certain que dans des domaines comme le réchauffement de la planète les accords cruciaux se sont faits sans nous. Néanmoins, l'Amérique a un tel poids dans l'économie mondiale qu'il est difficile d'imaginer un progrès sur n'importe laquelle des grandes questions auxquelles le monde est confronté sans qu'elle y joue un rôle essentiel.

Ce livre a souligné les coûts de la guerre d'Irak : tant les *coûts économiques* que les *coûts d'opportunité* – le détournement de fonds dont on aurait eu tant de possibilités de faire meilleur usage. Mais, à long terme, c'est peut-être la dilapidation du leadership américain dans la communauté internationale et la façon dont tout cela a détourné l'attention des problèmes cruciaux du monde (dont des questions comme le réchauffement de la planète et la prolifération nucléaire en Corée du Nord, qui ne vont pas disparaître d'elles-mêmes et dont le règlement ne peut attendre) qui constitueront l'héritage le plus lourd et le plus durable de cette guerre lamentable[76].

7

Quitter l'Irak

Tout au long du conflit, le président Bush n'a cessé de dire que l'Irak était à deux doigts de résoudre ses difficultés ; la stabilisation était imminente... si nous restions un tout petit peu plus. À n'importe quel moment, on peut repérer des indicateurs qui paraissent meilleurs et d'autres qui semblent pires. La violence peut régresser dans une région et progresser dans d'autres. Au bout de cinq ans de guerre, les déclarations selon lesquelles le pays est sur le point de s'en sortir – même quand elles viennent de responsables militaires professionnels – sonnent faux, notamment quand on les recadre dans le contexte général. Certes, dans le monde incertain qu'est l'Irak, rien n'est assuré ; il est *possible* qu'une prolongation de la présence américaine puisse changer quelque chose ; mais la probabilité – au bout de cinq ans de guerre – semble faible.

Malheureusement, cinq ans après l'invasion, malgré les centaines de milliards dépensés et les milliers de morts et de blessés, la situation n'est pas bien meilleure. En 2007, l'Irak a été classé 178e sur 180 pays du monde pour la corruption. Seuls la Somalie et le Myanmar (l'ex-Birmanie) ont fait pis[1]. Le principal responsable de la lutte anticorruption en Irak a quitté le pays : quand il a pris la fuite, 31 agents de son administration avaient été assassinés en trois ans[2]. La « montée en puissance » des troupes américaines semble avoir amélioré la situation sécuritaire à Bagdad, mais la violence s'est déplacée dans d'autres régions. Le 2 décembre 2007, le village chiite de Dwelah a été attaqué, probablement par des militants d'Al-Qaïda : ils ont tué treize Irakiens (dont trois enfants), mis le feu aux maisons et obligé des centaines de familles à fuir[3]. Al-Qaïda a fait son entrée dans des provinces du nord de l'Irak comme Diyala avec sa brutalité habituelle. Le 3 décembre 2007, trois jeunes femmes de cette province ont été assassinées pour avoir refusé d'épouser des membres d'Al-Qaïda[4]. Simultanément, des extrémistes sunnites et chiites continuent à tuer des dizaines de civils par mois dans des zones situées au-delà des régions où se trouvent les forces américaines. Et la tension est très vive dans le Nord, où l'armée turque attaque les séparatistes kurdes. De toutes les années de guerre, c'est en 2007 que les États-Unis ont eu le plus de morts[5].

Sur le front politique, l'Irak a aujourd'hui un gouvernement religieux – alors qu'il a eu des gouvernements laïcs pendant quatre-vingts ans avant l'invasion américaine. Cela complique énormément l'effort de stabilisation politique des diverses composantes de la société. Jusqu'à présent, le gouvernement irakien n'a pas été capable d'unir son propre pays. De plus, il a l'intention de réduire de 10 à 5 les composantes de la ration alimentaire* en 2008, en raison « de l'insuffisance des moyens

---

* Il s'agit de la « ration » du « système de distribution publique », créé par le régime baassiste pour faire face aux sanctions, et maintenu depuis. Devant la hausse des prix alimentaires et la stagnation des crédits prévus pour financer le système, le gouvernement irakien a décidé de le limiter à cinq denrées et de réduire leurs quantités mensuelles, ce qui donne (par membre d'une famille possédant une carte de rationnement) 9 kg de farine, 3 kg de riz, 2 kg de sucre, 1 litre d'huile et 250 g de lait en poudre. Les produits abandonnés sont le lait maternisé, le thé, les pois chiches, le savon et les détergents.

financiers et de l'inflation galopante », ce qui risque d'intensifier encore davantage l'agitation sociale [6].

Pour les États-Unis, la montée astronomique des coûts de la guerre commande les décisions et limite le rayon d'action. L'Amérique aurait *peut-être* mieux réussi à créer un semblant de paix et de sécurité en Irak si elle avait été prête à engager des ressources militaires suffisantes en 2003 [7]. Mais, dès le départ, nous avons fait la guerre sans nous causer trop d'inconfort. Nous avons payé un petit groupe d'Américains pour en supporter tout le poids.

Aujourd'hui, l'Amérique a engagé un débat sur sa stratégie de sortie. Rares sont ceux qui plaident, du moins ouvertement, pour une occupation permanente de l'Irak, même si les soldats américains se retiraient dans un réseau de bases militaires sûres réparties dans l'ensemble du pays [8]. Rares sont ceux qui préconisent d'intensifier notre engagement et de mobiliser les jeunes Américains pour les envoyer faire la guerre en Irak. La grande question de ce débat est donc : comment et quand nous retirer ? Prolonger notre présence ne va peut-être pas améliorer les choses ; cela pourrait les aggraver. De fait, la majorité des Irakiens sont persuadés que la situation sécuritaire s'améliorera quand l'armée américaine sera partie [9]. Les Britanniques avaient meilleure réputation, et pourtant, alors qu'ils se préparaient à quitter l'Irak, la majorité des Irakiens de la province de Bassora (celle qu'ils occupaient) avaient une opinion défavorable sur leur occupation. 85 % estimaient que son impact avait été globalement négatif, 56 % qu'elle avait contribué au niveau global de violence des milices, et les deux tiers que la sécurité allait s'améliorer quand les Britanniques auraient transféré aux forces irakiennes le contrôle de la province (à la mi-décembre 2007). 2 % seulement pensaient que les Britanniques avaient eu un impact positif [10].

Les adversaires d'une politique de retrait rapide soulignent le chaos et la violence qui pourraient suivre. Il est probable, selon eux, que le pays se diviserait en trois. La plus grande de ces trois zones, le Sud chiite, risque d'entrer dans la zone d'influence de l'Iran. L'Arabie Saoudite et les autres régimes sunnites pourraient alors aider le Centre sunnite en lui donnant les moyens nécessaires à la poursuite du conflit. Le Nord, contrôlé par les Kurdes, risque de faire sécession, et la Turquie, qui refuse avec acharnement depuis longtemps la formation d'un État kurde séparé, pourrait intervenir pour l'empêcher[11].

Ces perspectives effrayantes ont dissuadé la plupart des personnalités politiques américaines de se déclarer en faveur d'un retrait immédiat. Mais l'analyse ne devrait pas commencer par ce scénario. Les questions pertinentes sont simples : la situation va-t-elle s'améliorer ou s'aggraver si nous partons dans six mois, dans un an ou dans deux ans ? En cas d'amélioration si nous restons davantage, sera-t-elle suffisante pour justifier les coûts – tant humains qu'économiques – de notre maintien ? Plusieurs experts ont déjà suggéré que le chaos est pratiquement inévitable, que nous partions aujourd'hui ou dans deux ans.

Pendant que le débat politique fait rage sur le moment et la façon de s'en aller, l'administration Bush semble préparer une présence américaine de longue durée. Les États-Unis ont créé des centaines de bases militaires en Irak depuis 2003. Beaucoup ont été transférées aux Irakiens, mais plusieurs sont des complexes massifs visiblement conçus pour une occupation américaine durable. Les plus grandes sont Al-Assad, la principale base logistique des troupes de la province d'Al-Anbar, à près de 200 kilomètres à l'ouest de Bagdad (17 000 soldats et contractants) ; Al-Balad (appelée aussi Camp Anaconda), principal centre nerveux du transport aérien et du ravitaillement des forces armées américaines (22 500 soldats et plusieurs milliers de contractants) ; Camp Taji (où se trouve le plus grand centre commercial d'Irak) ; et Al-Talil, dans le Sud, halte cruciale pour les convois d'approvisionnement venus du Koweït. Les États-Unis ont également construit une nouvelle ambassade gigantesque à Bagdad : elle est plus de six fois plus grande que le complexe de l'ONU à New York.

Ces bases américaines essentielles sont immenses. Al-Balad/Anaconda fait 7,5 kilomètres sur 5 – ce qui nécessite deux lignes d'autobus. Al-Assad et Al-Talil sont encore plus grandes : chacune couvre 50 kilomètres carrés. Même aux abords de Bagdad, la base Victory/Liberty est si étendue qu'elle contient un parcours de triathlon de 226 kilomètres. Au centre de ces bases se trouvent de grands aéroports militaires aux technologies avancées, avec des doublets de pistes d'atterrissage de trois kilomètres, trois kilomètres et demi, qui peuvent recevoir de nombreux appareils, dont des chasseurs, des drones, des hélicoptères et de gros avions de transport.

Les bases sont largement autosuffisantes en termes d'infrastructures, y compris l'énergie électrique, les réseaux téléphoniques, le chauffage/climatisation et des centres hospitaliers protégés par des périmètres extrêmement fortifiés. Alors que l'eau potable, l'électricité et les soins médicaux de qualité sont rares dans le reste du pays, ces bases sont des îles de confort en parfait état de fonctionnement. On y trouve des équipements sportifs, des supermarchés, des fast-foods (dont un Burger King ouvert 24 heures sur 24, un Pizza Hut et des points de vente de glaces Baskin Robbins), une agence Hertz Rent-a-Car pour la location de véhicules, des cinémas, l'air conditionné, l'accès à Internet par satellite, la télévision par câble et le service téléphonique international. Ces bases ont des bâtiments en béton armé, des bunkers de protection durcis, de grandes casernes de béton pour les soldats, de vastes réseaux routiers internes et des systèmes électroniques raffinés qu'on installe rarement, voire jamais, dans des bases temporaires. Il est difficile d'extraire des comptes du département de la Défense ce qui a été exactement dépensé pour construire ces bases, mais il s'agit probablement de plusieurs milliards de dollars. Une grande partie des travaux ont été réalisés par des contractants américains. Le comité des Crédits de la Chambre des représentants a noté, dans un rapport du 13 mars 2006, que les requêtes budgétaires concernant ces bases étaient « d'un ordre de grandeur normalement associé aux bases permanentes [12] ». Dans la loi sur les crédits supplémentaires de la défense de 2007, le Congrès a interdit à une majorité écrasante de s'en servir pour construire des bases permanentes ; mais la construction a continué, parce que l'administration Bush a évité de dire clairement si elle considère ou non les bases actuelles comme « permanentes ».

Bien que les Américains aient des opinions différentes sur ce que sont nos intentions, les Irakiens estiment que nos actes suggèrent une présence durable, au moins sous forme d'incursions à partir de positions fortifiées. Mais quels que soient nos desseins, nous n'aurons peut-être pas le dernier mot, sauf si nous sommes prêts à dépenser encore plus de capital économique, et politique.

Les calculs présentés par ce livre sont une composante essentielle de la réflexion sur une stratégie de sortie. Le coût *déclaré* d'un mois de présence en Irak au niveau actuel dépasse aujourd'hui les 12 milliards de dollars. Sur la base de notre analyse, le coût total représente probablement le double – environ 25 milliards de dollars par mois. Rester deux ans de plus nous reviendrait donc à 600 milliards de dollars. Le coût humain est encore plus lourd – de loin supérieur aux indemnités versées aux familles en deuil. Il y a aussi les coûts d'opportunité : plus nous dépensons d'argent et d'énergie en Irak, moins nous en avons à dépenser ailleurs.

Enfin, il y a les coûts politiques : le prestige américain dans le monde continuera à décliner et la désillusion des citoyens américains vis-à-vis des situations inextricables à l'étranger à monter. L'Irak a été un échec si humiliant que, lorsque nous finirons par en partir, beaucoup d'Américains pourraient être tentés de mettre fin à tout engagement dans le monde, où que ce soit. Telle sera peut-être l'ultime conséquence tragique de cette guerre – tragique parce que (comme nous l'avons soutenu au chapitre précédent) le leadership américain est important pour s'attaquer à une série de problèmes planétaires auxquels est confronté le monde moderne [13].

Les perspectives d'un renversement de tendance fondamental l'année prochaine ou dans deux ans sont au mieux douteuses. Le rapport de l'Iraq Study Group le dit en termes vigoureux : « En dépit d'un effort massif, la stabilité en Irak reste hors d'atteinte et la situation se dégrade. [...] La capacité des États-Unis à déterminer le dénouement *diminue* [c'est nous qui soulignons] [14]. » Bien que, pendant l'essentiel de la période 2004-2006, les effectifs de l'insurrection aient été estimés à 20 000 personnes, en mars 2007 on a évalué le nombre des seuls insurgés sunnites (y compris les auxiliaires « à temps partiel ») à 70 000 [15]. Si la « montée en puissance » a effectivement réussi à réduire les morts de civils *par rapport à la période qui l'a précédée*, elles restent encore nombreuses, notamment hors de Bagdad. À Bagdad, en août 2007, le nombre de morts est redescendu à 550 (soit 2 050 sur trois mois, deux fois plus, malgré tout, qu'au premier trimestre 2006). Le chiffre global pour le pays reste élevé (800 morts en octobre, soit un total trimestriel de 3 300, contre 2 250 au premier trimestre 2006) [16]. Malgré la « montée en puissance », les attaques des insurgés ont été plus nombreuses à la fin de l'année 2007 que deux ans plus tôt : de 62 par jour au début de 2005, on est passé à 91 fin 2007 [17].

À l'heure où nous achevons ce livre règne un certain optimisme : la montée en puissance a peut-être, finalement, réduit le nombre d'attentats et de morts [18]. Il est impossible, évidemment, de savoir s'il s'agit d'autre chose que d'une accalmie temporaire. Mais même si un renforcement de la présence des soldats américains réussit à réduire l'échelle des violences, qu'est-ce que cela signifie ? Cela ne veut pas dire que *sans* cette présence la violence serait endiguée. Ni qu'un départ des troupes américaines sera suivi de moins de violences l'année prochaine que cette année. Peut-être cela traduit-il simplement une certaine rationalité dans la stratégie des insurgés. Puisqu'ils savent qu'il y a de fortes chances que les États-Unis se retirent après le départ de Bush, il est raisonnable pour eux de rester discrets, de ménager leurs ressources, d'attendre qu'il ne soit plus président. Si les troupes américaines sont nécessaires pour maintenir l'ordre, l'Amérique est-elle prête à engager pendant des années 100 000 soldats ou davantage en Irak ? Est-elle prête à ajouter cet effectif, et même plus (car il y a la logistique et les autres activités de soutien), à ses forces armées d'active, pour rester capable d'affronter les autres défis auxquels elle fait face dans le monde entier ?

Bref, au bout de cinq ans de guerre, nous n'avons pas créé un Irak sûr et stable. En dépit de nos échecs dans la région, un certain nombre d'illusions continuent à fausser la réflexion sur un retrait américain de ce pays.

Illusions autour du retrait

La première de ces illusions veut que nous ne puissions pas partir avant d'avoir « accompli notre mission », car cela réduirait la crédibilité des États-Unis. Nos ennemis sauraient que nous n'avons pas la capacité de tenir bien longtemps et, à l'avenir, ils auraient moins peur de notre puissance. Notre rôle dans le monde en serait compromis, nous y serions moins influents. Sans les États-Unis dans le rôle du gendarme crédible, la planète deviendrait de plus en plus dangereuse. Nos partisans en Irak seraient anéantis, et, avec toutes les milices brutales et les terroristes qui aujourd'hui multiplient les meurtres et les enlèvements en Irak, notre fuite de Saigon paraîtra facile comparée à ce retrait.

L'argument de la « crédibilité » est un signe de manque de rigueur logique. Oui, nous perdrons une partie de notre crédibilité si nous partons maintenant ; mais, si notre analyse est correcte, l'autre option – rester encore un an, ou deux, ou trois – ne réduira pas sensiblement le chaos et la violence qui suivront notre départ. À ce moment-là, « notre perte de crédibilité » sera plus grande encore. Si nous partons immédiatement, nous aurons démontré que l'Amérique ne peut pas l'emporter même après cinq ans de combats. Si nous partons dans deux ans, nous aurons prouvé qu'elle ne peut pas gagner même après sept ans.

Cette option nous fait courir un autre risque. Si nous différons notre départ, peut-être ne pourrons-nous pas en choisir le moment. Nous avons voulu la démocratie en Irak. Mais, à part dans le Nord kurde, l'opposition à la présence des forces américaines est écrasante. Globalement, 78 % des Irakiens sont contre notre présence. Dans les zones sunnites, c'est 97 %, et dans les zones chiites, 83 % [19]. Un gouvernement démocratiquement élu peut à tout moment nous demander de partir. Il est presque inconcevable que nous restions si cela se produit. Et notre retrait pourrait difficilement être plus ignominieux : nous quitterions l'Irak la queue entre les jambes [20].

La deuxième illusion est encore plus dangereusement fallacieuse : si nous partons avant d'avoir accompli notre mission, dit-elle, ceux qui ont sacrifié leur vie seront morts en vain. Voir l'erreur logique de ce raisonnement est l'un des acquis centraux de l'économie. Une série d'aphorismes simples le formulent, dont celui-ci : « Le passé est le passé. » Les économistes appellent ce type de dépenses « coûts irrécupérables ». Il circule chez eux une vieille histoire drôle sur un automobiliste qui demande son chemin pour aller quelque part. Réponse : « À votre place, je ne partirais pas d'ici. » Aucun de nous n'aurait choisi de partir d'ici – mais nous sommes ici. Donc la vraie question est : que faisons-nous, vu l'endroit où nous sommes ? Cela n'a aucun sens d'envoyer encore plus de jeunes Américains mourir en vain.

Troisième illusion : nous « devons » aux Irakiens de les aider à reconstruire leur pays après l'avoir tant dévasté, et nous ne pouvons pas partir tant que nous n'avons pas fini. Comme dit l'expression, « tu l'as cassé, tu le répares ». Nous ne pouvons évidemment pas rendre la vie à ceux qui ont été tués ; néanmoins, à en croire ce raisonnement, il serait immoral de nous retirer avant d'avoir au moins réparé les dégâts infligés à l'économie irakienne. Mais nous avons si peu fait depuis cinq ans – nous n'avons même pas été capables de dépenser efficacement les crédits pour la reconstruction de l'Irak, ni d'améliorer les conditions de vie du citoyen moyen, bien que nous ayons dépensé trois fois plus par Irakien que par Européen au temps du plan Marshall – qu'il n'y a guère de raisons de croire que nous ferons de gros progrès l'année prochaine ou dans les deux ans qui viennent.

Même si, en restant plus longtemps, nous réussissons à réduire temporairement la violence, elle risque fort de s'embraser après notre départ. Les « jalons » dont on fait tant de cas – la création d'un gouvernement de coalition efficace, par exemple – pourraient nous induire en erreur sur ce qui se passera *après* notre retrait. Il existe chez les Irakiens un large consensus sur la désirabilité de bouter les États-Unis hors du pays, mais pas sur la suite des événements.

Inversement, que la violence soit forte ne signifie pas *nécessairement* qu'elle le sera encore plus après notre départ. De fait, nous l'avons dit, la plupart des Irakiens estiment que nous y avons contribué et qu'il y en aura moins quand nous serons partis. Notre présence en Irak empêche peut-être des efforts de réconciliation qui constituent presque à coup sûr une condition préalable au succès d'une reconstruction. Si c'est le cas, un départ rapide sauverait *à la fois* des vies américaines et des vies irakiennes. Nous devons accepter une certaine responsabilité pour ce que nous avons fait ; mais il y a de nombreuses façons d'aider l'Irak, dont le soutien à des efforts de reconstruction multinationaux (probablement pas gérés par Halliburton et les autres contractants américains, dont l'échec est démontré).

Mauvaises stratégies de sortie

Rester en Irak pour conserver notre crédibilité, pour que les morts ne soient pas morts en vain, ou pour réparer enfin les dégâts causés par notre invasion : ces trois arguments qu'on nous donne pour prolonger notre présence comptent parmi les plus manifestement fallacieux. Deux stratégies largement débattues pour organiser notre départ sont plus sérieuses – mais tout aussi erronées. Selon la première, il faut que le gouvernement américain définisse certains objectifs raisonnables : nous partirons dès que nous pourrons affirmer de façon crédible que nous les avons atteints. Mais y a-t-il des objectifs qu'il soit raisonnablement possible d'atteindre à un horizon de deux ans ? L'art de fixer les objectifs consiste à s'assurer qu'ils sont bien à notre portée. Sinon, le seul résultat possible est la déception.

Quand nous sommes entrés en Irak, l'administration Bush a formulé un objectif tout à fait clair : un Irak libre allait inspirer la création de nouveaux États démocratiques au Moyen-Orient, des démocraties qui se joindraient aux États-Unis dans la guerre contre le terrorisme et peut-être même accepteraient de signer un accord de paix avec Israël. La réalité actuelle du Moyen-Orient est dominée par la popularité croissante de factions extrémistes comme le Hezbollah, le Hamas et les Frères musulmans (en Égypte). Là où il y a eu un scrutin démocratique – en Palestine –, les électeurs ont soutenu le Hamas, lié au terrorisme.

211

Aujourd'hui, même l'objectif plus modeste d'un Irak stable et démocratique paraît hors d'atteinte[21]. Si peu d'experts ont jamais cru à un État fortement unifié, certains espéraient que sunnites, chiites et Kurdes verraient l'intérêt de créer un système fédéral viable où ils se seraient mutuellement laissé une large autonomie. Mais même cet espoir-là s'est dissipé, et il n'y a guère de signe de progrès. Un large consensus se dessine à présent en faveur d'un autre projet : fixer à l'Irak des objectifs d'étape plus limités et menacer de s'en aller s'il ne les atteint pas. Ces buts sont bien en deçà d'un épanouissement de la démocratie au Moyen-Orient. Ils portent sur des mesures intermédiaires en Irak, censées indiquer des progrès vers la concrétisation d'objectifs plus fondamentaux : par exemple, le vote d'une loi sur le partage des revenus pétroliers, ou la création d'une police efficace.

Une idée simple sous-tend cette approche : si nous fixons des objectifs clairs, les Irakiens auront une incitation forte à mener une action concertée pour les atteindre. Et s'ils n'y parviennent pas, nous nous lavons les mains de toute l'affaire. Chez les démocrates comme chez les républicains, on a, semble-t-il, une certaine confiance dans l'efficacité de cette démarche. Mais elle est viciée aussi : elle traite le gouvernement et le peuple irakiens comme s'il s'agissait d'un individu unique, rationnel. En fait, il est pratiquement sûr que certains membres du gouvernement irakien actuel souhaiteront que les objectifs ne soient pas atteints. S'ils sont convaincus que les États-Unis mettront alors leur menace de retrait à exécution, cela les stimulera plus encore à multiplier les tactiques dilatoires. Dans la mesure où la politique américaine coïncide avec les intérêts de tel ou tel groupe, il est presque inévitable que les autres se disent qu'ils pourraient obtenir davantage si l'Amérique s'en allait. La méthode des étapes est donc pratiquement vouée à l'échec.

De plus, notre menace de retrait n'était pas crédible[22]. Si Bush ordonnait lui-même aux forces américaines de quitter l'Irak, il reconnaîtrait la défaite *sous son propre commande-ment*. Aucun président n'y est prêt ; Johnson ne l'a pas fait pour la guerre du Vietnam, et ce n'est sûrement pas George W. Bush qui le fera. Pour les Irakiens qui souhaitent le retrait des États-Unis, la meilleure stratégie consiste donc à persuader les électeurs américains que le prix à payer pour rester en Irak est trop élevé. Le Vietnam l'a compris, et il a fini par convaincre les États-Unis de partir.

L'économie politique du retrait

La difficulté à laquelle Bush a été confronté pour quitter l'Irak est un exemple d'un phénomène que l'on a beaucoup étudié. Il s'agit du « risque d'escalade » : *ceux qui entre-prennent une guerre – ou tout autre projet voué à l'échec – ont tendance à étendre leur engagement au lieu de mettre fin à leurs pertes*. Le risque d'escalade a plusieurs causes fonda-mentales. « Le passé est le passé », nous l'avons dit, est l'un des principes de la prise de décision rationnelle. Mais on a de multiples preuves que dans les grandes organisations, souvent, on ne l'applique pas. Le problème y est particulièrement grave parce que *ceux qui prennent les décisions ne supportent pas pleinement les conséquences de leurs erreurs*. Dans le cas de la guerre d'Irak, même si la probabilité de sauver la situation est faible, les dirigeants suivent peut-être une stratégie qui a peu de chances de succès parce qu'ils peuvent y gagner gros en sauvant *leur* réputation (et, si elle échoue, leur réputation n'en souffrira pas beaucoup). Ils ne supportent pas l'essentiel des coûts – ni économiques, ni humains.

En décembre 2006, le président Bush s'est vu offrir une belle occasion d'opérer le tournant : la conjonction des conclu-sions de l'Iraq Study Group, groupe de réflexion bipartisan, et de la puissance du vote-sanction aux élections de 2006 a créé

213

une ouverture pour un retrait rapide. Beaucoup de républicains espéraient réduire ainsi le risque de voir l'Irak devenir un enjeu crucial de la présidentielle de 2008. Puisque les électeurs étaient hostiles à la guerre à plus de deux contre un, les dirigeants républicains avaient toutes les raisons de souhaiter l'évacuation du problème. Mais le président est resté inflexible sur le maintien des troupes – même si, l'un après l'autre, les membres de son propre parti préconisaient instamment un changement d'orientation.

La position de Bush va placer son successeur en situation délicate. Si celui-ci (ou celle-ci) ordonne un départ rapide, on lui fera porter la responsabilité du chaos qui pourrait suivre. Bush et son équipe diront (et croiront) que, si son successeur avait montré la même détermination que lui, les choses auraient tourné différemment. Mais si l'ordre de départ rapide n'est pas donné, la guerre d'Irak deviendra vite la guerre du nouveau ou de la nouvelle président(e). Alors, les risques d'escalade réapparaîtront. Si des milliers d'autres Américains sont tués et blessés, le nouvel exécutif devra s'expliquer sur son inefficacité à gérer le conflit. La guerre épuisera l'énergie de la prochaine administration et détournera son attention des mille autres problèmes cruciaux que connaît notre pays.

Dans ces conditions, l'ordonnance est claire : sauf si survient, entre le moment où nous écrivons et celui où le nouveau président accédera au pouvoir, un net changement dans les chances d'avoir la paix et la sécurité en maintenant la présence militaire américaine, il doit y avoir un retrait rapide. Il faudra dire aux Américains la triste vérité : il n'y a pas de porte de sortie facile pour quitter la tragédie qui s'est développée en Irak.

Pourquoi le maintien de la présence
américaine pourrait aggraver les choses

On a, à ce jour, énormément écrit sur les origines de l'échec américain, issu des désastreux effets de quelques décisions cruciales. La dissolution de l'armée irakienne par Paul Bremer, la non-sécurisation des stocks de munitions et l'incapacité à relancer l'économie ont créé de gros effectifs de soldats irakiens armés, chômeurs et mécontents – recette explosive pour lancer une insurrection[23]. La débaassisation – le renvoi des membres du parti de Saddam Hussein même s'ils y avaient adhéré par simple nécessité – n'a pas seulement accru la rancœur mais aussi privé le pays de gens capables de gérer des composantes essentielles de l'économie. Le déploiement des troupes pour protéger le ministère du Pétrole et les sites de production pétrolière, mais pas les magnifiques trésors archéologiques de l'Irak ni ses stocks de munitions, a renforcé le point de vue sceptique qui ne voyait dans l'invasion qu'un stratagème pour faire main basse sur des ressources lucratives. Le refus de Rumsfeld d'organiser des appels d'offres concurrentiels pour les milliards de dollars de la reconstruction – parce qu'il préférait faire appel à la coterie habituelle des contractants de la défense du « Washington Beltway* » – a entraîné des retards qui ont provoqué l'effondrement du niveau de vie et gâché notre seule vraie chance de gagner l'esprit et le cœur du peuple irakien.

Mais il y a eu un problème plus fondamental dans la stratégie militaire des États-Unis – une leçon que nous aurions dû retenir du Vietnam. Nous avions plusieurs objectifs contradictoires : nous voulions soumettre par « le choc et l'effroi » les

---

* Le « Washington Beltway » est l'autoroute périphérique de Washington : l'expression désigne ce qui se trouve à l'intérieur du cercle, donc les milieux les plus proches du pouvoir politique fédéral.

partisans de Saddam Hussein, mais en même temps nous savions qu'il nous fallait acquérir leur soutien. Nous voulions promouvoir la démocratie, mais nous savions que l'Amérique n'était pas populaire au Moyen-Orient. De même, l'administration Bush n'a jamais totalement compris qu'une composante majoritaire du corps civique – les chiites – pourrait non seulement se déclarer en faveur d'un régime islamique radical (comme ceux que nous combattions en Iran et en Afghanistan), mais même se considérer comme une alliée de l'Iran. Notre intervention, nous l'avons dit, a débouché, pour la première fois dans l'histoire de l'Irak moderne, sur un gouvernement religieusement marqué, ce qui a rendu encore plus difficiles la réconciliation nationale et la constitution d'un État unifié, bien que fédéral. Stiglitz a discuté de ces problèmes avec l'un des hauts responsables de l'administration Bush chargé de la reconstruction de l'Irak, peu avant son départ pour ce pays en 2003. Ce responsable a reconnu qu'il faudrait peut-être rééduquer les Irakiens ; il supposait que nous le pouvions – et que nous en aurions le temps. Les décennies de soutien résolu et souvent unilatéral des États-Unis à Israël leur avaient valu l'hostilité de la quasi-totalité des Arabes, qu'ils fussent sunnites ou chiites – c'était une question qui les unissait. Depuis l'accession de Bush à la présidence, les relations s'étaient dégradées encore davantage, en raison d'initiatives telles que son soutien sans faille au Premier ministre israélien Ariel Sharon, exécré dans le monde arabe.

Nous avons mal calculé les conséquences de nos actes et leurs coûts – et nous avons conçu nos politiques d'une manière qui les vouait à l'échec. Même avec la meilleure des stratégies, nous aurions pu être battus ; mais avec celle que nous avons suivie, la défaite était pratiquement inévitable. Nous nous attendions à ce que notre présence en Irak galvanise les Irakiens et les pousse à nous soutenir ; mais la façon dont notre présence a changé la situation a plutôt incité nombre d'entre eux à nous combattre.

D'abord, l'administration a postulé un *modèle d'équilibre partiel*, qui ne tenait pas compte du fait que l'« offre » de combattants ennemis était *endogène*, c'est-à-dire sensible à ce que nous faisions[24]. Quand cette « offre » est fixe, tuer un ennemi réduit le nombre d'ennemis de 1. Quand elle réagit à nos actes, tuer un ennemi peut accroître le nombre de soldats ennemis. Il est aujourd'hui unanimement admis que les actes des États-Unis ont accru l'« offre » d'insurgés. Al-Qaïda, en particulier, n'avait aucune présence significative en Irak avant notre arrivée – le laïc Saddam Hussein n'aurait pas toléré une organisation fondamentaliste aussi marquée. Aujourd'hui, il est clair qu'elle est devenue l'un des grands viviers de l'insurrection. Donc, notre présence en Irak est le carburant de l'insurrection. Les États-Unis ne sont pas perçus comme un libérateur mais comme un occupant. Dans tous les pays, se battre pour sa liberté contre l'occupant est une noble cause.

Il est clair que tout gouvernement d'occupation – ou du moins tout gouvernement que nous approuvons – sera presque certainement perçu comme fantoche et risque fort de ne pas survivre à notre départ. Que cela nous plaise ou non, nous sommes devenus toxiques. Les États-Unis n'ont aucune crédibilité, et aucun gouvernement que nous contribuons à mettre en place n'en aura. Le gouvernement actuel n'a pas non plus assez de crédibilité en Irak pour réunir tous les groupes disparates. L'Irak risque d'allonger la liste des États manqués – ceux où les gouvernements sont incapables d'assurer les bases nécessaires pour que la société fonctionne, dont le maintien de l'ordre. Chaque meurtre absurde relance le cycle des accusations mutuelles et de la vengeance, et avec lui la probabilité d'un déchaînement de la violence et du chaos après notre départ.

Le fait que notre présence, qui aurait dû unir les Irakiens contre nous, n'a pas suffi à rapprocher les diverses factions montre combien les fractures de la société irakienne sont profondes. Mais même si les habitants du pays peuvent unir momentanément leurs forces dans une lutte commune contre les États-Unis, cela ne signifie pas qu'ils agiront de concert après notre départ. Certains analystes suggèrent que, lorsque nous serons partis et que les Irakiens pourront concentrer leur attention sur leur cohabitation, ils trouveront un terrain d'entente. Peut-être – bien qu'il n'y ait guère de données à l'appui d'un tel optimisme –, mais il est possible aussi que les failles qui se sont agrandies pendant nos cinq ans d'occupation soient devenues vraiment profondes, et dans ce cas la réconciliation ne sera pas facile. Le risque est là : plus nous restons, plus les clivages se durcissent et plus la réconciliation nationale sera difficile.

Deuxièmement, une large part de notre réflexion sur l'Irak a été biaisée par l'ancienne pensée de la dissuasion, qui dominait la stratégie militaire pendant la guerre froide. Une Amérique forte avait dissuadé l'URSS d'utiliser ses armes. Une Amérique agressive en Irak allait, selon cette théorie, dissuader l'opposition. Mais, là encore, nous avons mal appliqué le modèle, et, là encore, il est apparu de plus en plus clairement que le modèle lui-même était inadapté.

La théorie de la dissuasion est fondée sur le postulat selon lequel tous les participants se comportent rationnellement. Dans un modèle *rationnel*, un individu prend la décision de rejoindre ou non l'insurrection en examinant les conséquences – quelles seraient ses « perspectives de vie » dans chaque terme de l'alternative. Sa réflexion est influencée par ses idées sur le vainqueur probable et sur ce que pourrait être une « victoire ». En Irak, il n'y a aucune raison de se mettre du côté des forces occupantes et du gouvernement que les États-Unis ont mis en place. Les États-Unis n'ont pas été capables de créer des emplois, de faire fonctionner l'économie, de maintenir l'ordre public. Nous avons noté des erreurs graves comme la dissolution de l'armée et l'exclusion des ex-baassistes des postes clés. Ceux que ces décisions ont privés d'emploi n'avaient aucune incitation à soutenir le gouvernement actuel, et toutes les raisons de soutenir l'autre camp : l'insurrection. Plus il y a d'individus dans l'insurrection, plus ses chances de succès sont élevées, donc plus il y aura d'individus qui continueront à entrer dans ses rangs.

Dans toute guerre, il y a des « dommages collatéraux » – des passants innocents perdent la vie ou leurs biens. Dans cette guerre, où gagner le soutien du peuple irakien était essentiel, l'envergure des dommages collatéraux – et le degré de sensibilité des États-Unis à leur égard – méritait beaucoup d'attention. L'Amérique voit peut-être une personne qui a eu la malchance de se trouver au mauvais endroit au mauvais moment et qui, « malheureusement », meurt ; mais les Irakiens peuvent voir dans ces « accidents » – quand ils se produisent souvent – la preuve d'un mépris délibéré de leur vie et de leurs biens. Il est facile pour l'opposition d'exploiter de telles idées. Elles peuvent aussi faciliter le recrutement des insurgés, ou du moins inciter davantage à les aider[25]. L'armée américaine tient un compte détaillé de ses propres morts et blessés[26], et fait d'énormes efforts pour sauver des soldats américains s'ils sont en danger. Cela tranche avec la façon dont les Irakiens sont parfois traités. Le rejet par l'administration Bush des seules études qui ont recouru aux techniques statistiques pour estimer la surmortalité des Irakiens – et qui l'ont évaluée à plus d'un demi-million de décès « excédentaires »[27] – renforce l'idée d'un « deux poids, deux mesures ».

Ces arguments sont confortés par la faillite des procédures judiciaires. Si les bons sont maltraités (par exemple torturés), il n'y a guère d'incitations à être bon. On risque d'être torturé que l'on soutienne ou non l'insurrection. Ce qui compte peut-être, c'est le différentiel d'exactitude entre les deux systèmes « judiciaires ». S'ils ne punissent, *eux*, que les complices de l'occupation, tandis que nous punissons, *nous*, quantité de gens qui ne sont pas complices de l'insurrection, les individus ont une incitation à se joindre à l'insurrection. Ce qui compte, c'est le rapport entre notre châtiment et le leur. Et surtout l'exactitude avec laquelle la sanction frappe[28].

Il existe peut-être un point de basculement tel que, lorsqu'on franchit ce seuil (mesuré au pourcentage de la population qui fait partie de l'insurrection), l'équilibre vers lequel converge la société *n'est pas* celui où ses diverses composantes coexistent paisiblement dans un seul et même pays[29]. Autrement dit, plus les Irakiens sont nombreux à rejoindre l'insurrection, plus les chances de succès de la vision américaine d'un Irak unifié diminuent. Dans un conflit, personne ne veut être du côté des perdants. Ce qui est vrai pour l'Irak est vrai aussi pour l'Amérique, et les insurgés irakiens le savent. L'incapacité des États-Unis à « pacifier » le pays en cinq ans n'a pas découragé Bush et Cheney : ils croient vraiment, sans nul doute, à leur rhétorique optimiste. Mais, pour la plupart des Américains – et, de plus en plus, pour nombre de leurs soldats –, les chances d'une « victoire américaine » sont faibles. Beaucoup pensent que notre ambition à ce stade devrait être plus modeste : partir dignement. Les questions qui restent sont tactiques : à quel rythme pourrons-nous ramener nos soldats aux États-Unis et quelles sont les implications des divers niveaux de retrait ? Il n'y a plus de questions stratégiques sur les moyens de réussir et de vaincre.

Ces conclusions sur notre aptitude à dissuader les insurgés deviennent encore plus fortes lorsqu'on prend en compte d'autres réactions et comportements « non rationnels ». Du point de vue irakien, le fait que certains soient prêts à se suicider rend les formes habituelles de stratégie de dissuasion moins efficaces, et peut-être contre-productives[30].

Toute société est susceptible de réagir violemment contre des éléments extérieurs qui sont insensibles à ses mœurs et à sa culture. La plupart de nos jeunes soldats, Marines, marins et aviateurs se sont conduits avec beaucoup de sensibilité, témoignant de la sympathie aux peuples irakien et afghan et à leurs terribles épreuves. Les lettres que nous avons reçues montrent à quel point nos militaires veulent améliorer la situation et combien ils travaillent dur pour soulager les souffrances des communautés locales. Les récits qui circulent dans les médias irakiens et par le bouche-à-oreille sont les exceptions : des cas où des soldats américains ont détenu, interrogé, humilié et même torturé des Irakiens innocents. Mais ce sont ces récits-là qui ont modelé l'opinion publique irakienne. Naturellement, les Irakiens sont ulcérés, et nos ennemis, comme Al-Qaïda, exploitent habilement leur indignation.

L'asymétrie, ici, est que l'injuste condamnation d'un innocent fait un martyr, ce qui n'est pas compensé par la juste condamnation du coupable (ni même par la juste libération de l'innocent). C'est pourquoi nous devons être attentifs aux procédures associées à l'arrestation et à la détention de ceux que l'on accuse de méfaits. La politique américaine a ostensiblement échoué sur ce point. Nous détenons actuellement 26 000 « insurgés » ou prétendus tels sous garde américaine et 37 000 autres sous garde irakienne[31]. Mais la façon dont nous définissons les insurgés n'est pas claire. Beaucoup de ces détenus n'avaient peut-être aucune opinion sur les États-Unis avant leur arrestation ; la prison peut faire d'eux des insurgés actifs quand on les libérera.

En outre, nous avons beaucoup nui à nos intérêts en demandant aux Irakiens de partager notre antipathie pour les « insurgés ». Par exemple, des médecins irakiens ont dit que, pendant la bataille de Falloujah, les États-Unis ont tiré sur les secouristes, les civières, les ambulances et les hôpitaux – apparemment parce qu'ils traitaient des blessés qui comprenaient un certain nombre d'insurgés. Le Dr Salem Ismaël, chirurgien qui a travaillé à Falloujah peu après les premiers sièges américains de la ville, explique son intense frustration dans un récent documentaire britannique : « Comment savoir qui est un insurgé et qui ne l'est pas ? Croyez-vous que nous aurions dû arrêter un blessé à la jambe déchiquetée pour lui demander s'il était membre d'une faction de l'insurrection ? Et même s'il l'était ? Quand j'ai prêté le serment d'Hippocrate, j'ai juré de soigner tout le monde, Américain ou Irakien, insurgé ou pas[32]. »

On a de plus en plus le sentiment que la situation en est venue au point où nous ne pouvons pas la redresser, du moins sans y consacrer des moyens et des effectifs très supérieurs à ceux que les États-Unis acceptent d'engager. Le point de basculement a été atteint. Rester deux ans de plus ne fera qu'ajouter 1 000 autres Américains, ou davantage, aux 4 000 qui sont déjà morts en vain, et 10 000 autres, ou davantage, aux 60 000 qui ont déjà été blessés. Quand le problème est bien posé – non pas : devons-nous partir ? mais : quand devons-nous partir ? –, quitter l'Irak devient plus simple. La situation est très sombre. Partir le plus tôt possible est le seul moyen d'empêcher qu'elle ne le devienne encore plus.

Au moment où nous achevons ce livre, il y a aux États-Unis comme une vague de soulagement : la « montée en puissance » semble avoir réussi à réduire la violence, notamment à Bagdad ; avec ce moindre niveau de violence et la montée des problèmes économiques en Amérique, la guerre d'Irak n'est plus, pour beaucoup d'électeurs, la préoccupation numéro un. Mais, nous l'avons dit, la violence n'a pas vraiment cessé. Chaque semaine, des dépêches signalent des attentats qui ont fait vingt-cinq morts ou davantage. S'ils avaient lieu dans n'importe quel autre pays, ils feraient la une des journaux. En Irak, l'habitude nous a tant insensibilisés à la violence de masse que, lorsqu'elle décline légèrement, elle paraît acceptable. Et la réduction des violences aujourd'hui ne nous dit pas ce qui se passera après notre départ, qu'il ait lieu dans six mois ou dans six ans. L'armée aimerait s'attribuer le mérite de cette baisse – en l'expliquant par la « montée en puissance ». Si c'est bien la cause principale, c'est inquiétant : faut-il en conclure qu'il nous faudra maintenir les effectifs des troupes à ce niveau pour que ce calme relatif puisse durer ? De nombreux autres facteurs jouent aussi (par exemple la disposition de l'Iran à apporter son soutien), dont beaucoup ne dépendent pas de nous. Bref, nous ne sommes pas convaincus que la réduction constatée des violences remette fondamentalement en cause l'analyse de ce chapitre. La question cruciale reste : y aura-t-il une nette amélioration dans ce qui se passera *au lendemain de notre départ* dans deux ans, ou dans six, une amélioration suffisante pour justifier les morts et les blessés que nous aurons d'ici là ?

8

Tirer les leçons : réformes pour l'avenir

L'échec en Irak, comme l'échec antérieur au Vietnam, aura un effet modérateur. Il est à peu près certain que les États-Unis seront bien plus réticents à se laisser entraîner dans une nouvelle aventure de ce genre ; ils feront preuve, ou devraient faire preuve, de plus de retenue face à la perspective d'une autre guerre risquant de tourner au bourbier. Mais, malgré toutes les précautions et mises en garde, les États-Unis se retrouveront en guerre un jour, et il nous faut donc commencer à réfléchir *dès maintenant* aux moyens d'éviter les problèmes qui nous ont accablés dans le conflit actuel. Nous pouvons, nous devons introduire des réformes qui nous seront utiles plus tard. Nous pouvons déjà repérer certaines mesures dont la mise en œuvre nous éviterait de futures erreurs. Certaines améliore-raient le processus d'information et de prise de décisions – y compris budgétaires. D'autres concernent l'attention aux sol-dats revenus de guerre. L'impréparation, la négligence dont nos anciens combattants ont fait les frais sont une lourde erreur, mais, heureusement, l'une des plus simples à corriger.

L'une des leçons fondamentales de cette guerre est l'échec d'institutions comme le Congrès et l'ONU à servir efficace-ment de « freins et contrepoids ». Les pères fondateurs de la

Constitution américaine étaient tout à fait conscients des risques d'abus de pouvoir de l'exécutif, et ils ont conçu un système de gouvernement fondé sur l'équilibre des pouvoirs. Ces freins et contrepoids ont un coût : ils ralentissent souvent le rythme de mise en œuvre des changements nécessaires. Mais leur avantage – réduire le risque d'abus, ou même d'erreurs coûteuses – le compense largement.

À l'époque où a été rédigée la Constitution américaine, il n'était guère besoin de fixer des bornes aux pouvoirs du président dans la conduite de la politique étrangère. Les États-Unis étaient un pays neuf et plutôt faible. Les grandes puissances de l'époque étaient la France et l'Angleterre. Nos pères fondateurs ont donné au Congrès le contrôle des cordons de la bourse : en théorie, cela devait suffire pour tenir en respect le pouvoir du président et empêcher les abus. Dans la marche à la guerre d'Irak, nous avons découvert que les freins existants étaient inefficaces. Le parti du président avait la majorité au Congrès, et il contrôlait les sources d'information. Il est prouvé que les membres de l'administration ont manipulé l'information pour exagérer la menace que faisait peser Saddam Hussein. Le président a affirmé l'existence d'un grave danger contre la sécurité des États-Unis. Le Congrès l'a cru sur parole et a voté la guerre [1].

Notre système intérieur de freins et contrepoids n'a pas fonctionné, et à l'étranger nul n'a pu ou n'a voulu nous arrêter, nous détourner de cette folle décision initiale d'envahir l'Irak [2]. Il n'existe aujourd'hui aucune institution internationale capable de faire barrage à une grande puissance déterminée à faire la guerre, même une guerre manifestement contraire au droit international. L'Organisation des Nations unies a été créée après la Seconde Guerre mondiale pour empêcher l'agression armée, mais en l'occurrence elle n'y est pas parvenue. Selon la Charte de l'ONU, les États ne sont en droit de prendre les armes que pour l'autodéfense ou si le Conseil de sécurité autorise l'usage de la force. Mais nous avons ignoré les Nations unies et la large majorité qui existait au Conseil de sécurité. Nul n'a prétendu que la guerre d'Irak était une guerre d'autodéfense, et elle n'a pas été autorisée par le Conseil de sécurité. Les États-Unis n'ont pas cherché non plus à la justifier par la logique de l'« intervention humanitaire », l'usage de la force pour empêcher des violations massives de droits humains fondamentaux. L'invasion américaine a été un acte d'agression et elle a violé le droit international.

Ignorer l'ONU était une décision à courte vue. Le jour viendra peut-être où d'autres pays voudront déclencher une guerre, et où nous aurons besoin des Nations unies pour les arrêter. S'il est important que le droit international soit respecté, c'est pour cela – pour qu'il soit en mesure de freiner les ambitions de n'importe quel pays. Les États-Unis ont autant intérêt que les autres au respect du droit international.

Des freins internationaux à la puissance du président des États-Unis seraient aussi souhaitables pour d'autres raisons. Ces dernières années, les économistes ont attiré l'attention sur un phénomène qu'ils ont baptisé le *problème de l'agent* : souvent, les intérêts de celui qui reçoit délégation de prendre une décision au nom d'autres acteurs (l'agent) ne coïncident pas très bien avec les intérêts de ceux pour lesquels il est censé travailler, ou de ceux qui vont avoir à supporter les coûts des décisions. Dans le cas de la guerre d'Irak, ce sont les jeunes qu'on envoie se battre qui portent le plus lourd fardeau. Comme nous l'avons vu au dernier chapitre, cette discordance entre les intérêts nationaux et ceux du président s'étend à la quasi-totalité des grandes décisions stratégiques, dont celle de déterminer si nous partons et quand. Si les forces américaines se retirent et que l'Irak implose, le président Bush en sera tenu pour responsable. Mais si nous restons, il gardera une chance d'être plus aimablement jugé par l'histoire : les événements peuvent prendre un tour plus favorable, ou le blâme viser aussi une administration future. L'ampleur des abus augmente quand l'information est imparfaite – c'est l'une des raisons pour lesquelles les gouvernements aiment souvent le secret, et aussi pour lesquelles toutes les démocraties modernes ont entrepris de circonscrire le secret en promulguant des lois sur le libre accès à l'information[3].

Le premier ensemble de réformes que nous proposons entend garantir aux citoyens et à leurs représentants une meilleure information quand il est question d'entrer en guerre – dont des estimations chiffrées des coûts humains et financiers de l'aventure. Dans le cas de la guerre d'Irak, nous estimons que les fausses informations, non seulement sur la prétendue menace représentée par le régime de Saddam Hussein mais aussi sur le coût réaliste d'une intervention militaire, ont joué un rôle crucial pour amener le Congrès à soutenir l'invasion.

Le second ensemble de réformes se concentre sur un autre objectif : traiter convenablement nos soldats et nos anciens combattants. En janvier 2005, le sous-secrétaire à la Défense chargé du personnel et de l'état de préparation, le Dr David Chu, a scandalisé la communauté des anciens combattants en déclarant au *Wall Street Journal* que les sommes actuellement dépensées pour les pensions des anciens combattants, leur assurance maladie et les prestations versées à leurs veuves « en sont arrivées au point où elles deviennent nuisibles. Elles ôtent des moyens financiers à la capacité de défense du pays[4] ». Mais ses propos reflètent exactement la façon dont l'administration Bush a conçu le financement de la guerre. Elle n'a pas hésité à demander des crédits toujours plus élevés pour payer les soldats quand ils se battent, et n'a pas bronché non plus devant les exigences astronomiques de contractants privés comme Halliburton et Blackwater Security. Nous nous sommes comportés comme s'il y avait un conflit d'intérêts direct entre financer la guerre et prendre soin des anciens combattants après leur retour. Cette attitude a provoqué, nous l'avons montré au chapitre 3, une pénuries de crédits à la Veterans Health Administration, un retard de 400 000 dossiers de demandes de pensions d'invalidité à la Veterans Benefits Administration, et l'obligation, pour des centaines de milliers d'anciens combattants rentrés, de faire face à d'inutiles entraves et paperasses bureaucratiques.

Nous proposons plusieurs réformes pour garantir que nous serons mieux informés si les États-Unis envisagent d'entrer en guerre, ou s'ils se trouvent à nouveau engagés dans un conflit de longue durée.

Réforme 1. *On ne doit pas financer une guerre par des crédits complémentaires « d'urgence ».*

Les guerres éclatent parfois sans que l'on s'y attende. Il est compréhensible qu'une partie au moins des dépenses initiales n'ait pas été prévue. Mais il n'y a aucune raison de financer une guerre par des crédits « d'urgence » pendant deux ans – et encore moins cinq ans. Les fonds d'urgence, nous l'avons dit, ne sont pas plafonnés comme les crédits inscrits au budget ordinaire, et surtout ils n'exigent pas des justifications budgé-taires aussi rigoureuses que les crédits normaux et ne sont pas soumis à un examen aussi strict. Avec les crédits complémen-taires d'urgence, les analystes du Congrès et du Congressional Budget Office n'ont pas assez d'informations ni de temps pour évaluer la requête. Par conséquent, le système normal de freins et contrepoids conçu pour garantir la responsabilité financière de l'exécutif est contourné. Nous recommandons au Congrès de voter une loi qui limite l'usage des crédits d'urgence à la première année d'un conflit [5].

Réforme 2. *Le vote de crédits de guerre doit s'accompa-gner d'un réexamen de la stratégie.*

Si l'exécutif sollicite des crédits d'urgence plus de deux fois, ou plus d'un an après le début d'un conflit, le Congrès doit en conclure que la guerre pose plus de problèmes que prévu. Les parlementaires doivent alors demander à l'exécutif d'expliquer pourquoi le conflit tourne mal, de préciser les changements qu'il va introduire dans sa stratégie et d'évaluer leurs conséquences budgétaires.

Réforme 3. *L'exécutif doit créer un ensemble exhaustif de comptes militaires, où figureront les dépenses du département de la Défense, du département d'État, du département des Anciens combattants et du département du Travail, ainsi que les prestations de la Social Security et les frais médicaux liés au service aux armées.*

Cet ensemble de comptes budgétaires doit être transparent et présenté sous deux formes : en comptabilité de caisse et en comptabilité d'exercice – cette dernière à un horizon de quarante ans et non de dix. Une guerre continue à se payer longtemps après la fin des combats, mais ces coûts sont escamotés par la comptabilité « de caisse » que pratique l'État, et ils peuvent rester longtemps cachés. Il existe (outre ce type de comptabilité) toute une série d'astuces budgétaires qui permettent à l'exécutif de noyer dans le brouillard les coûts réels – ce qui peut être particulièrement tentant pour lui si la guerre est impopulaire.

Dans toute guerre, l'administration doit être tenue de présenter un ensemble de comptes budgétaires qui donne le détail des dépenses courantes mais indique aussi le coût de remplacement des matériels et fournitures utilisés dans l'effort de guerre, et les soins médicaux à long terme et pensions d'invalidité à fournir obligatoirement aux soldats. Les comptes budgétaires doivent aussi faire des provisions pour les coûts à long terme de tout changement structurel du budget du département de la Défense, comme la revalorisation de la solde de combat et des accessoires qui l'accompagnent. Tout impact probable sur d'autres grandes composantes de l'État comme le département d'État, celui de l'Énergie et celui de la Santé et des Services humanitaires, ou de grandes administrations comme la Social Security, doit aussi être signalé.

Réforme 4. *Le département de la Défense doit être tenu de présenter au Congrès des comptes clairs et vérifiables, dont le secrétaire à la Défense et son directeur financier assumeront personnellement la responsabilité.*

Aussi incroyable que cela puisse paraître, l'information de base sur les frais – les dépenses réellement effectuées – n'est pas accessible. Le président Bush n'a pas présenté, à intervalles réguliers, les comptes de ce que nous coûte la guerre d'Irak. Ce n'est que par un travail assidu que nous sommes parvenus, avec d'autres, à réunir les éléments de cette comptabilité. Le département de la Défense classe plus de 25 milliards de dollars de son budget annuel « Opérations et maintenance » sous la rubrique « Autres services et contrats divers », catégorie fourre-tout critiquée par le Congressional Research Service qui la juge « trop vague pour être utile ». Les systèmes comptables du Pentagone sont si lamentables pour suivre la trace de l'argent public que le département de la Défense « loupe » chaque année son examen – l'audit financier – depuis dix ans. Toutes les instances responsables qui se sont penchées sur les coûts de la guerre – dont le CBO, le CRS, le Government Accountability Office, l'Iraq Study Group et les propres auditeurs et inspecteurs généraux du département de la Défense – ont découvert de nombreuses contradictions dans les chiffres du Pentagone.

Le département de la Défense est tenu, en vertu du Chief Financial Officers Act et du Financial Management Integrity Act, de présenter des comptes qui répondent à certaines normes minimales de transparence et de vérifiabilité[6]. Depuis le vote de ces réformes, la quasi-totalité des autres ministères du cabinet du président (hormis le département de la Sécurité intérieure, qui a été créé par fusion de vingt-deux administrations et n'a pas encore unifié toutes leurs comptabilités) sont parvenus à présenter des comptes « propres », qui ont été approuvés par des auditeurs extérieurs. Tous ont dû beaucoup travailler, et durement, pour y parvenir. Malgré les tentatives sérieuses de certains fonctionnaires de carrière du département de la Défense, ses hauts dirigeants n'ont pas fait (ni demandé de crédits pour faire) le type d'effort intense et soutenu qui aurait abouti à une « certification sans réserve » – à des comptes reflétant avec exactitude les dépenses du Pentagone.

Il est paradoxal que le Congrès tolère de bon gré ces normes laxistes et cette vérifiabilité limitée. Il y a quatre ans seulement, il a voté (presque à l'unanimité) la loi Sarbanes-Oxley, qui impose aux P-DG d'assumer personnellement la responsabilité des comptes de leur entreprise, et prévoit à leur encontre des sanctions pénales en cas d'infractions. Cette loi exige aussi une forte transparence des comptes et offre une protection aux salariés qui révéleraient des irrégularités. La loi Sarbanes-Oxley a été votée en 2002 en réaction aux scandales comptables du secteur privé à la fin des années 1990, chez Enron, à WorldCom ou à Tyco, dont les hauts responsables se trouvent aujourd'hui derrière les barreaux. Si le département de la Défense était tenu de respecter le même type de normes de vérifiabilité, le secrétaire à la Défense Donald Rumsfeld et son ex-adjoint Paul Wolfowitz pourraient être tenus personnellement responsables des cas d'enrichissement et de défaillance financière qui se sont produits au Pentagone dans la période où ils l'ont dirigé.

Instaurer la responsabilité personnelle du secrétaire à la Défense et du directeur financier stimulerait probablement les changements nécessaires[7]. Nous recommandons au Congrès de commencer par exiger le respect des règles existantes : tous les grands ministères doivent présenter des comptes qui indiquent leurs avoirs, leurs dettes, leurs stocks, leurs systèmes de programmes et leurs contrats[8]. Si cela ne donne rien, le Congrès devrait voter une mini-loi Sarbanes-Oxley pour l'État, qui rendrait les membres du cabinet responsables des finances de leur ministère[9].

Réforme 5. *L'exécutif et le CBO doivent publier des estimations régulières des coûts micro- et macroéconomiques de tout engagement militaire.*

Puisque le coût budgétaire d'une guerre est très différent de son coût économique total, ce dernier doit faire l'objet d'une comptabilité exhaustive. Les efforts pour contenir à bas niveau les coûts budgétaires de cette guerre ont augmenté ses coûts sur d'autres plans. Des milliers d'économistes travaillent pour l'État fédéral – à l'Office of Management and Budget, au CBO, au GAO, au Joint Economic Committee de la Chambre des représentants, et à des postes répartis dans toute la structure de l'État. En dépit de cette capacité d'analyse, les pouvoirs publics n'ont fait que peu d'efforts pour comprendre pleinement les coûts économiques de la guerre – et seulement après y avoir été incités de l'extérieur. Cela doit devenir pour eux une activité de routine. Le CBO doit être chargé de préparer un rapport qui étudie les grandes catégories de ces coûts économiques selon les axes tracés dans ce livre, avec assez de transparence pour que des observateurs extérieurs puissent valider ses conclusions. Les coûts futurs à repérer sont les futures prestations santé et invalidité pendant toute la vie des blessés, le remplacement de l'équipement détruit et déprécié, et le rééquipement des forces armées pour leur rendre leurs capacités d'avant la guerre.

Réforme 6. *L'exécutif doit avoir obligation de notifier au Congrès tout changement de procédure qui risque d'avoir un impact sur les mécanismes administratifs normaux de contrôle et d'équilibre relatifs aux flux d'information. Le Freedom of*

Information Act (qui pose les principes fondamentaux du droit des citoyens à savoir ce que fait leur gouvernement) doit être renforcé, en donnant une définition plus restrictive des cas faisant exception à ce texte et en instaurant une surveillance du Congrès sur ces exceptions.

Pendant le conflit irakien, l'information sur l'effort de guerre a été cachée, travestie, retardée. Y compris sur des chiffres fondamentaux, comme le nombre de militaires blessés, leur délai d'attente pour voir un médecin dans le réseau du VA, ou le nombre de suicides et de désertions parmi les soldats déployés dans cette guerre. Les organisations d'anciens combattants ont été contraintes de faire jouer le Freedom of Information Act pour obtenir tous ces renseignements. Nous demandons au Congrès d'exiger que les chiffres de ce genre soient rendus publics [10].

Plusieurs autres aspects du conflit ont été inhabituels, car ils ont évité aux Américains de ressentir pleinement la douleur de la guerre. Deux d'entre eux nécessitent un examen attentif.

Réforme 7. *Globalement, le Congrès doit réexaminer le recours massif aux contractants en temps de guerre. En particulier, l'usage de contractants pour des « services de sécurité » doit être limité, en nombre comme en durée, et s'accompagner d'un justificatif détaillé qui explique pourquoi l'armée n'est pas en mesure d'assurer ces services elle-même. Il faut être particulièrement attentif aux coûts cachés payés par le public comme ceux qu'a débusqués ce livre, par exemple l'indemnisation de l'invalidité et du décès au moyen d'une assurance financée par l'État.*

La guerre d'Irak est en train de nous ouvrir les yeux sur le rôle des contractants. En Irak et en Afghanistan, nous les utilisons pour de nombreuses missions autrefois effectuées par l'armée ou par des agents civils de l'État. Nous n'avons pas seulement recours à eux pour des tâches de soutien, mais aussi à des postes stratégiques cruciaux : ils mènent des interrogatoires dans les prisons, font du déminage, obtiennent des renseignements top secret pour la CIA, assurent la garde rapprochée de hauts responsables américains. Ils ont décroché des contrats lucratifs pour reconstruire les infrastructures et nourrir les troupes américaines. Ce travail a été souvent mal fait et insuffisamment contrôlé. Les contractants privés n'en sont pas moins devenus indispensables au déroulement de la guerre.

Cet appui sur le secteur privé a des vices sérieux, fondamentaux. D'abord, les incitations des contractants ne sont pas celles des fonctionnaires. Qu'il s'agisse d'une firme géante comme Bechtel ou General Electric ou d'un garde de sécurité qui peut gagner en Irak 16 000 dollars par mois, les contractants sont motivés par le profit. Il n'est pas réaliste de leur prêter le même souci de l'intérêt public qu'à des fonctionnaires ou à des soldats. Le système actuel compte sur des agents de l'État pour gérer les contractants et leur demander des comptes. Mais – comme l'Irak l'a douloureusement montré – peu d'agents de l'État, même dans l'armée, ont la formation ou les compétences requises pour s'acquitter efficacement de cette tâche ; et d'ailleurs nous n'avons pas recruté assez de fonctionnaires pour contrôler correctement les contractants.

Deuxièmement, il est clair que le contribuable n'en a pas pour son argent. On connaît l'une des grandes raisons de l'externalisation : selon une idée largement partagée, le secteur privé passe pour plus efficace. Mais en Irak les crédits de la reconstruction sont allés en grande partie à des contractants américains très onéreux, et non pas à la main-d'œuvre locale peu coûteuse. Le GAO et les autres instances de contrôle de

235

l'État ont maintes fois révélé des cas de surfacturation, de paiement excessif et d'enrichissement personnel direct pendant la guerre d'Irak. Cela a alourdi les coûts de fonctionnement. Et un gros pourcentage des contrats militaires de cette guerre ont été attribués sans appels d'offres pleinement concurrentiels. Les contractants géants ont appris à tourner brillamment le système. Une fois que les entreprises ont remporté de gros contrats – souvent en sous-évaluant les coûts au départ –, l'État devient si dépendant de leurs services qu'il lui est presque impossible de se débarrasser d'elles.

Troisièmement, les risques de perte de contrôle pourraient peser plus lourd que les considérations budgétaires – par exemple pour les interrogatoires de prisonniers détenus par l'armée. Mais la tendance à l'externalisation est allée si loin que, couramment, le Pentagone confie même à des contractants l'audit des autres contractants. En Irak, l'opacité du statut juridique des contractants aggrave le problème. Selon les critères des conventions de Genève, ils sont des non-combattants ; mais beaucoup de ceux qui travaillent en Irak portent des armes et appartiennent à des forces de sécurité paramilitaires, ou sont chargés de l'entraînement des forces de sécurité militaires. Néanmoins, ils ne sont pas toujours soumis à la même discipline et à la même obligation de rendre compte de leurs actes que les soldats américains.

Notre large dépendance à l'égard des contractants s'accroît et va probablement s'accélérer. Au département de la Défense, 50 % des personnels civils qui travaillent pour l'armée feront bientôt valoir leurs droits à la retraite. Beaucoup de ces retraités, qui ont dans les cinquante-cinq ans, vont emprunter le « tourniquet » et travailler pour des contractants, après la période d'une année où il leur est interdit d'occuper dans le secteur privé un emploi lié aux marchés publics.

Surtout, en dépendant des contractants, l'Amérique a moins ressenti le coût humain de la guerre. Notre armée d'engagés volontaires, la garde nationale et les réservistes se battent héroïquement, mais jamais on n'a vu le coût d'un conflit peser sur un si faible pourcentage de la population américaine[11]. Au lieu d'en partager plus largement le poids entre Américains, nous avons embauché, passé contrat, et obligé les membres des forces armées, de la garde nationale et des réserves à travailler plus longtemps. Ce n'est pas seulement injuste ; à long terme, cela pourrait nous coûter cher, car dans ces conditions il est moins intéressant de s'engager. Le Congrès doit entreprendre un vaste réexamen de toute la philosophie et de toutes les conséquences de cette privatisation du militaire.

Réforme 8. *Il ne faut permettre aux autorités militaires de mobiliser les gardes nationaux ou les réservistes pendant plus d'un an que si elles peuvent démontrer l'impossibilité d'accroître les effectifs des forces armées dans les proportions requises.*

Nous sommes censés faire appel aux réservistes et à la garde nationale en cas de soudaine catastrophe. Au bout de cinq ans de guerre, il ne serait pas crédible de prétendre que l'Irak constitue encore une soudaine catastrophe. Nous avons déjà mesuré les conséquences d'une situation où notre force de réaction rapide, la garde nationale, se trouve outre-mer au lieu d'être en position d'agir vite dans notre pays. Limiter le déploiement de ces forces à une seule année obligera le Pentagone à trouver d'autres solutions. Gardes nationaux et réservistes feront une période de plus de douze mois dans le seul cas où les autorités militaires prouveront de façon convaincante qu'elles n'ont aucun autre moyen de réunir les effectifs nécessaires

Au cas où des gardes nationaux ou des réservistes feraient en réalité plusieurs périodes, les autorités militaires seront tenues de doubler leur solde pour la seconde et de la tripler pour la troisième. Toute personne ayant dû prolonger contre

son gré son service au-delà de la durée prévue au contrat initial devra recevoir une double solde.

Ces dispositions inciteront les autorités militaires à s'abstenir d'imposer aux gardes nationaux ou aux réservistes plusieurs périodes de service aux armées, ou de forcer des soldats qui se sont engagés pour quatre ans à en faire cinq ou six ; et ce sera également une façon d'indemniser de l'énorme préjudice qui leur est fait les mobilisés dont le temps de service a été prolongé.

Enfin le Pentagone devra démontrer sérieusement qu'il fait vraiment d'importantes économies et améliore l'efficacité des forces armées en imposant un si lourd fardeau à si peu d'individus au lieu de le partager plus largement.

Il est certes possible que les recruteurs ne parviennent pas à lever les effectifs supplémentaires dont a besoin cette armée intégralement composée de volontaires, du moins sans hausse de la rémunération et assouplissement des normes d'admission. Mais cette situation même constitue un important message adressé aux décideurs politiques. Les Américains sont patriotes. Pour la Seconde Guerre mondiale, ils se sont engagés en masse parce qu'ils pensaient que c'était une guerre juste. Si les jeunes Américains et Américaines disent qu'ils ne souhaitent pas se battre dans un conflit où les autorités politiques de Washington ont engagé le pays, ces autorités feraient bien d'entendre leur message.

Réforme 9. *Ce doit être un principe admis que tout conflit qui dure plus d'un an doit être financé par les contribuables de la période où il a lieu, au moyen d'une surfiscalité de guerre.*

La guerre est devenue trop facile pour l'Amérique [12]. On n'a pas demandé à l'Américain moyen de risquer sa vie ni celle de ses enfants en Irak. On ne lui a pas demandé non plus de payer davantage d'impôts. La guerre a été financée par l'emprunt. La conjonction d'une armée de volontaires et d'un conflit payé par endettement a initialement permis à la plupart des Américains de soutenir la guerre sans avoir à se demander si, pour la faire, ils étaient prêts à mourir ou à voir mourir leurs enfants en Irak, ou à réduire de 25 000 dollars leur épargne familiale (et celle de leurs enfants)[13]. Les incitations de l'Américain moyen à serrer les freins et faire contrepoids aux abus du pouvoir présidentiel ont été court-circuitées. Nous estimons qu'au strict minimum le coût financier d'une guerre doit être supporté par les citoyens qui la vivent, et non simplement transféré à la génération suivante[14]. Cela veut dire que les dépenses courantes doivent être couvertes par des revenus immédiats ; il faut une contribution fiscale de guerre pour les financer. Cet impôt paierait à la fois les opérations en cours et les suppléments de cotisation au Fonds spécial des prestations des anciens combattants que nous proposons plus bas[15].

Puisque les États-Unis sont devenus l'unique superpuissance, avec une supériorité militaire encore plus grande que leur supériorité économique (ils effectuent 47 % du total mondial des dépenses d'armement), il n'y a aucun frein de dernier ressort contre l'abus de leur puissance armée – sinon l'engagement actif de leurs citoyens. Que la mort et la destruction proviennent de bombes jetées de 15 000 mètres d'altitude sur des gens qu'on ne voit pas, qu'on n'entend pas et que l'on passera par pertes et profits sous la rubrique « dommages collatéraux » ne doit pas être une raison de banaliser l'acte de tuer.

Les neuf réformes que nous venons d'exposer visent à nous donner plus de chances de trancher intelligemment la question d'une entrée en guerre – il faut être bien informé pour prendre les bonnes décisions, et il est important que la population connaisse et regarde en face le coût de la guerre. Il est à peu près certain que les États-Unis referont la guerre. Les Américains seront peut-être en désaccord sur le bien-fondé de la décision, ou sur le choix du moment. Mais il y a un point sur lequel ils sont pratiquement tous du même avis : nous devons traiter convenablement ceux qui se battent pour leur pays – mieux qu'ils n'ont été traités par l'administration Bush. Les neuf réformes suivantes se proposent de le garantir.

Réforme 10. *Transférer des soldats à l'État la charge de la preuve – la présomption – du droit aux prestations santé et invalidité.*

Si un ancien combattant demande une pension d'invalidité liée à la guerre, il doit être *présumé* en droit de la demander. Ce doit être au VA de faire la preuve que l'ancien combattant n'y a pas droit. Nous devons appliquer aux demandes de pension d'invalidité des anciens combattants la même logique qu'aux impôts : le fisc accepte automatiquement la quasi-totalité des déclarations, puis procède à des vérifications sur un sous-ensemble afin de détecter et de dissuader la fraude. Pour les anciens combattants, nous devons exiger que tout homme ou toute femme des forces armées qui revient aux États-Unis fasse l'objet d'un examen médical complet à sa démobilisation, en particulier pour repérer une éventuelle lésion cérébrale traumatique et un état de stress post-traumatique. Toute invalidité manifeste à ce moment-là doit automatiquement qualifier l'ancien combattant comme ayant droit. Le VA est alors en mesure d'accepter immédiatement sa demande. Plusieurs études des inspecteurs généraux du VA et du département de la Défense sur les demandes des anciens combattants n'ont découvert pratiquement aucune fraude. Néanmoins, le VA pourra plus tard vérifier un échantillon de dossiers, et ajuster les versements si nécessaire[16].

Le système actuel induit un combat inégal entre l'État et l'ancien combattant : la vérité présumée (et les ressources) sont du côté de l'État. Dans le conflit en cours comme pour

240

la guerre du Golfe de 1991, le VA a fini par accepter (au moins en partie) 88 à 90 % des demandes, avec paiement rétroactif. Il est beaucoup plus judicieux d'accepter immédiatement la demande, au lieu d'imposer à des anciens combattants invalides six mois à deux ans d'attente avant d'y faire droit.

Réforme 11. *Les soins aux anciens combattants doivent être considérés comme un droit et non comme une dépense discrétionnaire.*

Les dépenses de la Veterans Health Administration ne devraient pas relever du budget discrétionnaire, qui dépend des affectations annuelles de crédits (celles de la Social Security et de Medicare n'en relèvent pas). Si la Veterans Health Administration ne peut pas dispenser dans ses établissements les soins médicaux auxquels ont droit les anciens combattants, ceux-ci doivent avoir accès à Medicare, aux frais du budget (non discrétionnaire) du VA. Cela risque de coûter plus cher (en particulier s'il s'agit de rééducation, spécialité du VA), mais ce surcoût incitera à développer les établissements hospitaliers du VA.

Réforme 12. *Il faut créer et « verrouiller » un fonds spécialement affecté aux prestations des anciens combattants, afin que leurs droits aux soins et aux pensions d'invalidité soient intégralement financés quand il faut les satisfaire.*

Quand des droits ne sont pas financés, des pressions s'exercent toujours pour les réduire. Donc, lorsque de nouvelles recrues entrent dans les forces armées, l'argent nécessaire pour financer leurs futurs soins et pensions d'invalidité doit être mis de côté (« sous clé dans le coffre-fort ») dans un nouveau « Fonds spécial des prestations des anciens combattants ». Nous exigeons cela des employeurs privés ; nous devons l'exiger aussi des forces armées. Lorsque nous entrons en guerre, il nous faut évidemment mettre de côté des montants bien plus importants pour couvrir les futurs coûts de santé et d'invalidité, puisque leur hausse substantielle est inévitable pendant et après n'importe quel conflit.

Réforme 13. *Les gardes nationaux et les réservistes qui combattent à l'étranger doivent pouvoir bénéficier du programme « Paiement de la pension à la démobilisation » et de tous les autres programmes sociaux des forces armées.*

Les preuves s'accumulent : les anciens combattants de la garde nationale et des réserves se voient plus souvent refuser la pension d'invalidité que ceux de l'armée d'active, alors qu'ils sont moins nombreux à la demander (voir chapitre 4). Peut-être est-ce parce qu'ils sont exclus du programme « Paiement de la pension à la démobilisation » : le département de la Défense devrait les autoriser immédiatement à en bénéficier. De plus, les gardes nationaux et les réservistes qui ont servi à l'étranger doivent avoir droit aux mêmes avantages sociaux que les militaires, par exemple les prêts immobiliers ou les prêts études à taux faible.

Réforme 14. *Il faut créer un nouveau poste, celui de « défenseur », pour représenter les intérêts des anciens combattants.*

La chaîne de commandement militaire exige à juste titre que les soldats exécutent les ordres de leurs supérieurs. En temps de guerre, en particulier, l'habituel marchandage qui caractérise les relations ordinaires entre employeurs et employés est exclu. Mais, dans ces conditions, on risque de négliger totalement les intérêts des hommes ou femmes du rang. Ceux-ci devraient avoir un porte-parole, tant pendant qu'après leur service aux armées.

Ce poste serait une bouée de sauvetage pour des jeunes gens qui se trouvent actuellement à la merci de politiques et de décisions erronées que maintient obstinément l'énorme et impersonnel establishment militaire. Exemple parmi d'autres : l'armée demandait aux anciens combattants blessés dans les hostilités de rembourser une partie de leur prime d'engagement quand ils n'effectuaient pas leur temps de service jusqu'au bout – à cause de leurs blessures. Cette mesure légale mais moralement odieuse a été découverte par la commission Dole-Shalala et sera annulée par une loi que le Sénat vient de voter. Mais il existe des centaines de dispositions réglementaires obscures qui peuvent avoir des conséquences néfastes. Les simples soldats des forces armées ont besoin d'un porte-parole.

Réforme 15. *Simplifier la procédure de demande de pension d'invalidité, notamment en cas d'ESPT.*

La procédure actuelle de demande de pension d'invalidité est dépassée, paperassière et inutilement compliquée. Tous les comités, commissions et organisations qui ont étudié la question sont parvenus à la même conclusion. En 2007, le National Institute of Medicine a publié une critique exhaustive du système actuel, qui fait plus de 300 pages et préconise de le révolutionner et de le moderniser radicalement [17]. La commission Dole-Shalala a aussi recommandé une restructuration majeure du processus de demande des pensions. Les organisations d'anciens combattants ont quelques désaccords entre elles sur les caractéristiques précises que devrait avoir le nouveau système, mais sont quasi unanimes à penser que l'ancien est devenu ingérable. Cette situation va s'aggraver dans les prochaines années avec la multiplication des nouveaux dossiers complexes et le départ en retraite de beaucoup des agents d'indemnisation les plus expérimentés du VA.

Nous préconisons de réviser profondément le formulaire lui-même, l'échelle d'évaluation et le mode de calcul des taux d'invalidité, et de moderniser la terminologie médicale et l'intitulé des états de santé évalués. Il faut réduire l'actuel formulaire de 26 pages, qui demande des preuves détaillées pour chaque état invalidant, à un document d'une seule page, sur le modèle de la « déclaration d'impôts simplifiée ». De plus, nous incitons vivement le VA à réfléchir à une simplification radicale de ses catégories, qui retiendrait cinq niveaux : invalidité nulle, légère, modérée, grave et très grave. Cela remplacerait les dix échelons successifs de l'échelle des taux en vigueur, qui est extrêmement subjective et appliquée de façon incohérente d'un bureau régional à l'autre. Nous recommandons, pour préserver les droits acquis des anciens combattants actuels lors du passage au nouveau système, de les classer dans l'échelle à cinq catégories au rang le plus proche de celui qu'ils avaient, en arrondissant à l'équivalent le plus élevé. Non seulement le nouveau système réduirait les erreurs, les discordances et la complexité, mais il faciliterait aussi la formation des nouveaux agents d'indemnisation. Les problèmes de modes de calcul et de définitions médicales sont bien exposés dans le rapport du National Institute of Medicine, et nous conseillons au VA d'adopter ses recommandations.

De plus, il est urgent d'accélérer la procédure de demande de pension d'invalidité dans les cas d'état de stress post-traumatique. Ce doit être une priorité absolue. Le système actuel, conçu pour des handicaps physiques qui apparaissent immédiatement, est particulièrement cruel pour ceux qui souffrent d'ESPT, parce que la manifestation de cette maladie est rarement immédiate. Remplir des formulaires et réunir une documentation détaillée n'est pas facile même pour les anciens combattants qui ont toute leur tête. Ceux qui souffrent d'ESPT sont davantage menacés par des risques comme la perte du domicile [18], la toxicomanie, le sous-emploi, la violence domestique, le suicide et autres problèmes sociaux. Puisque l'ESPT devient vite endémique chez les soldats de retour, il est essentiel de réformer le système pour qu'il y ait acceptation automatique (en présumant le lien avec le service aux armées) de toute demande de pension d'invalidité déposée par un ancien combattant qui a été déployé en zone de guerre et auquel on a diagnostiqué l'ESPT.

Réforme 16. *Rétablir le droit aux soins médicaux des anciens combattants du groupe de priorité 8.*

En 2003, Anthony Principi, alors secrétaire aux Anciens combattants, a suspendu le droit aux soins médicaux du VA de tous les anciens combattants de la catégorie la moins prioritaire, le « groupe de priorité 8 ». Son intention était de libérer des ressources rares pour les plus prioritaires, qui sont invalides ou dont le revenu est très faible. Mais, en raison de cette décision, 400 000 anciens combattants au moins se voient refuser depuis 2003 l'accès aux soins [19]. Les intéressés ne sont pas riches. Celui qui gagne 30 000 dollars par an peut être exclu du système médical du VA pour dépassement du plafond de ressources [20]. Nous comprenons que Principi cherchait à préserver l'accès des plus nécessiteux, mais le fond du problème est clair : nous ne finançons pas suffisamment le VA pour qu'il puisse soigner tous les anciens combattants qui le souhaitent. Nous demandons au Congrès de rendre au système de santé du VA les fonds et moyens nécessaires pour que les anciens combattants du « groupe de priorité 8 » puissent être de nouveau admis.

Réforme 17. *Harmoniser la transition du statut de militaire à celui d'ancien combattant pour qu'elle s'effectue vraiment « en douceur ».*

Rien n'a peut-être fait l'objet de critiques aussi cinglantes que l'inaptitude manifeste des départements de la Défense et des Anciens combattants à travailler ensemble pour assurer aux soldats une transition en douceur du statut de militaire à celui d'ancien combattant. C'est d'autant plus regrettable que la situation n'a rien de rare. Elle a causé d'indicibles souffrances, comme l'a révélé le scandale des services externes du centre médical de l'armée de terre Walter-Reed. La commission Dole-Shalala, la commission Gates, la commission sur l'Avenir des anciens combattants d'Amérique et d'autres instances du département de la Défense et du VA restent incapables de régler le problème. Mais la plupart des réformes nécessaires relèvent du simple bon sens, et beaucoup ont été formulées dans les recommandations faites en 2004 par le groupe de travail « Transition en douceur » du département des Anciens combattants [21]. Elles préconisent une meilleure coordination des systèmes médicaux et des registres de paie du département de la Défense et du VA ; un meilleur accès des agents du VA aux établissements du département de la Défense ; la synchronisation du système d'évaluation du taux d'invalidité du département de la Défense et de celui du VA ; et enfin plus de confiance et de partage d'informations à tous les niveaux entre les deux départements.

Réforme 18. *Augmenter les bourses d'études pour les anciens combattants.*

Pendant la Seconde Guerre mondiale, l'Amérique a conclu avec ses soldats un pacte qui a permis à toute une génération d'anciens combattants d'avoir accès à une formation de qualité après le conflit. Le G.I. Bill prenait en charge l'ensemble des coûts des études universitaires – les frais de scolarité, les livres et une bourse permettant aux étudiants de vivre. Les bourses d'études actuelles (accordées dans le cadre du Montgomery G.I. Bill de 1984) sont moins généreuses. On paie aujourd'hui au militaire d'active jusqu'à 75 % de ses frais de scolarité dans une université publique, mais pas ses livres ni ses dépenses courantes. De plus, pour pouvoir bénéficier de cette aide, l'intéressé doit payer un droit d'entrée de 1 200 dollars au cours de sa première année de service aux armées, faute de quoi il n'aura pas droit à la bourse d'études. Onze États paient à leurs anciens combattants l'intégralité des frais de scolarité dans leurs universités d'État, mais ceux des trente-neuf autres États risquent fort de ne pouvoir assumer les coûts d'une formation supérieure de qualité.

L'armée actuelle est entièrement composée de volontaires : certains n'ont même pas terminé leurs études secondaires. Pour accroître les effectifs, nous avons recruté plus de soldats issus des quintiles socio-économiques inférieurs et moins des quintiles supérieurs. Nous avons doublé le nombre des recrues qui n'ont pas de diplôme du secondaire[22]. Après avoir dépensé 3 000 milliards de dollars pour faire cette guerre, l'un des meilleurs investissements que nous pourrions effectuer serait un relèvement substantiel des bourses d'études qui les porterait au niveau du G.I. Bill d'après la Seconde Guerre mondiale : ce serait investir dans les jeunes gens, hommes et femmes, qui se sont battus pour l'Amérique.

Même dans la meilleure situation, les États-Unis dépenseront encore de nombreux milliards en Irak au cours de la prochaine décennie. Ils se sont déjà engagés à garantir durablement sa sécurité ; à former, équiper et armer les forces irakiennes ; et à combattre « Al-Qaïda, les saddamistes et tout autre groupe de hors-la-loi[23] ». Il est donc pratiquement certain que, pour l'avenir prévisible, des soldats américains auront mission de maintenir une présence dans ce pays. Notre décision hâtive d'envahir l'Irak en 2003 a des effets à long terme, que paieront les Américains des générations futures.

Les dix-huit réformes majeures que nous proposons dans ce dernier chapitre nous aideront à ne pas nous laisser empêtrer dans un nouvel Irak ou un nouveau Vietnam. Notre système ne sera pas infaillible. Même les meilleurs esprits, les plus brillants, commettent des erreurs de jugement, et le système politique des États-Unis ne garantit pas toujours que ce seront ces esprits-là qui se retrouveront au pinacle de la prise de décision. Mais ces réformes réduisent la probabilité de ce genre d'erreurs. Au strict minimum, elles garantissent que, si nous nous laissons à nouveau entraîner dans un conflit de cette nature, ce sera les yeux ouverts et en étant capables de faire face à certains des problèmes économiques et sociaux de longue durée qui le suivront.

On ne doit pas commencer une guerre sans évaluer son coût humain et économique probable, et sans prendre les mesures nécessaires pour traiter conformément à leur mérite nos soldats et nos anciens combattants. La guerre implique inévitablement de tuer et blesser les combattants ennemis, mais aussi de frapper des civils innocents qui ont eu la malchance de se trouver au mauvais endroit au mauvais moment. Aujourd'hui en Irak, ces souffrances humaines que nous appelons par euphémisme « dommages collatéraux », ce sont des centaines de milliers de civils tués, 2 millions de réfugiés à l'extérieur du pays et 2 millions de déplacés de l'intérieur.

On ne doit pas entrer en guerre à la légère. Cet acte exige plus de sang-froid et de tête froide, de solennité, de prudence et de retenue que tout autre. Dépouillée de l'inlassable fanfare médiatique et gouvernementale, des drapeaux, du nationalisme et des folles rodomontades, la guerre, ce sont des hommes et des femmes qui tuent et mutilent horriblement des hommes et des femmes. Son coût survit longtemps au dernier coup de feu.

Appendice

I

Lettre du président des États-Unis au président de la Chambre des représentants sur la loi de crédits d'urgence

Le 17 octobre 2001

Monsieur le président de la Chambre,
Conformément aux dispositions de la loi PL 107-38, l'Emergency Supplemental Appropriations Act for Recovery from and Response to Terrorist Attacks on the United States [Loi sur les crédits supplémentaires d'urgence pour se relever des attentats terroristes contre les États-Unis et y riposter], exercice 2001, je demande au Congrès d'examiner en urgence les propositions ci-jointes, dont le montant total est de 20 milliards de dollars, afin de permettre au gouvernement de continuer à porter assistance aux victimes des attentats du 11 septembre et de traiter les conséquences de ces attentats.
La loi PL 107-38 – élaborée et votée dans un esprit de forte coopération bipartisane – a alloué des crédits d'urgence à hauteur totale de 40 milliards de dollars au Fonds de réaction rapide. Les 40 milliards de dollars de dépenses urgentes votés dans la loi PL 107-38 étaient destinés à secourir les victimes et à faire face à

d'autres conséquences des attentats, en prenant en charge les coûts (1) de la préparation des autorités fédérales, d'État et locales à modérer l'impact des attentats et à y riposter ; (2) du financement de l'action, des enquêtes et des poursuites contre le terrorisme intérieur ou international ; (3) de l'amélioration de la sécurité des transports ; (4) de la remise en état des équipements publics et des systèmes de transport endommagés par les attentats ; et (5) du financement de la sécurité nationale.

Comme le prévoyait la loi PL 107-38, le 18 septembre, j'ai sollicité l'intégralité des 40 milliards de dollars sous la forme d'une demande de crédits d'urgence. Aujourd'hui, je soumets par la présente ces propositions de financement individuelles sous forme de demandes de crédits d'urgence, conformément à la section 251(b)(2)(A) du Balanced Budget and Emergency Deficit Control Act de 1985, version amendée. De plus, je sollicite par ce courrier les montants présents ou crédités au Fonds de coopération pour la défense pour l'exercice 2002, sous la forme de requêtes urgentes, conformément à la section 251(b)(2)(A) de la même loi.

Je suis fier que nous ayons continué à travailler ensemble dans cet esprit bipartisan au cours des semaines qui ont suivi les méprisables attentats contre notre pays. Puisque les estimations finales des ressources totales nécessaires pour faire face aux conséquences de cette tragédie ne seront connues que dans plusieurs mois, je prie le Congrès de voter – sans délai – ces demandes de crédits spécifiques qui portent sur des besoins immédiats, à court terme, et qui représentent des financements actuellement définis et certains.

Mon administration n'a pas l'intention de solliciter d'autres financements supplémentaires, que ce soit pour des besoins intérieurs ou de défense, pendant le reste de cette session du Congrès. S'il apparaît que de nouvelles requêtes sont nécessaires, nous travaillerons avec le Congrès pour répondre à ces besoins supplémentaires dans la seconde session du 107ᵉ Congrès. De plus, nous évaluerons comment notre budget de l'exercice 2003 répondra à la suite des besoins liés aux attentats terroristes du 11 septembre.

Les détails de ces actions sont précisés dans la lettre jointe du directeur de l'Office of Management and Budget. Je suis d'accord avec ses commentaires et observations.

Sincèrement,

GEORGE W. BUSH

II

Les métamorphoses des sites Internet du département de la Défense sur l'Opération Liberté pour l'Irak

Le tableau 1 (p. 252) présente le compte officiel des pertes totales selon le département de la Défense, celui que l'on peut trouver facilement sur le site Internet normal du Pentagone. Il comprend tous les décès, au combat comme hors combat, mais ses statistiques sur les blessés concernent seulement les blessés au combat.

UNE GUERRE À 3 000 MILLIARDS DE DOLLARS

Tableau 1. *Opération Liberté pour l'Irak (OIF). État des pertes améri-caines *. Pertes à la date du 26 décembre 2007, 10 heures du matin, heure de la côte est des États-Unis*

Pertes militaires américaines dans l'OIF, par phase	Total des morts	Tués au combat	Morts hors combat	Blessés au combat revenus **	Blessés au combat non revenus **
Opérations de la guerre du 19 mars au 30 avril 2003	139	109	30	116	429
Opérations de l'après-guerre du 1er mai 2003 à aujourd'hui	3 749	3 057	692	15 742	12 424
Pertes civiles du département de la Défense dans l'OIF, guerre non conventionnelle	8	7	1		
Totaux	**3 896**	**3 173**	**723**	**15 858**	**12 853**

* L'Opération Liberté pour l'Irak comprend les pertes qui se sont produites à partir du 19 mars 2003 dans les zones suivantes : Arabie Saoudite, Bahreïn, Émirats arabes unis, golfe d'Aden, golfe d'Oman, golfe Persique, Irak, Koweït, mer d'Oman, mer Rouge, Oman et Qatar. Avant le 19 mars 2003, les pertes dans ces pays et régions étaient comptabilisées dans l'OEF.
** Ces colonnes indiquent le nombre de militaires qui, blessés au combat, ont repris leur poste (*returned to duty*) dans les 72 heures, et le nombre de blessés au combat qui ne sont pas revenus à leur poste dans les 72 heures. Pour déterminer le nombre total de blessés au combat, il faut additionner les deux dernières colonnes. Ces chiffres sont mis à jour le mardi sauf si le lundi est férié.

Le tableau 2 (p. 253) présente le compte total, difficile à trouver, du département de la Défense avant les changements récents. Le 6 janvier 2007, il indiquait, outre les morts liées et non liées aux hostilités, le « total des pertes non mortelles », qui comprenait les blessés au combat plus les blessés hors combat et les malades dont l'état avait été assez grave pour nécessiter une évacuation médicale aérienne. Le 6 janvier 2007, le total des pertes non mortelles était de 47 657 pour l'Irak. Ce tableau n'existe plus sous cette forme.

252

APPENDICE

TABLEAU 2. *Guerre mondiale contre le terrorisme. Opération Liberté pour l'Irak. Par catégorie de pertes dans les forces armées (du 19 mars 2003 au 6 janvier 2007)*

Type de pertes	Total	Armée de terre	Flotte***	Marines	Armée de l'air
Tués au combat	1 843	1 201	42	585	15
Morts de leurs blessures *	562	411	1	150	
Morts alors qu'ils étaient portés disparus	7	7			
Morts en captivité	2	2			
Total des morts liées aux hostilités	**2 414**	**1 621**	**43**	**735**	**15**
Accident	383	260	10	103	10
Maladie	57	48	7	1	1
Homicide	12	8	1	1	2
Suicide	96	81	2	13	
Indéterminé	6	5	1		
En attente **	30	17		13	
Total des morts sans lien avec les hostilités	584	419	21	131	13
Total des morts	**2 998**	**2 040**	**64**	**866**	**28**
Blessés sans évacuation médicale aérienne	16 164	9 944	386	5 627	207
Blessés avec évacuation médicale aérienne ****	6 670	4 751	130	1 738	51
Blessés hors hostilités avec évacuation médicale aérienne ****	6 640	5 299	214	857	270

UNE GUERRE À 3 000 MILLIARDS DE DOLLARS

Type de pertes	Total	Armée de terre	Flotte***	Marines	Armée de l'air
Malades avec évacuation médicale aérienne ****	18 183	15 710	509	1 163	801
Total des blessés	22 834	14 695	516	7 365	258
Total des évacuations médicales aériennes	31 493	25 760	853	3 758	1 122
Total des pertes non mortelles	47 657	35 704	1 239	9 385	1 329

* Les chiffres des « morts de leurs blessures » comprennent les cas où la blessure est survenue sur le théâtre et la mort ailleurs.
** « En attente » signifie que la catégorie définitive sera déterminée à une date ultérieure.
*** Les totaux de la flotte comprennent les gardes-côtes.
**** Chiffres communiqués par la Direction du soutien médical au déploiement (jusqu'au 4 décembre 2006).

Le tableau 3 (p. 255) fournit la liste actuelle des pertes du département de la Défense, sous sa nouvelle forme. Il indique les morts au combat et hors combat, les blessés au combat et les évacuations médicales aériennes sans lien avec les hostilités. Pour trouver le total des pertes non mortelles (qui dans la version précédente figurait sous la rubrique « Total des pertes non mortelles »), il faut additionner les lignes « Blessés sans évacuation médicale aérienne » et « Total des évacuations médicales aériennes, liées ou non aux hostilités ». À la date du 8 décembre 2007, ce chiffre était de 58 846 pour l'Irak (accessible à l'adresse <http://siadapp.dmdc.osd.mil/personnel/CASUALTY/OIF-Total.pdf>). Des tableaux du même type ont été modifiés pour l'Opération Liberté durable (Afghanistan).

254

APPENDICE

TABLEAU 3. *Guerre mondiale contre le terrorisme. Opération Liberté pour l'Irak. Par catégorie de pertes dans les forces armées (du 19 mars 2003 au 8 décembre 2007)*

Type de pertes	Total	Armée de terre	Flotte***	Marines	Armée de l'air
Tués au combat	2 451	1 720	58	647	26
Morts de leurs blessures *	699	522	1	176	
Morts alors qu'ils étaient portés disparus	7	7			
Morts en captivité	2	2			
Total des morts liées aux hostilités	**3 159**	**2 251**	**59**	**823**	**26**
Accident	461	328	11	110	12
Maladie	71	58	7	3	3
Homicide	20	12	3	3	2
Suicide	132	113	4	15	
Indéterminé	8	7	1		
En attente **	26	6	2	18	
Total des morts sans lien avec les hostilités	**718**	**524**	**28**	**149**	**17**
Total des morts	**3 877**	**2 775**	**87**	**972**	**43**
Total des blessés au combat	**28 661**	**19 364**	**599**	**8 357**	**341**
Blessés sans évacuation médicale aérienne	19 970	12 906	435	6 370	259
Blessés avec évacuation médicale aérienne ****	8 691	6 458	164	1 987	82
Total des évacuations médicales aériennes sans lien avec les hostilités	**30 185**	**25 373**	**974**	**2 494**	**1 344**

255

Type de pertes	Total	Armée de terre	Flotte[***]	Marines	Armée de l'air
Blessés hors hostilités avec évacuation médicale aérienne [****]	7 963	6 316	278	1 037	332
Malades/Autres raisons médicales, avec évacuation médicale aérienne [****]	22 222	19 057	696	1 457	1 012
Total des évacuations médicales aériennes (liées ou non aux hostilités)	38 876	31 831	1 138	4 481	1 426

* Les chiffres des « morts de leurs blessures » comprennent les cas où la blessure est survenue sur le théâtre et la mort ailleurs.

** « En attente » signifie que la catégorie définitive sera déterminée à une date ultérieure.

*** Les totaux de la flotte comprennent les gardes-côtes.

**** Chiffres communiqués par le service « Maintien et protection de la santé des forces armées ».

Note méthodologique

Nous avons dû faire face à quantité de problèmes techniques au cours de notre analyse des coûts de la guerre d'Irak. Dans cet appendice technique, nous en examinons plusieurs qui sont cruciaux, et nous expliquons certaines des raisons de nos choix de méthode et de nos conclusions. Il convient d'ajouter que beaucoup de ces problèmes sont très complexes – on a écrit des volumes entiers à leur sujet : dans ce bref appendice, nous ne pouvons leur rendre pleinement justice.

Le pétrole est au cœur de la guerre depuis le début. Beaucoup sont persuadés que nous l'avons faite afin d'avoir un approvisionnement garanti en pétrole bon marché pour les États-Unis et leurs compagnies pétrolières. Nous commençons par expliquer à la fois pourquoi cette conviction est si répandue et pourquoi la recherche d'un approvisionnement sûr en pétrole n'aurait jamais pu – ou du moins jamais dû – servir de base à une stratégie *nationale*. Quelles qu'aient été nos motivations, la guerre a eu l'effet opposé : les prix du pétrole sont montés en flèche. Dans la troisième section, nous expliquons pourquoi, à notre avis, il faut mettre un gros pourcentage de cette hausse au « crédit » de la guerre, et pourquoi notre hypothèse – qui n'attribue au conflit, sur cette hausse, que 5 ou 10 dollars par baril pendant sept ou huit ans – est excessivement timide.

Dans les années 1970, la grande ascension des prix du pétrole a joué un rôle crucial dans les désastres macroéconomiques de la décennie. Cette fois – jusqu'à présent –, son impact a été plus discret ; nous expliquons pourquoi il en est ainsi, mais nous soulignons aussi que cet impact reste important, bien supérieur au simple effet des centaines de milliards de dollars transférés aux pays exportateurs de pétrole.

Dans le texte, nous soutenons que l'un des effets de la montée en flèche des prix du pétrole a été d'affaiblir l'économie ; si ces prix avaient été moins élevés, la production aurait été plus importante. Mais y avait-il de la marge pour accroître la production ? Dans la quatrième section, nous démontrons qu'il y en avait, et que, plus généralement, si nous avions consacré ces dollars à des dépenses plus stimulantes (au lieu de les dilapider en Irak), l'économie aurait pu être et aurait été plus forte.

De nombreux effets macroéconomiques de la guerre sont difficilement quantifiables – par exemple, les marchés n'aiment pas l'incertitude, et le maelström au Moyen-Orient a manifestement accru l'incertitude. De plus, si notre analyse s'est essentiellement souciée des effets de la guerre sur la demande globale (les Américains ont moins d'argent pour acheter des produits aux États-Unis parce qu'ils paient plus cher le pétrole), il y a aussi des *effets sur l'offre*. Puisqu'il y a détournement de main-d'œuvre vers l'effort de guerre, montée du nombre de victimes, captation de moyens financiers au détriment d'investissements nécessaires, publics et privés, le potentiel productif de l'économie est amoindri. Nous analysons ces effets, et nous en donnons une certaine estimation quantitative.

L'un des principaux points soulignés dans ce livre est l'existence de factures qui vont nous être présentées pour règlement pendant des décennies – dont des soins médicaux et des pensions d'invalidité à payer. Mais comment évaluer ces coûts futurs ? S'il est clair pour tout le monde qu'un dollar de l'avenir vaut moins qu'un dollar du présent, il est important de savoir à quel degré il convient d'« actualiser » les coûts futurs (même si changer de taux d'actualisation dans les limites d'une fourchette plausible ne modifie pas le jugement d'ensemble : ce conflit imposera d'énormes coûts économiques, presque certainement supérieurs à ceux de toute autre guerre que les États-Unis ont faite, sauf la Seconde Guerre mondiale). Dans la dernière section, nous expliquons la méthodologie appropriée pour l'actualisation.

Une guerre pour le pétrole ?

« Une guerre menée avec succès serait bonne pour l'économie », avait dit Larry Lindsey, président du Conseil économique national de Bush (voir chapitre 1). Une des grandes raisons de cette assertion était la conviction qu'avec la victoire le pétrole serait bon marché. Comme le soutenait le même jour l'éditorial du *Wall Street Journal*, « la meilleure façon de maîtriser le prix du pétrole est une guerre brève et victorieuse en Irak [1] ».

Cette idée couramment admise a été formulée clairement par Alan Greenspan, l'ex-président de la Federal Reserve : « Si Saddam Hussein avait été chef d'État en Irak et qu'il n'y ait pas eu de pétrole sous ce sable, a-t-il dit, nous n'aurions pas riposté à ses actes aussi puissamment que nous l'avons fait dans la première guerre du Golfe. Et la seconde guerre du Golfe est un prolongement de la première. À mon avis, Saddam, si l'on regarde l'ensemble de ses trente années de pouvoir, montrait à des signes très clairs qu'il avait en vue le contrôle du détroit d'Ormuz, où il y a 17, 18, 19 millions de barils par jour » qui passent [2]. Greenspan a déploré dans ses Mémoires « qu'il soit politiquement déplacé de reconnaître ce que tout le monde sait : l'un des grands enjeux de la guerre d'Irak était le pétrole [3] ».

Il y a d'autres raisons qui ont amené tant de gens dans le monde à voir dans le pétrole la *motivation* profonde de la guerre. Quand les États-Unis ont envahi l'Irak, ils ont fait de gros efforts pour protéger les champs pétrolifères au moment même où ils laissaient sans protection les inestimables trésors archéologiques de l'Irak et (choix encore plus surprenant d'un point de vue militaire) ses stocks de munitions. De plus, si la raison officielle de la guerre était les armes de destruction massive, il y avait à ce moment-là un autre pays qui menaçait vraiment de mettre au point des armes de ce type : la Corée du Nord. Mais la Corée du Nord n'avait pas de pétrole et elle n'a pas été envahie. Pendant que l'Amérique concentrait toute son attention sur l'Irak, la Corée du Nord est devenue une puissance nucléaire. D'autre part, si Bush a mis tant d'énergie à obtenir l'effacement des dettes de l'Irak, c'est, selon certains, à cause du pétrole. L'endettement massif du pays jetait une ombre judiciaire sur ses ventes de brut : les créanciers pouvaient saisir les tribunaux pour faire confisquer le pétrole irakien et se rembourser ainsi de ce que leur devait l'Irak. Tant qu'il n'était pas débarrassé de cette dette, l'Irak n'était pas en mesure de vendre son pétrole sans problèmes sur les marchés mondiaux. Enfin, puisque Bush était depuis longtemps lié à l'industrie du pétrole, qu'il connaissait bien les marchés pétroliers mondiaux et que l'Irak avait l'une des réserves les plus importantes du monde, il était plausible de conclure que le pétrole était l'un des facteurs que le président avait à l'esprit quand il a envahi l'Irak.

Mais, d'un autre point de vue, l'idée selon laquelle les compagnies pétrolières américaines parviendraient à prendre pour elles le pétrole irakien n'a jamais été très réaliste. Certains s'attendaient peut-être à une privatisation rapide des actifs pétroliers, qui permettrait de les acheter à prix bradé. Toutefois, dans le cadre juridique d'une occupation, ce n'était pas autorisé (voir chapitre 6). Et s'il y avait le moindre grain de vérité dans les promesses américaines de créer une démocratie, on ne pouvait guère s'attendre à voir les hommes politiques irakiens exécuter purement et simplement les souhaits de l'Amérique. Le pétrole est une marchandise mondiale, et ils auraient été soumis à une forte pression pour vendre au meilleur prix. Les compagnies américaines auraient dû rivaliser sur un pied d'égalité avec celles de tous les autres pays. Il y a une limite au nombre de « changements de régime » que les États-Unis auraient pu susciter pour avoir un gouvernement prêt à satisfaire leurs désirs.

De plus, il y avait d'autres pays, comme la Russie, qui affirmaient détenir des contrats légaux leur donnant le droit d'exploiter une partie des ressources pétrolières irakiennes. L'Amérique ne pouvait pas postuler simplement que, puisqu'elle occupait l'Irak, elle pourrait facilement faire disparaître ces autres revendications. De fait, quand le gouvernement irakien, inspiré par des conseillers juridiques américains, a annulé un contrat russe, la Russie a répliqué en menaçant d'annuler son engagement d'effacer 13 milliards de dollars de dettes irakiennes[4].

Bref, dans la mesure où le pétrole a bien été le motif de l'invasion, ce projet ne reposait pas sur une analyse réaliste des chances qu'avait l'Amérique de s'emparer pour elle-même d'un approvisionnement sûr en pétrole. C'est d'ailleurs parce que chacun est convaincu que les États-Unis ont envahi l'Irak pour faire main basse sur son pétrole qu'aucun accord n'a pu être conclu au sujet d'une loi de répartition des ressources pétrolières, considérée par beaucoup comme cruciale pour un futur règlement politique dans le pays. Le projet de loi du gouvernement sur le sujet s'est attiré une riposte de 419 personnalités irakiennes – universitaires, ingénieurs, experts de l'industrie pétrolière : « Il est clair que le gouvernement tente de mettre en œuvre l'une des exigences de l'occupation américaine », déclaraient les signataires, qui soutenaient que cette loi « posait les bases d'un nouveau pillage de la richesse stratégique de l'Irak et de sa dilapidation par des étrangers, soutenus par ceux qui convoitent le pouvoir dans les régions et par des gangs de voleurs et de brigands[5] ».

L'impact de la guerre sur le prix du pétrole

Nous avons soutenu que la perturbation de l'offre de pétrole par la guerre d'Irak est le facteur qui contribue le plus à la hausse considérable des prix. Mais, selon certains analystes, le grand coupable est une forte demande mondiale de brut, venue en particulier de la Chine. Dans cet appendice, nous expliquons pourquoi, à notre avis, c'est bien la guerre qui a joué le rôle crucial.

Avant la guerre d'Irak, la Chine avait connu deux décennies de croissance vigoureuse, et la plupart des observateurs pensaient que ce phénomène allait se poursuivre – accompagné d'une hausse de la demande chinoise de pétrole. La croissance mondiale en 2003 et 2004 a été plus forte que de nombreux analystes des marchés ne l'avaient prévu, mais pas de beaucoup. Cela ne peut expliquer qu'une petite part de la hausse des prix pétroliers. Mais, quand les marchés fonctionnent bien, ils ne doivent pas se limiter à anticiper l'évolution de la demande, ils doivent aussi y réagir en augmentant l'offre[6]. Les erreurs d'une année sont rapidement corrigées l'année suivante. Il était prévu que la demande augmenterait dans les années qui arrivaient, mais il était prévu également qu'il y aurait une augmentation correspondante de l'offre, majoritairement venue du fournisseur à bas prix : le Moyen-Orient.

Au prix où est aujourd'hui le pétrole, on s'attendrait à ce que d'autres pays producteurs se mettent à produire davantage. Beaucoup ont des coûts de production (marginaux) bien inférieurs aux prix actuels du marché[7]. L'anticipation de ces réponses côté offre devrait faire baisser les marchés à terme. L'inexistence de cette réponse prévisible de l'offre et le maintien des prix du pétrole, tant actuels qu'à terme, à si haut niveau sont des faits qu'il est nécessaire d'expliquer. Nous estimons que la guerre d'Irak est un élément clé de l'explication[8].

Si la guerre n'avait pas eu lieu et que le prix du brut ait augmenté en raison d'une poussée inattendue de la demande, la communauté internationale aurait autorisé l'Irak à accroître sa production et le prix serait retombé. Même si elle ne l'avait pas fait, il est probable que la production aurait augmenté ailleurs, notamment dans d'autres pays du Moyen-Orient. Mais l'instabilité dans cette région a accru le risque d'y investir, et, comme l'extraction coûte bien moins cher au Moyen-Orient, il n'y a pas eu ailleurs de réponse de l'offre à la hauteur de la demande. Si la stabilité revient dans la région, les prix chuteront, et qui aura investi hors du Moyen-Orient ne fera plus de profits mais des pertes[9].

Analyse de l'impact macroéconomique de la hausse des prix du pétrole

Nous expliquons ici pourquoi consacrer 25 milliards de dollars de plus aux importations de pétrole réduit considérablement le PIB – beaucoup plus, très probablement, que les 37,5 milliards de dollars que nous avançons dans notre scénario optimiste. En d'autres termes, nous disons pourquoi nous pensons que le multiplicateur du pétrole (le rapport : impact sur le PIB / surcoût du pétrole importé) est supérieur à 1,5[10].

Le Fonds monétaire international, par exemple, a construit des modèles économétriques qui aboutissent à des effets complets (atteints au bout de plusieurs années) près de quatre fois supérieurs à notre estimation[11]. D'autres études suggèrent des multiplicateurs encore plus importants[12].

Le grand écart entre les analyses standard, qui aboutissent souvent à des multiplicateurs proches de 1,5, et ce type de résultats a deux explications possibles. La première est liée à l'analyse des résultats en équilibre général mondial. Ce qui fait monter le multiplicateur, c'est que l'argent dépensé aux États-Unis est redépensé ; quand la population achète des biens et services, cela fait encore augmenter le PIB ; et plus le PIB est élevé, plus il conduit à de nouvelles dépenses, qui le feront lui-même monter encore plus haut. Ce qui limite le multiplicateur, ce sont les « fuites » – l'argent qui n'est pas dépensé « à l'intérieur » mais retiré du système, parce qu'il est épargné ou dépensé à l'étranger par les particuliers ou par l'État. Dans tous ces cas, la boucle de rétroaction où le revenu revient sous forme de nouvelles dépenses s'arrête. Mais si nous adoptons un point de vue *mondial*, l'argent dépensé à l'étranger est un élément du système économique mondial. Les dépenses des Américains en produits importés d'Europe, par exemple, font monter les revenus en Europe, et une partie de ces revenus sera dépensée en produits importés des États-Unis. Donc, il y a encore des retombées positives pour l'Amérique. Ce mécanisme rend le multiplicateur beaucoup plus important.

La hausse des prix du pétrole a pesé sur les revenus de nos grands partenaires commerciaux, l'Europe et le Japon, et ils ont donc moins acheté aux États-Unis qu'ils ne l'auraient fait sans cela, ce qui a accentué l'impact négatif de l'augmentation des prix pétroliers sur l'économie américaine[13]. En Europe, les pressions inflationnistes créées par le renchérissement de l'énergie ont très probablement contribué à faire monter les taux d'intérêt plus haut *qu'ils ne l'auraient fait autrement,* d'autant plus que la Banque centrale européenne se préoccupe exclusivement de l'inflation. L'argent cher a affaibli encore plus les économies d'Europe – avec effets secondaires sur celle des États-Unis[14]. Le Pacte de stabilité et de croissance de l'Union européenne limite la capacité des États membres à mettre leur budget en déficit, et ils n'ont donc pas pu réagir comme il aurait fallu sur le plan de la politique budgétaire. Bien au contraire, puisque leurs propres dépenses énergétiques ont augmenté, ces États ont eu moins d'argent pour acheter des biens et services produits sur leur territoire, ce qui a encore aggravé l'affaiblissement de la demande globale. Bref, les effets débilitants directs de la hausse des prix pétroliers sur l'économie européenne ont été aggravés par ces réactions budgétaires et monétaires – ce qui a accentué les retombées négatives sur l'économie américaine[15].

Deuxième explication : les analyses standard se concentrent aussi sur les seuls impacts à court terme – comment la hausse actuelle des prix du pétrole modifie la production actuelle. Mais ce qui nous intéresse dans ce livre, ce ne sont pas ces impacts à court terme : c'est l'impact total, année après année. Quand on voit les choses sur la durée, les fuites, là encore, sont plus limitées. L'argent qui n'est pas dépensé cette année (celui qu'on épargne) le sera au cours des années suivantes, et stimulera les revenus à ce moment-là[16]. L'impact total des prix pétroliers est donc bien supérieur à leur impact *actuel* (celui que mesure le multiplicateur conventionnel)[17].

Tous ces facteurs contribuent à expliquer pourquoi le multiplicateur « correct », qui prend en compte l'ensemble des effets mondiaux, réalisés sur de nombreuses périodes, peut être considérablement supérieur à celui qu'indiquent les modèles exclusivement concentrés sur l'économie américaine prise isolément (leurs résultats sont des multiplicateurs proches de 1,5), et pourquoi des chiffres plus élevés comme ceux que donne le modèle du FMI sont raisonnables[18]. Ils expliquent aussi pourquoi nous sommes persuadés que le multiplicateur dont nous nous sommes servis dans notre scénario modéré est, en réalité, extrêmement modeste.

Y avait-il de la marge pour augmenter la production ?

Nous avons soutenu que, si les États-Unis n'avaient pas tant dépensé pour le pétrole et pour la guerre d'Irak, notre PIB aurait été plus élevé. Le surcroît de dépenses en produits américains aurait stimulé la production. Mais cela n'aurait été possible que si la production *pouvait* augmenter. Nous expliquons ici pourquoi nous sommes persuadés que, tout au long de la guerre d'Irak, nous avons eu la marge nécessaire pour accroître la production – certaines années, pour l'accroître considérablement.

L'Amérique tourne au-dessous de son potentiel. On appelle production potentielle la production au-dessus de laquelle le taux d'inflation commence à *augmenter*. À la fin des années 1990, l'Amérique avait un taux de chômage de 3,8 % et l'on ne voyait aucune hausse sensible de l'inflation. Dans la période de la guerre d'Irak, le taux de chômage a été en moyenne de plus de 5 %[19], ce qui suggère que l'économie aurait pu entrer en expansion sans créer de pressions inflationnistes. C'est l'insuffisance de la demande qui limitait la production. Il y a deux autres preuves à l'appui de ce point de vue. Premièrement, le taux de chômage réel – celui où l'on tient compte du chômage déguisé – a été élevé, nettement plus élevé que, disons, en 2000. Beaucoup d'Américains ont un emploi à temps partiel involontaire parce qu'ils ne peuvent en trouver un à temps plein. Beaucoup ont quitté le marché du travail pour l'unique raison que leur recherche d'emploi leur a paru trop décourageante – et on ne les compte plus dans les statistiques du chômage. Et certains se sont mis en invalidité parce que l'invalidité paie plus que le chômage : ceux qui peuvent obtenir d'un médecin une justification le font[20].

Deuxièmement, le marché du travail est si peu tendu que les salaires réels (c'est-à-dire corrigés pour tenir compte de l'inflation) ont diminué par rapport à la productivité du travail – ils sont nettement inférieurs à leur niveau du début de la décennie, ou du début de la guerre[21].

Si cette analyse est juste, les États-Unis avaient d'amples possibilités de développer leur production considérablement – et certainement à la hauteur des moyens qu'ils auraient eus s'ils n'avaient pas dépensé 25 à 50 milliards de dollars par an en pétrole importé et s'ils avaient réorienté une partie des crédits qu'ils ont consacrés à la guerre vers des investissements dans des domaines plus susceptibles de stimuler l'économie[22].

Les impacts macroéconomiques non quantifiables de la hausse des prix pétroliers

Dans le texte, nous avons présenté les principaux coûts macro-économiques quantifiables – hausse des prix du pétrole, réorientation des dépenses publiques de l'investissement productif vers la guerre, aggravation des déficits. Nous n'en sommes pas moins persuadés que nos chiffres sous-estiment – peut-être considérablement – le coût total pour l'économie. Nous reprenons la question ici en examinant deux catégories de coûts macroéconomiques que nous n'avons pas prises en compte dans notre analyse précédente.

Premièrement, l'analyse du coût de la hausse des prix pétroliers *suppose que le seul coût de cette hausse est le transfert de davantage de dollars à l'étranger, à l'intention des exportateurs de pétrole.* C'est ignorer les coûts d'ajustement et postuler que, si un renversement de tendance annule la hausse des prix, le dommage disparaît. Autrement dit, ce modèle simple implique que, si le prix monte d'abord de 10 dollars pendant un an, puis baisse de 20 dollars pendant un an, puis remonte à son niveau initial, il n'y a aucun coût. C'est faux. Cette volatilité a un coût. Par exemple, la technologie la mieux adaptée à une configuration des prix ne le sera pas autant à une autre. Et ces coûts peuvent être importants. Cette idée est en cohérence avec les études macroéconomiques, qui montrent de fortes asymétries entre les impacts des hausses et des baisses des prix pétroliers[23]. Donc, *le résultat de cette analyse de sept à huit ans de pétrole cher sous-estime largement les véritables coûts économiques.* Mais nous n'avons pas donné d'estimation du coût supplémentaire[24].

Deuxièmement, l'essentiel de notre analyse s'est concentré sur la façon dont la guerre et la hausse des prix pétroliers qu'elle a entraînée ont refroidi l'économie américaine par des effets de demande. Puisque nous avons payé plus cher le pétrole importé, et dépensé de l'argent en Irak plutôt que chez nous, la demande globale a été plus faible. Plus haut dans cette note, nous avons montré que, pendant l'essentiel de la période de guerre, l'économie aurait pu produire davantage – si la demande avait été plus forte.

Pratiquement tous les économistes sont d'accord sur deux idées. La première est qu'on ne rase pas gratis : si l'administration Bush a tenté de persuader le peuple américain qu'on pouvait faire une guerre sans aucun sacrifice *économique*, les économistes savent qu'il n'en est rien. La seconde est que, Bush ayant tenté de faire la guerre sans augmenter les impôts, la guerre d'Irak a évincé des investissements privés et/ou des dépenses publiques, dont des investissements dans les infrastructures, la recherche-développement et l'éducation : celles-ci sont donc au-dessous du niveau qu'elles auraient eu sans la guerre[25]. Le résultat est que la future production réelle et potentielle de l'économie, sur la longue durée, sera plus faible, et au chapitre 5 nous avons calculé de combien[26].

Mais certains économistes pensent que les effets d'offre – l'impact de la guerre sur le potentiel productif de l'économie – sont tout aussi importants, même à court terme. S'il était vrai, par exemple, que l'économie des États-Unis tournait à plein régime, les hommes et femmes de la garde nationale et les réservistes envoyés en Irak manqueraient pour travailler dans leurs emplois civils[27]. Ces effets d'offre augmentent tout au long de la guerre : quand un conflit se poursuit, les pertes le font aussi, d'où un nombre croissant d'invalides partiels ou complets qui ne reviendront jamais pleinement dans la population active. Beaucoup d'anciens combattants de retour souffrent de troubles mentaux qui ne leur permettront pas d'être des actifs productifs. Nous avons aussi noté au chapitre 3 que de nombreux conjoints ou d'autres membres des familles doivent sortir de la population active pour s'occuper des anciens combattants invalides qui rentrent de guerre, notamment ceux qui ont besoin de soins médicaux – dans un cas sur cinq ou à peu près pour les grands blessés[28]. Nous estimons que, pendant l'année 2006, l'offre de main-d'œuvre civile a été réduite d'environ 140 000 personnes. Les analyses macroéconomiques standard suggèrent, au moins à court terme, que la réduction du PIB (en pourcentage) pourrait être supérieure à la réduction de l'emploi. Quand l'économie se rétracte en raison d'un manque de main-d'œuvre disponible, des occasions de profit sont perdues aussi ; et de nouveaux goulots d'étranglement apparaissent. C'est pourquoi le coût *systé-*

mique peut être à ce point supérieur au coût direct de la main-d'œuvre perdue[29].

N'oublions pas que l'effectif total des militaires engagés dans le conflit irakien ne se limite pas aux 140 000 à 170 000 paires de bottes présentes simultanément sur le terrain : il comprend aussi le nombre bien supérieur de ceux qui se trouvent entre deux déploiements, ou cantonnés dans des bases militaires avant d'être transportés vers le théâtre. Et tous ceux qui assurent le soutien logistique. Pour la garde nationale, nous pouvons affirmer que tous les mobilisés sont, de fait, partie intégrante de l'effort de guerre, qu'ils soient en déploiement actif ou simplement dans l'attente de savoir si l'on aura besoin d'eux outre-mer.

Le PIB *civil* (le PIB moins ce qui est dépensé en Irak) sera également réduit par l'absence des contractants américains partis en Irak. Ce sont des actifs qui ne sont pas là pour produire les biens de consommation dont la population jouit aujourd'hui ou les biens d'équipement qui feront la force de l'économie de demain[30].

Si l'on postule que la perte de produit est simplement proportionnelle à la perte de main-d'œuvre, on obtient pour la seule année 2006 une perte de 13 milliards de dollars, une perte totale dans le PIB qui est bien supérieure aux simples coûts d'opportunité de ces personnels – les coûts « microéconomiques » évoqués au chapitre 4. Si l'on avance dans le temps, les pertes de la population active continueront à augmenter, puisque la guerre fera toujours plus de tués et d'invalides, et que toujours plus d'actifs devront cesser de l'être pour s'occuper des anciens combattants. Il est probable que le nombre de réservistes et de gardes nationaux mobilisés continuera à se réduire ; mais, avec la perspective d'une forte présence militaire permanente en Irak, les effectifs des armées vont probablement augmenter d'environ 92 000 personnes. Ce qui veut dire que les pertes côté offre pour le PIB vont probablement se poursuivre et même s'aggraver. D'ailleurs, nous ne devrions pas étudier l'effet de la guerre sur le PIB, puisqu'il intègre dans sa « valeur » les bombes jetées en Irak au même titre qu'une école flambant neuve ou que le salaire d'un chercheur qui réussit une percée face à une maladie invalidante. Nous devrions travailler sur le PIB *net des ressources dépensées pour l'Irak.*

L'analyse la plus approfondie des coûts de la guerre à l'aide d'un modèle macroéconomique exhaustif a été effectuée par Allen Sinai : il s'est servi du modèle Sinai-Boston, qui comprend environ 950 équations, et il a intégré des variables financières et leurs liens avec l'économie « réelle »[31]. Il a estimé que, sans la guerre (et en ignorant l'impact de la guerre sur les prix du pétrole), la croissance réelle du PIB aurait été supérieure, en moyenne, de 0,2 % dans la période allant de mi-2002 à mi-2005. Le taux de chômage aurait été inférieur, en moyenne, de 0,3 %, et on aurait créé près de 900 000 emplois salariés non agricoles de plus par an. En supposant que les impacts soient semblables les années suivantes, les effets macroéconomiques évalués sont considérables – ils dépassent les 200 milliards de dollars.

Sinai attire l'attention sur un autre impact. Il y a un effet important sur les déficits publics. Il calcule que le déficit du budget fédéral aurait été très sensiblement inférieur. Les recettes fiscales (venues des particuliers comme des entreprises, y compris l'impôt sur les plus-values, les impôts indirects et les prélèvements sociaux) auraient été plus élevées, parce que l'économie se serait mieux portée et la Bourse aussi.

Déterminer le taux d'actualisation

Dans le texte, nous avons soutenu que le taux d'actualisation correct devait être 1,5 %. C'est le taux (réel) auquel l'État peut emprunter, et c'est pour cela qu'il est juste de l'utiliser quand on évalue des impacts sur le budget de l'État. Mais, aux chapitres 4 et 5, nous avons étudié des effets économiques généraux.

Le débat sur le taux d'actualisation correct est polémique et confus. Il existe deux méthodes. L'une se concentre sur les arbitrages de consommation (de revenu) que font les particuliers entre différentes périodes. S'ils sont disposés à prêter de l'argent à un taux d'intérêt (réel) de 1,5 %, cela signifie que ce taux est leur *arbitrage intertemporel* ; donc, lorsqu'on évalue un impact sur le bien-être des particuliers dans la société, cela paraît le taux d'actualisation approprié.

D'autres analystes soutiennent qu'il faut actualiser au taux du *coût d'opportunité* – ce que l'argent aurait pu rapporter si on l'avait investi ailleurs. Les calculs que nous effectuons dans le texte tiennent compte du coût d'opportunité des sommes en cause ; nous déterminons ce qu'aurait pu être le PIB ou le revenu national si elles avaient été dépensées, disons, en investissements, et non pour faire la guerre en Irak. Mais, après avoir analysé les changements que cela aurait pu entraîner dans la production ou la consommation, comment évaluons-nous une hausse de la consommation future *par rapport* à une hausse de la consommation actuelle ? Telle est la question. Le fait que des particuliers semblent prêts à échanger la consommation d'aujourd'hui contre celle de demain à l'aide d'un taux d'actualisation de 1,5 % suggère que c'est le taux approprié.

Trois facteurs compliquent cette analyse. Le premier : cette consommation de demain ne sera peut-être pas faite par ces particuliers-là, mais par les générations futures. Autrement dit, comment devons-nous évaluer *à la marge* la consommation de la génération actuelle par rapport à celle des générations futures ? Une longue tradition philosophique, qui remonte au moins à l'économiste de Cambridge Frank Ramsey dans les années 1920, soutient que rien ne justifie de donner moins de poids aux générations futures qu'à celle d'aujourd'hui (sauf – petit facteur – si l'on prend en compte le risque d'extinction de la race humaine ; et le fait que les générations futures seront mieux loties puisque la productivité augmente)[32]. Bref, après avoir calculé les changements que l'on aurait pu provoquer dans la consommation en utilisant une valeur plausible du coût d'opportunité (disons, 6 à 8 %), on actualise ces chiffres en dollars actuels en utilisant un taux d'actualisation faible (disons, 1 ou 1,5 %)[33].

La deuxième complication est l'incertitude. Certains analystes actualisent à des taux plus élevés parce que l'avenir est incertain. C'est une méthode inadaptée, voire potentiellement dangereuse, quand il s'agit d'évaluer des coûts futurs incertains. Actualiser à un taux élevé (même 7 %) revient à dire que nous pouvons en fait ignorer ces risques dans l'avenir lointain. Mais si l'incertitude incite à quelque chose, ce devrait être à faire plus attention à ces risques et non pas moins. Nos engagements financiers futurs en matière de santé et d'invalidité sont des exemples de coûts dont il faudrait plutôt accentuer le poids en raison des risques qu'ils représentent ; si l'incertitude nous pousse à quelque chose, ce devrait être plutôt à les actualiser à un taux plus faible. (Techniquement, la procédure appropriée est la suivante : on convertit les coûts et les bénéfices en équivalents-certitude, ce qui revient à augmenter les coûts et à réduire les bénéfices du montant que les particuliers seraient prêts à payer pour éliminer le risque, puis on actualise ces équivalents-certitude au taux d'actualisation qui convient, disons 1,5 %.) Si l'incertitude s'accroît avec le temps, cette procédure suppose d'augmenter les coûts et de diminuer les bénéfices (par rapport à leurs valeurs moyennes) au fil du temps. C'est pourquoi, dans l'approche très prudente que nous avons adoptée ici, quand nous avons évalué les bénéfices que nous aurions pu obtenir en investissant davantage au lieu d'entrer en guerre, nous avons envisagé les conséquences d'un recours à un taux d'actualisation plus élevé, tandis que, dans notre évaluation des coûts futurs (santé et invalidité des anciens combattants), nous nous en sommes tenus au taux faible de 1,5 %.

La troisième complication est la fiscalité sur les revenus du capital. Elle introduit une discordance entre les arbitrages intertemporels des particuliers (leur façon d'évaluer la consommation aujourd'hui et dans l'avenir) et le retour du capital (le coût d'opportunité). Quand on *évalue* les effets de la guerre d'Irak, disons financée par le déficit, comme nous l'avons dit, la procédure adaptée consiste à estimer ce qu'aurait été la production, puis (en ignorant l'incertitude et les effets intergénérationnels) à actualiser les différences en se fondant sur les préférences intertemporelles des particuliers. Donc, si le taux de retour avant impôt est de 7 % et si le taux d'imposition marginal est approximativement de 40 %, le taux d'actualisation approprié est approximativement de 4 % $(0,6 \times 7 \%)$[34].

Sigles et abréviations

AIEA [Agence internationale de l'énergie atomique]. Organisation internationale, appartenant au système des Nations unies, qui œuvre pour les usages pacifiques et sûrs de la science et de la technologie nucléaires.

APC [Autorité provisoire de la Coalition]. Institution sous direction américaine qui a gouverné l'Irak d'avril 2003 à juin 2004.

CBO [Congressional Budget Office]. Organisme qui fournit aux parlementaires les analyses, informations et estimations nécessaires au déroulement du processus budgétaire du Congrès.

CRS [Congressional Research Service]. Organisme qui fournit au Congrès des analyses sur les politiques publiques.

DOD [US Department of Defense]. Le département de la Défense des États-Unis.

EEI [Engin explosif improvisé – en anglais IED, Improvised Explosive Device]. Engin placé ou fabriqué de façon improvisée, et conçu pour détruire, rendre invalide, harceler ou détourner l'attention ; il est souvent réalisé avec des composants non militaires.

EIA [Energy Information Administration]. Administration indépendante au sein du département de l'Énergie qui met au point des enquêtes, collecte des données sur l'énergie, analyse et modélise les problèmes énergétiques.

273

ESPT [État de stress post-traumatique – en anglais PTSD, Post-traumatic Stress Disorder]. État d'angoisse pathologique qui peut se développer après l'exposition d'une personne à une épreuve ou à un événement terrifiants où elle a subi une agression ou une menace d'agression physique grave.

FIAS [Force internationale d'assistance sécuritaire]. Force internationale dirigée par l'OTAN sous mandat de l'ONU, qui est censée aider le gouvernement afghan à étendre et à exercer son autorité et son influence dans tout le pays.

FOIA [Freedom of Information Act]. Loi fédérale qui instaure le droit du public à obtenir des administrations de l'État fédéral communication de l'information.

GAO [Government Accountability Office]. Organisme indépendant, non partisan, qui effectue pour le Congrès un travail d'investigation sur la façon dont l'État fédéral dépense les dollars des contribuables.

GWOT [Global War on Terror, « Guerre mondiale contre le terrorisme »]. Expression qu'utilise le département de la Défense pour désigner sa campagne mondiale contre le terrorisme. La GWOT comprend l'« Opération Liberté pour l'Irak » (Operation Iraqi Freedom, OIF), l'« Opération Liberté durable » en Afghanistan (Operation Enduring Freedom, OEF), et l'« Opération Noble Aigle » (Operation Noble Eagle, ONE).

LCT [Lésion cérébrale traumatique – en anglais TBI, Traumatic Brain Injury]. Lésion due à un coup ou à un choc à la tête, ou à une blessure par pénétration de la tête, qui perturbe les fonctions normales du cerveau.

MRAP [Mine-Resistant Ambush-Protected vehicles, « véhicules blindés résistant aux mines et protégés des embuscades »]. Véhicules conçus pour protéger leurs occupants contre les bombes capables de percer les blindages et qui sont posées à proximité des routes.

OCDE [Organisation de coopération et de développement économiques]. Organisation composée des pays industriels avancés, qui fournit et analyse des statistiques et des données économiques et sociales.

OEF [Operation Enduring Freedom, « Opération Liberté durable »]. Terme qui désigne les opérations en cours en Afghanistan, ainsi que certaines opérations antiterroristes dans d'autres pays de la région.

OIF [Operation Iraqi Freedom, « Opération Liberté pour l'Irak »]. Terme qui désigne l'invasion de l'Irak, le renversement du régime de Saddam Hussein et les opérations militaires, de maintien de l'ordre, de reconstruction et de contre-insurrection qui ont suivi en Irak.

OMB [Office of Management and Budget]. Service de la Maison-Blanche qui aide le président à avoir un contrôle d'ensemble sur la préparation du budget fédéral, et qui supervise la mise en œuvre du budget dans les diverses composantes du pouvoir exécutif.

OMS [Organisation mondiale de la santé]. Autorité directrice et coordinatrice, dans le domaine de la santé, des travaux ayant un caractère international, au sein du système des Nations unies.

ONE [Operation Noble Eagle, « Opération Noble Aigle »]. Opération de renforcement de la sécurité dans les bases militaires.

Opération Herrick. Nom de code désignant l'opération britannique en Afghanistan, incluant la contribution de la Grande-Bretagne à la Force internationale d'assistance sécuritaire et son soutien à l'« Opération Liberté durable » dirigée par les États-Unis.

Opération Telic. Nom de code désignant l'ensemble des opérations britanniques en Irak depuis 2003.

UNHCR [Office of the United Nations High Commissioner on Refugees, Haut-Commissariat des Nations unies pour les Réfugiés]. Organisation qui a mission de diriger et coordonner l'action internationale de protection des réfugiés, et de résoudre les problèmes de réfugiés dans le monde entier.

USAID [United States Agency for International Development]. Administration de l'État fédéral indépendante qui fournit l'aide au développement à d'autres pays.

VA [Department of Veterans Affairs]. Le département des Anciens combattants, dont deux des services principaux sont la Veterans Health Administration (VHA) et la Veterans Benefits Administration (VBA).

VVS [Valeur d'une vie statistique]. Procédure systématique mise au point par les économistes pour assigner une valeur à une vie perdue.

Notes

Préface

1. Ces chiffres comprennent plus de 28 600 soldats blessés au combat dans la guerre d'Irak (appelée OIF – Operation Iraqi Freedom, « Opération Liberté pour l'Irak »), plus de 1 800 soldats blessés au combat dans le conflit afghan (appelé OEF – Operation Enduring Freedom, « Opération Liberté durable »), et plus de 36 500 soldats qui ont fait l'objet d'une évacuation médicale de ces deux théâtres d'opérations en raison de blessures graves sans lien avec les combats, ou de maladies (par exemple en cas d'accidents de véhicules ou de maladies exotiques). Ils ne comprennent pas les soldats blessés hors combat ou malades mais traités sur le théâtre et non évacués. Comme nous le relevons plus loin, l'armée a une latitude considérable pour déclarer « liée aux combats » n'importe quelle blessure. Pour les morts et les blessés en Irak, voir Defense Manpower Data Center, Statistical Information Analysis Center, « Global War on Terrorism – Operation Iraqi Freedom ; By Casualty Category Within Service, March 19, 2003 Through December 8, 2007 », document obtenu par l'association d'anciens combattants Veterans for Common Sense en vertu du Freedom of Information Act, et mis en ligne à l'adresse <http://siadapp.dmdc. osd.mil/personnel/CASUALTY/OIF-Total.pdf> (ce document est repris dans notre Appendice). Pour les morts et les blessés en Afghanistan, voir Defense Manpower Data Center, Statistical Information Analysis Center, « Global War on Terrorism – Operation Enduring Freedom ; By Casualty Category Within Service, October 7, 2001

Through December 8, 2007 », en ligne à l'adresse <http://siadapp.dmdc.osd.mil/personnel/CASUALTY/WOTSUM.pdf>. [Fichiers pdf accessibles à l'adresse <http://siadapp.dmdc.osd.mil/personnel/CASUALTY/castop.htm>, « Operation Iraki Freedom — Casualty Summary by Type » (= OIF-total) et « Operation Enduring Freedom — Casualty Summary by Type » (= WOTSUM).]

2. À la fin de la première moitié de l'exercice 2007, environ 264 000 anciens combattants rentrés aux États-Unis avaient fait une demande de soins dans les centres médicaux et les cliniques du département des Anciens combattants (les comptes de l'État fédéral s'effectuent par « exercices », c'est-à-dire dans le cadre d'une « année budgétaire » qui commence le 1er octobre). Près de 38 % d'entre eux (100 282) ont fait au moins l'objet d'un diagnostic préliminaire de troubles psychiques, et 20 % (52 000) d'un diagnostic préliminaire d'ESPT [état de stress post-traumatique] (déclaration de Patrick W. Dunne, contre-amiral de l'U.S. Navy en retraite, secrétaire adjoint à l'orientation et à la prévision au département des Anciens combattants, devant le comité du Sénat sur les Anciens combattants, 17 octobre 2007).

3. Avant la guerre, 12,9 millions d'Irakiens avaient accès à l'eau potable ; au début de l'année 2006 (la date la plus récente pour laquelle nous avons des chiffres), ils n'étaient plus que 9,7 millions (Michael O'Hanlon et Jason Campbell, *Iraq Index : Tracking Variables of Reconstruction and Security in Post-Saddam Iraq*, Brookings Institution, 1er octobre 2007, <www.brookings.edu/iraqindex>, p. 48). En 2004, l'Autorité provisoire de la Coalition s'est donné pour objectif de faire monter la capacité de production de pointe à 6 000 MW par jour à la fin du mois de juin 2004. Néanmoins, à la fin de l'année 2006, la capacité de production de pointe n'était en moyenne annuelle que de 4 280 MW par jour. En mars 2006, le département d'État a aussi fixé un objectif : 12 heures d'électricité par jour, tant à Bagdad que dans le reste du pays (Government Accountability Office, « Rebuilding Iraq : Integrated Strategic Plan Needed to Help Restore Iraq's Oil and Electricity Sectors », GAO-07-677, mai 2007, <http://www.gao.gov/new.items/d07677.pdf>). En novembre 2007, Bagdad ne recevait encore, en moyenne, que 9 heures d'électricité par jour, nettement moins que les 16 à 24 heures d'avant la guerre (O'Hanlon et Campbell, *Iraq Index : Tracking Variables of Reconstruction and Security in Post-Saddam Iraq*, 12 novembre 2007, p. 36).

4. La guerre du Golfe porte officiellement les noms d'« Opération Tempête du désert » (Operation Desert Storm) et « Opération Bouclier du désert » (Operation Desert Shield) – qui couvrent la période du 2 août 1990 au 31 mars 1991. De plus, un pilote a été porté disparu et, comme nous le verrons dans le cas de la guerre d'Irak, il y a eu aussi beaucoup d'accidents hors combats – ils ont coûté la vie à 235 Américains (département des Anciens combattants, « America's Wars », novembre 2007, en ligne à l'adresse <http://www1.va.gov/OPA/fact/docs/amwars.pdf>).

5. Le coût de la guerre du Golfe est de 94 milliards de dollars (en dollars 2007). Sur ce montant, les États-Unis n'ont payé que 7 milliards de dollars ; l'Arabie Saoudite, le Koweït et d'autres pays leur ont remboursé le reste (témoignage d'Amy Belasco, spécialiste de la politique de défense et du budget militaire des États-Unis, Congressional Research Service, déclaration devant le comité du Budget de la Chambre des représentants, audition de témoins sur « La hausse des coûts budgétaires de la guerre d'Irak », 24 octobre 2007).

6. Veterans Benefits Administration, *Annual Benefits Report, Fiscal Year 2005* (publié en septembre 2006), après ajustement pour tenir compte de l'inflation et des hausses du coût de la vie (en dollars 2007).

7. Les États-Unis ont dépensé plus de 1 milliard de dollars en recherches liées aux maladies de la guerre du Golfe, surtout en subventions à la recherche médicale financées par les départements de la Défense, de la Santé et des Services humanitaires, et des Anciens combattants (calculs des auteurs fondés sur les exercices 1993 à 2007 du budget du gouvernement des États-Unis).

8. Département des Anciens combattants, « Gulf War Veterans Information System », mai 2007, publié le 30 juin 2007 (http://www1.va.gov/rac-gwvi/docs/GWVIS_May2007.pdf).

9. Eric Schmitt, « Troops' Queries Leave Rumsfeld on the Defensive », *New York Times*, 9 décembre 2004, p. A1.

10. Les opérations militaires de combat en Irak ont duré officiellement du 19 mars au 30 avril 2003. Les États-Unis ont dépensé 46 milliards de dollars en Irak pendant l'ensemble de l'exercice 2003 en opérations militaires, l'équivalent d'environ 55 milliards en dollars constants 2007 (« Estimated Costs of U.S. Operations in Iraq and Afghanistan and of Other Activities Related to the War on Terrorism », témoignage de Robert A. Sunshine, directeur adjoint à l'Analyse bud-

gétaire du CBO, devant le comité du Budget de la Chambre des représentants, 31 juillet 2007).

11. Government Accountability Office, « VA Health Care : Preliminary Findings on the Department of Veterans Affairs Health Care Budget Formulation for Fiscal Years 2005 and 2006 », GAO-06-430R, 7 février 2006.

12. En février 2007, on constata que le service des consultations externes du centre médical de l'armée de terre Walter-Reed était infesté de moisissures et de vermines, et manquait de personnel et d'hygiène de base. Voir Dana Priest et Anne Hull, « Soldiers Face Neglect, Frustration at Army's Top Medical Facility », *The Washington Post*, 18 février 2007, p. A1.

13. Le nom officiel de la guerre d'Irak est « Opération Liberté pour l'Irak » (Operation Iraqi Freedom, OIF) ; celui de la guerre d'Afghanistan est « Opération Liberté durable » (Operation Enduring Freedom, OEF). Ces deux opérations, avec l'« Opération Noble Aigle » (Operation Noble Eagle, ONE), qui assure la sécurité des ambassades et d'autres missions du même ordre, composent ce qui s'appelle officiellement la « Guerre mondiale contre le terrorisme » (Global War on Terrorism, GWOT), même si, du moins au départ, il n'y avait aucun lien entre l'Irak et les attentats terroristes du 11 septembre. Les soldats américains en Afghanistan incluent aussi ceux qui participent aux opérations dirigées par l'OTAN.

14. Le « ménage représentatif » est le ménage médian, celui qui se trouve « au milieu », si bien que la moitié des ménages du pays ont un revenu supérieur au sien et l'autre moitié un revenu inférieur (tableau H-6. Régions, toutes races par revenus médian et moyen : 1975-2006, U.S. Census Bureau, *Current Population Survey, Annual Social and Economic Supplements*, en ligne à l'adresse <http://www.census.gov/hhes/www/income/histinc/h06ar.html>).

15. « 2007 Annual Report of the Board of Trustees of the Federal Old-Age and Survivors Insurance and Federal Disability Insurance Trust Funds », 1er mai 2007, en ligne à l'adresse <http://www.ssa. gov/OACT/TR/TR07/tr07.pdf>.

16. Voir www.costofwar.com.

17. Voir « L'éducation pour tous : tenir nos engagements collectifs », Forum mondial sur l'éducation, Dakar, Sénégal, 26-28 avril 2000. Parmi les Objectifs du Millénaire pour le développement, le

deuxième est l'éducation primaire pour tous ; selon des études récentes, « mettre tous les enfants du monde dans une école primaire de bonne qualité coûterait entre 7 et 17 milliards de dollars par an » (Nancy Birdsall, Ruth Levine, Amina Ibrahim *et al.*, « Toward Universal Primary Education : Investments, Incentives, and Institutions », Groupe de travail sur l'éducation et l'égalité des sexes, Projet du Millénaire, 2005, p. 8-9, en ligne à l'adresse <http://www.unmillennium project.org/documents/Education-complete.pdf>).

18. U.S. Census Bureau, *Current Population Survey.* Si le revenu médian a baissé, le revenu moyen des ménages a augmenté. Les écarts importants entre revenu médian et revenu moyen sont liés à de grosses inégalités de revenus. Si une poignée d'individus au sommet s'enrichit de plus en plus, le revenu moyen augmente, mais le revenu médian peut rester stable, voire baisser. Aujourd'hui, le revenu moyen des ménages dépasse de plus d'un tiers le revenu médian.

19. On nous a fait remarquer, notamment, que même en temps de paix il y a des victimes dans les forces armées, par exemple en cas d'accidents de véhicules. La guerre n'était donc pas responsable de toutes les (apparentes) « victimes de guerre ». Même si l'État fédéral doit payer pour tous les décès et blessures de soldats, quelle que soit la façon dont ils se sont produits, nous admettons qu'il est important de comprendre les différentiels. Pour ce faire, nous avons comparé ici le nombre de victimes d'accident, hors hostilités, dans l'armée de terre pendant les cinq années précédant l'invasion de l'Irak et pendant les années qui l'ont suivie. Nous avons constaté que ces morts accidentelles hors combat ont augmenté de plus de 50 %. Nous expliquons cette nouvelle analyse au chapitre 3.

20. Steven Davis, Kevin Murphy et Robert Topel, « War in Iraq versus Containment », American Enterprise Institute, Washington, DC, 15 février 2006, document élaboré pour le colloque du CESifo « Guns and Butter : The Economic Causes and Consequences of Conflict », Munich, Allemagne, 9-10 décembre 2005, <http://www.aei.org/publications/pubID.23916/pub_detail.asp>.

21. Hans Blix, le diplomate de l'ONU responsable des inspections des Nations unies pour vérifier que l'Irak n'avait pas d'armes de destruction massive, avait conclu avec force que l'existence de ces armes était extrêmement improbable. « Les rapports [des Nations unies] ne sont-ils donc lus par personne au sud de l'Hudson ? »

demanda-t-il, amer (« Blix Questions Coalition's Expectations for WMD Discovery », *Global Security Newswire*, 18 juin 2003, <http://www.nti.org/d_newswire/issues/newswires/2003_6_19.html#1>.

1

3 000 milliards, vraiment ?

1. Au cours de l'exercice 2008, il est prévu que les États-Unis dépensent davantage pour leur armée que les quarante-deux pays suivants réunis, soit 47 % de l'ensemble des dépenses militaires mondiales (« National Security Spending », Center for Arms Control and Non-Proliferation, en ligne à l'adresse <http://www.armscontrolcenter. org/policy/securityspending>, consulté le 16 octobre 2007).

2. Anthony Cordesman et Abraham Wagner, *The Lessons of Modern War*, t. II, *The Iran-Iraq War*, Washington, DC, Center for Strategic and International Studies, mai 1990.

3. Eric Hooglund, « The Other Face of War », *Middle East Report*, n° 171, *The Day After*, juillet-août 1991, p. 3-7, 10-12.

4. Voir Pew Global Attitudes Project, « Global Opinion Trends 2002-2007 : A Rising Tide Lifts Moods in the Developing World », juillet 2007 (http://pewglobal.org/reports/pdf/257.pdf), et « America's Image in the World : Findings from the Pew Global Attitudes Project », remarques d'Andrew Kohut au comité des Affaires étrangères de la Chambre des représentants, sous-comité des Organisations internationales, des Droits de l'homme et de la Surveillance, 14 mars 2007.

5. « The Iraqi Public on U.S. Presence and the Future of Iraq », enquête du WorldPublicOpinion.org menée par le Program on International Policy Attitudes, 27 septembre 2006, en ligne à l'adresse <http://www.worldpublicopinion.org/pipa/pdf/sep06/Iraq_Sep06_rpt. pdf>.

6. Même si le prix du pétrole a considérablement augmenté. Voir O'Hanlon et Campbell, *Iraq Index : Tracking Variables of Reconstruction and Security in Post-Saddam Iraq*.

7. Pour une analyse critique de ces estimations et des autres indicateurs de ce qui est arrivé à l'économie et à la société irakiennes, voir chap. 6.

8. « L'élément qui faisait le lien entre les composantes de la population n'existe plus. La classe moyenne a quitté l'Irak » (Sabrina Tavernise, « Iraq's Middle Escapes to Poverty and Pain Abroad », *International Herald Tribune*, 11-12 août, p. 6). Cet article défend ensuite une idée aujourd'hui largement admise : « Plus les membres de cette classe s'appauvrissent et restent à l'étranger, plus l'Irak s'atrophie, et plus il devient difficile pour tout le monde de lui rendre son ancienne cohésion. » C'est l'un des arguments qui plaident en faveur d'un retrait rapide.

9. Le bureau du haut-commissaire aux réfugiés des Nations unies (UNHCR) situe le nombre des « déplacés de l'intérieur » à 2,2 millions (UNHCR, « Statistics on Displaced Iraqis around the World », septembre 2007, à l'adresse <http://www.unhcr.org/cgi-bin/texis/vtx/home/opendoc.pdf?tbl=SUBSITES&id=470387fc2>). À peu près un Irakien sur sept a été déraciné de force (UNHCR, « Iraq Situation Response », juillet 2007, <http://www.unhcr.org/cgi-bin/texis/vtx/home/opendoc.pdf?tbl=SUBSITES&id=46a4a5522>). Voir aussi Elizabeth Ferris, « Security, Displacement, and Iraq : A Deadly Combination », Brookings-Bern Project on Internal Displacement, 27 août 2007, en ligne à l'adresse <http://www.brookings.edu/~/media/Files/rc/papers/2007/0827humanrights_ferris/20070827.pdf>.

10. « Asylum Seekers to Sweden during 1984-2006 » et « Resident Permits to Relative (Family Ties) by Citizenship 1986-2006 », Bureau suédois de l'immigration. Voir aussi « U.S. Humanitarian Assistance for Displaced Iraqis », communiqué de presse du département d'État, 5 octobre 2007.

11. Voici comment le Congressional Research Service évalue le coût militaire des guerres précédentes (en dollars de l'exercice 2007) : Vietnam, 670 milliards de dollars ; Corée, 295 milliards de dollars ; guerre du Golfe, 94 milliards de dollars (coût total, payé pour l'essentiel par les alliés des États-Unis). Il s'agit du coût militaire, qui ne comprend pas les soins médicaux dispensés aux anciens combattants, les pensions d'invalidité qui leur sont versées et d'autres coûts budgétaires (Belasco, déclaration devant le comité du Budget de la Chambre des représentants, audition de témoins sur « La hausse des coûts budgétaires de la guerre d'Irak »). En revanche, dans notre scénario « optimal », nous estimons que les « coûts de fonctionnement » de cette guerre se situeront aux alentours de 855 milliards de dollars.

12. Dans une étude séparée, le Congressional Research Service avance le chiffre de 4 700 milliards de dollars 2002 (l'équivalent de 5 400 milliards de dollars 2007) pour la Seconde Guerre mondiale, et de 577 milliards de dollars pour la Première (ou, si l'on défalque les prêts de guerre à nos alliés, 410 milliards de dollars 2002, soit 476 milliards de dollars 2007) [Stephen Daggett et Nina Serafina, « Costs of Major U.S. Wars and Recent U.S. Overseas Military Operations », rapport du CRS au Congrès, 3 octobre 2001]. Voir aussi une étude de William Nordhaus, professeur à Yale, « The Economic Consequences of a War with Iraq », chap. 3 de son texte *War with Iraq : Costs, Consequences and Alternatives*, New York, American Academy of Arts and Sciences, 2002, p. 51-86. Il cite pour les deux guerres mondiales des chiffres qui sont (en dollars courants) considérablement inférieurs. Ce qui implique, bien sûr, qu'au regard de ces guerres antérieures l'Irak est encore plus coûteux.

13. Amy Belasco, « The Cost of Iraq, Afghanistan, and Other Global War on Terror Operations Since 9/11 », rapport du CRS au Congrès, 16 juillet 2007, code commande RL33110. Ce rapport situe le coût par soldat dans l'exercice financier 2006 à 390 000 dollars, soit, en dollars 2007, autour de 400 000 dollars par militaire.

14. Lettre de Peter Orszag, directeur du Congressional Budget Office, au parlementaire John Spratt, 1er février 2007.

15. Congressional Budget Office, « Some Implications of Increasing U.S. Forces in Iraq », avril 2007, <http://www.cbo.gov/ftpdocs/80xx/doc8024/04-24-Iraq.pdf>.

16. Bob Davis, « Bush Economic Aide Says Cost of Iraq War May Top $100 Billion », *Wall Street Journal*, 16 septembre 2002, p. 1.

17. Dans une interview réalisée par George Stephanopoulos pour l'émission de la chaîne ABC *This Week*, 19 janvier 2003.

18. Transcription du comité du Budget de la Chambre des représentants, *Hearing on FY 2004 Defense Budget Request*, 27 février 2003.

19. L'administration Bush n'était cependant pas la seule à donner ces chiffres immensément sous-estimés. Le Congressional Budget Office (organisme du Congrès qui évalue en toute indépendance le coût des propositions et projets de loi) a estimé qu'un conflit de deux mois et demi coûterait approximativement 50,99 milliards de dollars (en dollars 2007), plus 1,74 à 4,64 milliards par mois d'occupation. Le discours de Bush « Mission accomplie » a peut-être laissé penser

que l'occupation serait courte, mais, même avec ces estimations, une occupation de cinq ans se serait soldée par des dépenses de 104,4 à 278,4 milliards de dollars – chiffres nettement inférieurs à ce qu'a été leur niveau réel.

20. Transcription d'une interview d'Andrew Natsios, administrateur de l'USAID, par Ted Koppel, dans l'émission de la chaîne ABC *Nightline*, 23 avril 2003.

21. Davis, « Bush Economic Aide Says Cost of Iraq War May Top $100 Billion ».

22. Le total se composera des 645 milliards de dollars dépensés jusqu'à présent (en dollars constants 2007 pour tenir compte de l'inflation et de ce que les économistes appellent la « valeur temporelle » de l'argent) plus les quelque 200 milliards de dollars demandés pour l'exercice 2008, ce qui nous conduit à 845 milliards de dollars en dollars 2007. Ces sommes ne comprennent pas le coût des pensions d'invalidité payées aux anciens combattants à ce jour, ni certains financements du renseignement (Belasco, « The Cost of Iraq, Afghanistan, and Other Global War on Terror Operations Since 9/11 »). Elles comprennent les financements décidés dans 25 textes législatifs distincts, dont les PL [Public Law, loi de droit public] 107-117, 107-206, 1207-115, 108-7, 108-11, 108-106, 108-199, 108-287, 109-13, 108-447, 108-287, 109-148, 109-102, 109-108, 109-54, 109-114, 109-234, 109-289, 110-5, la *continuing resolution* [résolution accordant des crédits provisoires] de l'exercice 2007 (PL 110-28), et 2 milliards de dollars en « transferts non identifiés » vers le département de la Défense.

23. Belasco, déclaration devant le comité du Budget de la Chambre des représentants, audition de témoins sur « La hausse des coûts budgétaires de la guerre d'Irak ».

24. Sauf en cas de restrictions spécifiques décrétées par le Congrès, les crédits approuvés pour le département de la Défense sont affectés à des types particuliers de dépenses (par exemple, personnel militaire) et non à des opérations précises comme la guerre en Irak.

25. L'expression « fonds de référence » renvoie simplement aux fonds qui auraient été dépensés normalement s'il n'y avait pas eu de guerre.

26. Selon les estimations du CRS, les trois quarts au moins des dépenses de personnel et des dépenses militaires opérationnelles

directes concernent les opérations en Irak ; en revanche, les frais médicaux et l'indemnisation de l'invalidité sont étroitement liés au nombre
de blessures, dont 89 % se sont produites en Irak. Par conséquent, dans
notre analyse, nous avons attribué à la guerre d'Irak 75 % des coûts
militaires et 89 % des coûts d'invalidité des anciens combattants, pensions d'invalidité de la Social Security et frais médicaux. Source des
chiffres sur les blessures : département de la Défense (« OIF/OEF U.S.
Casualty Status », en ligne à l'adresse <http://www.defenselink.mil/
news/casualty.pdf>) et Hannah Fischer, « United States Military
Casualty Statistics : Operation Iraqi Freedom and Operating Enduring
Freedom », rapport du CRS RS22452, 17 août 2007.

27. Belasco, déclaration devant le comité du Budget de la Chambre
des représentants, audition de témoins sur « La hausse des coûts budgétaires de la guerre d'Irak ».

28. À la date du 30 juin 2006, plus de 531 000 réservistes et gardes
nationaux avaient été mobilisés (avaient reçu notification de leur possible « déploiement »), et plus de 378 000 avaient été effectivement
déployés. Comme la plupart des gardes nationaux et des réservistes
ont atteint la fin de la période où ils pouvaient l'être, ils composaient
34 % des corps expéditionnaires en 2005 mais 23 % en décembre 2006
(« DOD and the Services Need to Take Additional Steps to Improve
Mobilization Data for the Reserve Components », rapport du GAO
aux comités du Congrès, GAO-06,1068, septembre 2006, et Belasco,
« The Cost of Iraq, Afghanistan, and Enhanced Base Security Since
9/11 »).

29. En ce sens, même la plupart des coûts – dont toutes les futures
prestations, comme les soins médicaux – des réservistes et des gardes
nationaux qui ont été mobilisés mais non déployés en Irak ou en
Afghanistan devraient être attribués à la guerre d'Irak.

30. Ce chiffre n'intègre même pas l'effectif des sous-contractants –
ceux auxquels les contractants eux-mêmes peuvent sous-traiter leur
mission (Renae Merle, « Census Counts 100,000 Contractors in Iraq »,
The Washington Post, 5 décembre 2006, p. D1). On a probablement
une estimation plus exacte avec le « plus de 160 000 » du chercheur
de la Brookings Institution Peter W. Singer *in* « Can't Win With 'Em,
Can't Go to War Without 'Em : Private Military Contractors and
Counterinsurgency », Brookings Institution, septembre 2007. Pendant
la guerre du Golfe, en revanche, les personnels d'entreprises privées

sous contrat étaient au nombre de 9 200 (Katherine Peters, « Civilians at War », *Government Executive*, 1er juillet 1996).

31. John M. Broder et David Rohde, « State Department Use of Contractors Leaps in 4 Years », *New York Times*, 24 octobre 2007, p. A1.

32. Pour mettre ce chiffre en perspective, signalons que le département d'État a suggéré d'indemniser la famille d'un des Irakiens tués en lui versant 5 000 dollars, afin de « mettre rapidement derrière nous cette malheureuse affaire » – indemnisation d'une « mort injuste » équivalant à moins de cinq jours de salaire du garde de Blackwater (comité de la Surveillance et de la Réforme de l'État de la Chambre des représentants, *Memorandum re : Additional Information About Blackwater USA*, 1er octobre 2007).

33. Quelques personnes ont suggéré que la comparaison était injuste. Après tout, l'État finit par payer les pensions d'invalidité et les frais médicaux des anciens combattants blessés, ce qui représente des coûts importants. Mais cet argument est fallacieux. Comme nous le soulignons au chapitre 3, il apparaît que les chiffres cités pour le coût des contractants ne comprennent pas les frais d'assurance, qui sont pris en charge par l'État ; et, même après avoir payé l'assurance, pour ceux d'entre eux qui sont blessés ou tués au combat, c'est malgré tout l'État qui paie la facture.

34. Les contractants ne sont pas toujours soumis au Code uniforme de Justice militaire (Uniform Code of Military Justice, UCMJ), et, globalement, il s'avère qu'ils sont à l'abri de toute poursuite judiciaire irakienne pour les crimes qu'ils commettent en Irak (Stephen M. Blizzard, « Increasing Reliance on Contractors on the Battlefield : How Do We Keep from Crossing the Line ? », *Air Force Journal of Logistics*, vol. 28, n° 1, printemps 2004). À partir de 2006, les contractants des forces armées ont été soumis à l'UCMJ, mais ceux du département d'État (comme Blackwater) ne le sont toujours pas. Voir John Broder et James Risen, « Armed Guards in Iraq Occupy a Legal Limbo », *New York Times*, 20 septembre 2007, p. A1.

35. Le 17 septembre 2007, après un incident particulièrement sanglant dans lequel des contractants Blackwater ont été accusés d'avoir tué dix-sept civils, le gouvernement irakien a menacé de suspendre la licence de Blackwater, et le Congrès s'est senti tenu d'organiser des auditions de témoins. Voir par exemple Sabrina Tavernise, « U.S.

Contractor Banned by Iraq Over Shootings », *New York Times*, 18 septembre 2007, p. A1. Le FBI a déterminé depuis que quatorze des dix-sept meurtres étaient injustifiés (David Johnston et John M. Broder, « FBI Says Guards Killed 14 Iraqis Without Cause », *New York Times*, 14 novembre 2007, p. A1).

36. Au moins quatre-vingt-dix enquêtes ont été ouvertes pour examiner des allégations de malversations portant sur des milliards de dollars de contrats dans tous les domaines, du ravitaillement aux armements. Le service des enquêtes criminelles du département de la Défense enquête sur des allégations de fraude, enrichissement personnel et disparition d'armes. Ces enquêtes ont déjà abouti à cinq accusations criminelles au niveau fédéral, et dix inculpés ont été condamnés au pénal ; le droit de dix-neuf entreprises et personnes à faire des affaires avec le département de la Défense a été suspendu ; enfin, quatre individus et une entreprise se sont vu interdire définitivement de passer contrat avec l'État américain (déclaration de Thomas F. Gimble, adjoint principal de l'inspecteur général, département de la Défense, devant le comité des Forces armées de la Chambre des représentants, sur « La responsabilité financière pendant les opérations d'urgence : prévenir et combattre la corruption dans les contrats, instaurer et maintenir des contrôles adaptés sur le matériel », 20 septembre 2007).

37. Quel contraste entre cette requête de près de 19 milliards de dollars et les propos d'Andrew Natsios (p. 30-31) qui, au nom de l'administration Bush, avait assuré quelques mois plus tôt à Ted Koppel et au peuple américain que les coûts de la reconstruction ne dépasseraient pas 1,7 milliard !

38. Bureau de l'inspecteur général du département de la Défense, « Human Capital », rapport sur les effectifs du personnel des acquisitions du département de la Défense (D-2006-073), 17 avril 2006.

39. Comité de la Surveillance et de la Réforme de l'État de la Chambre des représentants, *Memorandum re : Supplemental Information on Iraq Reconstruction Contracts*, 15 février 2007.

40. Bureau de l'inspecteur général spécial de la reconstruction en Irak, « Oversight of Funds Provided to Iraqi Ministries Through the National Budget Process », rapport n° 05-004, 30 janvier 2005.

41. Center for Public Integrity, « Outsourcing the Pentagon : Halliburton Co. », <http://www.publicintegrity.org/pns/db.aspx?act=cinfo& coid=964409007>. Halliburton est la plus grande entreprise privée

« contractante » opérant en Irak, *via* sa filiale Kellogg, Brown & Root. Elle détient trois gros contrats : le Logistics Civil Augmentation Program (LOGCAP), qui lui donne mission de fournir des services aux armées ; le contrat Restore Iraqi Oil (RIO), pour reconstruire des champs pétrolifères dans tout l'Irak ; et le contrat Restore Iraqi Oil 2 (RIO 2) pour reconstruire des champs pétrolifères dans le sud de l'Irak (comité de la Surveillance et de la Réforme de l'État de la Chambre des représentants, *Memorandum re : Supplemental Information on Iraq Reconstruction Contracts*, 15 février 2007).

42. Calculs fondés sur Yahoo ! Finance, prix de clôture du 15 novembre 2007, ajusté en fonction des fractionnements d'actions et des dividendes.

43. « Ces dernières années », a déclaré Amy Belasco dans son témoignage, « le coût annuel de la guerre pour le département de la Défense a plus que doublé, de 72 milliards de dollars dans l'exercice 2004 à environ 165 milliards de dollars dans l'exercice 2007, soit une augmentation de 93 milliards de dollars. Les changements dans les effectifs du personnel déployé n'expliquent qu'une faible part de cette hausse. Il convient plutôt de l'attribuer aux facteurs suivants : 1) certaines dépenses imprévues mais indispensables pour la protection et l'équipement de nos forces ; 2) le coût de la formation et de l'équipement des forces de sécurité afghanes et irakiennes ; et 3) plus encore, une définition élargie des types de dépenses jugées nécessaires à la reconstitution ou à la remise à niveau – des crédits pour réparer et remplacer l'équipement ravagé par la guerre » (Belasco, déclaration devant le comité du Budget de la Chambre des représentants, audition de témoins sur « La hausse des coûts budgétaires de la guerre d'Irak »).

44. Peter Orszag, directeur du Congressional Budget Office, témoignage devant le comité du Budget de la Chambre des représentants, audition de témoins sur « La hausse des coûts budgétaires de la guerre d'Irak », 24 octobre 2007.

45. Jim Michaels, « 19,000 Insurgents Killed in Iraq Since '03 », *USA Today*, 28 septembre 2007, p. A1. Au chapitre 7, nous expliquons comment notre stratégie a contribué à accroître les effectifs des insurgés.

46. Les soldats d'active et de réserve paient leurs primes d'assurance-vie de leurs propres deniers, sur la base de la valeur nominale

de la police. Les anciens combattants aussi paient leurs primes au Veterans Group Life Insurance (VGLI), bien qu'elles soient très faibles, et le VA déduira ces primes VGLI des pensions d'invalidité qu'il leur verse. L'ancien combattant ne peut souscrire à la VGLI que sur la base du montant de sa police au moment de sa démobilisation. Autrement dit, si un ancien combattant n'a que 100 000 dollars de SGLI (Servicemember Group Life Insurance, assurance-vie des militaires en activité), il ne peut souscrire qu'à une VGLI maximale de 100 000 dollars dans l'année qui suit sa démobilisation. Et s'il ne le fait pas pendant cette première année après sa démobilisation, il perd à jamais le droit d'avoir une VGLI.

47. 97 % des décédés de l'« Opération Liberté pour l'Irak » sont des hommes (Hannah Fischer, « United States Military Casualty Statistics : Operation Iraqi Freedom and Operation Enduring Freedom », rapport du CRS au Congrès, 17 août 2007, code commande RS22452).

48. Cf. Préface, n. 1. Ces chiffres comprennent toutes les blessures liées aux combats et toutes les blessures et maladies hors combat qui nécessitent un transport aérien médical. Ils ne comprennent aucune des blessures, maladies et affections hors combat pour lesquelles le soldat a été traité mais qui n'ont pas nécessité d'évacuation médicale par avion. Cette discordance a été révélée au public en janvier 2007, quand Linda Bilmes a publié son article sur les coûts liés aux soldats américains rentrés (Linda Bilmes, « Soldiers Returning from Iraq and Afghanistan : The Long-term Costs of Providing Veterans Medical Care and Disability Benefits », document de travail RWP07-001 de la Kennedy School of Government Faculty Research, Harvard University ; notons avec intérêt que près de 50 % de l'ensemble des décès de la guerre du Golfe ont été classés « hors combat »).

49. Les économistes utilisent souvent les taux de suicide comme indicateurs (certes grossiers) du stress : voir Gregg Zoroya, « Suicide Rate Spikes Among Troops Sent to Iraq War », *USA Today*, 20 décembre 2006. Voir aussi l'étude du Mental Health Advisory Team (MHAT-IV), effectuée par le département de la Défense sur 1 300 soldats et 450 Marines en août et octobre 2006 (département de la Défense, communiqué de presse n° 530-07, 4 mai 2007).

50. Voir Charles S. Milliken, Jennifer L. Auchterlonie et Charles W. Hoge, « Longitudinal Assessment of Mental Health Problems Among Active and Reserve Component Soldiers Returning from the

...oins médicaux et pensions d'invalidité des anciens combat-... plus élevées que les projections du CBO, essentiellement... nous le calculons sur l'ensemble de la durée de vie des... combattants tandis que le CBO le fait sur dix ans, voire moins... De plus, nous intégrons plusieurs coûts que les projections du... ...aissent de côté.

...omme nous l'avons indiqué au chapitre 1, tous les dollars ont... ...nvertis en dollars constants 2007 pour tenir compte de l'inflation... ...la « valeur temporelle » de l'argent. Puisque ce chapitre porte... les conséquences budgétaires pour l'État fédéral, il devrait y avoir... de désaccords sur notre usage du taux réel auquel l'État peu... ...mprunter (1,5 %) *pour évaluer les conséquences budgétaires de l...* ...uerre. (Les entreprises, en général, ne peuvent pas emprunter au... ...ême taux, et elles lèvent souvent de l'argent en émettant de nouveaux... ...itres, ce qui pose des problèmes difficiles lorsqu'on cherche à défini... le taux d'actualisation adapté aux entreprises. Quant au taux d'actuali... sation qu'il convient d'utiliser pour évaluer les coûts sociaux généraux... de la guerre, c'est une question encore plus controversée : nous l'exa... minerons dans la Note méthodologique, p. 269.)

8. Une quarantaine de pays, menés par les États-Unis, la Grande... Bretagne, l'Australie et la Pologne, faisaient partie de la Coalition en... 2003. Depuis, sous la pression de leur opinion publique et de leu... électorat, dix-huit s'en sont entièrement retirés, et huit autres ont moin... de cinquante soldats dans la région. En 2007, les seuls pays qui avaien... encore plus de 1 000 soldats en Irak étaient la Grande-Bretagne, l... Corée du Sud et la Géorgie. Comme pour tant d'autres aspects de cett... guerre, savoir combien de pays sont membres de la Coalition est plu... difficile que cela ne devrait l'être (cf. chap. 6).

9. « The Possible Costs to the United States of Maintaining a Long... Term Military Presence in Iraq », lettre de Peter Orszag (directeur d... CBO) au parlementaire Kent Conrad au sujet des coûts du maintie... d'une présence en Irak du même ordre que celle des forces américaine... en République de Corée et dans la région de l'Asie du Nord-E... (20 septembre 2007, Congressional Budget Office).

10. Au moment où nous achevons ce livre, une partie de cet argen... a déjà été dépensée, et il faudrait donc en réalité l'inclure dans le... dépenses « passées » et non « futures ». Néanmoins, par souci de sim... plicité, nous avons retenu comme ligne de démarcation le début d... l'exercice 2008, soit la date du 1er octobre 2007.

Iraq War », *Journal of the American Medical Association*, vol. 298, n° 18, 14 novembre 2007, p. 2141, qui cite Paul Bliese, Kathleen Wright, Amy Adler, Charles Hoge et Rachel Prayner, « Post-Deployment Psychological Screening : Interpreting and Scoring DD Form 2900 », Heidelberg, Allemagne, U.S. Army Medical Research Unit-Europe, 2005, rapport de recherche 2005-003 ; et Paul Bliese, Kathleen Wright, Amy Adler, Jeffrey Thomas et Charles Hoge, « Timing of Postcombat Mental Health Assessments », *Psychological Services*, vol. 4, n° 3, août 2007, p. 141-148.

51. L'étude a relevé en particulier la multiplication des problèmes relationnels et les défaillances dans les services aux membres des familles.

52. Déclaration de Thomas F. Gimble, inspecteur général par intérim du département de la Défense, devant le sous-comité de la Gestion des finances fédérales, de l'Information de l'État et de la Sécurité internationale, comité de la Sécurité intérieure et des Affaires de l'État du Sénat, 3 août 2006.

53. Government Accountability Office, « Global War on Terrorism : Observations on Funding, Costs, and Future Commitments », GAO-06-885T, 18 juillet 2006.

54. Les critères du financement d'urgence sont les suivants : le besoin doit être nécessaire et vital, urgent, soudain, exigeant une action immédiate, imprévu, imprévisible et non anticipé (PL 108-287, titre IX, section 9011). Dans sa demande initiale de crédits pour l'Afghanistan, le président Bush a indiqué qu'il ne solliciterait plus d'autres financements supplémentaires d'urgence (lettre de George W. Bush au président de la Chambre des représentants, 17 octobre 2001, reproduite dans l'Appendice p. 249).

55. Belasco, « The Cost of Iraq, Afghanistan, and Other Global War on Terror Operations Since 9/11 ».

56. James A. Baker III et Lee Hamilton, coprésidents, *Iraq Study Group Report*, 6 décembre 2006, <http://www.usip.org/isg/iraq_study_group_report/report/1206/iraq_study_group_report.pdf>.

57. Belasco, « The Cost of Iraq, Afghanistan, and Other Global War on Terror Operations since 9/11 ».

58. « Global War on Terrorism : Observations on Funding, Costs, and Future Commitments », déclaration du Contrôleur général des États-Unis David M. Walker, témoignage devant le sous-comité de la

Sécurité nationale, des Menaces émergentes et des Relations internationales, comité de la Réforme de l'État, Chambre des représentants, 18 juillet 2006.

59. Les pensions d'invalidité, qui sont aussi gérées par le VA, sont des droits automatiques et n'exigent pas d'affectations spéciales de crédits.

60. Tout au long du livre, dans notre analyse budgétaire, nous convertissons toutes les dépenses passées en dollars constants 2007, et nous actualisons les futures charges en trésorerie au taux « réel » des bons du Trésor : 1,5 %. Si l'inflation reste à son niveau récent d'environ 3 %, cela signifie que le taux d'actualisation de ces charges est de 4,5 %. Dans l'estimation de l'impact économique à long terme (chap. 4-6), il y a une controverse sur le taux d'actualisation approprié : nous y reviendrons longuement plus loin.

61. Point intéressant : nos estimations s'avèrent conformes aux prévisions faites par William Nordhaus avant la guerre sur ce que coûterait une guerre prolongée et défavorable. Il a estimé, par exemple, que l'impact sur les marchés du brut coûterait 778 milliards de dollars ; dans notre scénario modéré, les coûts pétroliers sont de 800 milliards de dollars. Il a évalué l'impact macroéconomique négatif à 391 milliards de dollars. Il a légèrement sous-estimé le coût des dépenses militaires (dont les frais d'occupation/maintien de la paix) en les fixant à 640 milliards de dollars – mais qui aurait pu prévoir que les choses seraient si mal gérées ? – et a ignoré tous les autres coûts budgétaires et non budgétaires dissimulés sur lesquels nous concentrons notre analyse dans ce livre (Nordhaus, *War With Iraq*, p. 77).

2

Les coûts inscrits au budget des États-Unis

1. Cet argent a été attribué à l'Irak et à l'Afghanistan par vingt-cinq lois séparées d'affectation de crédits depuis 2001 (témoignage de Robert A. Sunshine, directeur adjoint de l'analyse budgétaire au CBO, « Estimated Costs of U.S. Operations in Iraq and Afghanistan and of Other Activities Related to the War on Terrorism », devant le comité du Budget de la Chambre des représentants, 31 juillet 2007).

2. Environ 36 % des soldats amér[...] Afghanistan ont été prélevés dans la [...] en particulier les réserves de l'armée de [...] gardes nationaux et réservistes ont été m[...] (Government Accountability Office, « DO[...] Take Additional Steps to Improve Mobiliza[...] Components », GAO-06-1068, septembre 2[...] 60 000 personnes ont été recrutées pour « comb[...] postes vacants de la garde nationale et des réserve[...] leurs titulaires sont en Irak. La mobilisation de ces p[...] un coût direct supplémentaire de 3 milliards de dolla[...]

3. Ce chiffre ne comprend que les coûts de traiter[...] combattants jusqu'à la fin de l'année 2007.

4. Le Congrès a affecté 18,4 milliards de dollars – ch[...] cédent – à la reconstruction de l'Irak en septembre 2003[...] ment était destiné à des usages spécifiques, dont la c[...] d'écoles, de réseaux d'égouts, l'assainissement, la réparation[...] électrique et d'autres projets civils. À ce jour, le gros de[...] dépensé a été détourné vers des projets militaires, dont la for[...] d'escouades de déminage, l'entraînement des forces de sécurit[...] kiennes, la construction de prisons, l'achat de véhicules blindés[...] dans les 3 600 projets réalisés, environ 25 % des fonds ont é[...] dépensés pour la sécurité. De l'argent a aussi été détourné pour finan-cer les élections (inspecteur général spécial pour la reconstruction de l'Irak). À la fin de 2007, l'administration a fait savoir qu'elle annulait sa requête pour ce qui restait de l'argent de la reconstruction.

5. En 2007, le budget fédéral a inclus 394 milliards de dollars pour Medicare et 276 milliards de dollars pour Medicaid et les prestations qui lui sont liées (Budget du gouvernement des États-Unis, 2007).

6. Le CBO a conçu une série de scénarios sur l'engagement militaire. Notre analyse se concentre sur deux d'entre eux : dans le premier, le désengagement est relativement rapide et ne laisse sur place qu'une force non combattante, comme celle qui est actuellement stationnée en Corée ; dans le second, le retrait est plus lent et les États-Unis conservent des missions de combat. La comparaison de nos estimations avec celles du CBO montre que nous sommes parvenus à des projections semblables sur les coûts futurs de la conduite de la guerre et ceux du « rééquipement » des forces armées. Nos estimations du

11. Selon le fichier « déploiement » du Contingency Tracking System (système de suivi d'urgence) du département de la Défense, à la date du 31 octobre 2007, environ 1,64 million de militaires américains avaient été déployés dans la « guerre mondiale contre le terrorisme ». Ce chiffre se décompose ainsi : armée de terre, 800 681 ; flotte, 304 382 ; armée de l'air, 325 023 ; Marines, 208 731 ; et gardes-côtes, 3 077. Il est difficile d'estimer les chiffres jusqu'en 2017, en raison des incertitudes sur le recrutement, le rengagement et les pertes. Dans ce scénario, nous estimons que 200 000 soldats supplémentaires au total serviront dans l'Opération Liberté pour l'Irak et l'Opération Liberté durable (Afghanistan). Dans notre scénario réaliste-modéré, nous avons estimé que, d'ici à 2017, 400 000 soldats supplémentaires auront été déployés.

12. En Grande-Bretagne, par exemple, les projections indiquent que les coûts de personnel pour l'Irak pendant l'exercice 2008 ne seront inférieurs que de 5 % à ceux de l'exercice 2007, bien que les effectifs du corps expéditionnaire britannique aient été réduits de moitié (comité de la Défense de la Chambre des communes, « Cost of Operations in Iraq and Afghanistan : Winter Supplementary Estimate 2007-08 », 27 novembre 2007).

13. Veterans Benefits Administration, « Annual Benefits Report, Fiscal Year 2005 », publié en septembre 2006, <http://www.vba.va.gov/2005_abr.pdf>, et Gulf War Veterans Information System. Ce qui équivaut à 6 927 dollars en dollars constants 2007.

14. Sur les quelque 700 000 soldats qui ont servi, on estime que 620 266 sont encore vivants. Sur ce chiffre, 280 623 ont déposé des demandes dont 212 867 ont été acceptées (dont 161 313 avec un taux d'invalidité lié au service armé de 10 % ou plus), 30 679 ont été rejetées et 38 398 étaient toujours en cours d'examen à la date de publication du rapport le plus récent. Beaucoup de ces anciens combattants souffrent de symptômes qui ne sont pas pleinement diagnostiqués, souvent qualifiés de « syndrome de la guerre du Golfe ». Le département des Anciens combattants publie de fréquents rapports de mise à jour (Department of Veterans Affairs, « Gulf War Veterans Information System, May 2007 », publié le 30 juin 2007 à l'adresse <http://www1.va.gov/rac-gwvi/docs/GWVIS_May2007.pdf>. Voir aussi Veterans Benefits Administration, « Annual Benefits Report Fiscal Year 2005 », publié en septembre 2006 à l'adresse <http://www.vba.va.gov/2005_abr.pdf>).

15. Karen H. Seal *et al.*, « Bringing the War Back Home : Mental Health Disorders Among 103,788 U.S. Veterans Returning from Iraq and Afghanistan Seen at Department of Veterans Affairs Facilities », *Archives of Internal Medicine*, vol. 167, n° 5, mars 2007, p. 476-482.

16. Le taux d'ajustement annuel moyen de la Social Security au coût de la vie pendant les cinq années 2003-2007 est de 3,3 %.

17. Le budget médical du VA est discrétionnaire (autrement dit, les parlementaires lui attribuent des crédits chaque année). Nous ne pouvons donc pas prédire avec certitude ses montants futurs, qui pourront être augmentés ou réduits par les décisions du Congrès. (En revanche, les pensions d'invalidité du VA sont une dépense obligatoire : elles ne relèvent pas du processus annuel d'affectation de crédits, et nous pouvons donc effectuer des projections à leur sujet avec plus d'exactitude.) Notre estimation du total des frais médicaux pour les dix années 2007-2017 est de 17,7 milliards de dollars dans le meilleur cas de figure et de 32 milliards dans le scénario modéré. À comparer avec l'estimation du CBO : 7 à 9 milliards de dollars pour la même période.

18. Ces ajustements des pensions d'invalidité augmentent en général plus vite que le coût de la vie. Ils visent à compenser (en partie) les pertes de revenus subies par les anciens combattants en raison de leur invalidité. Historiquement, les salaires ont augmenté plus vite que les prix. Les pensions des anciens combattants ont augmenté à un taux de croissance composé moyen de 7 % ; nos estimations se fondent sur une croissance moyenne de 3,3 %, parce qu'il est question actuellement au Congrès de lier les augmentations des pensions d'anciens combattants à celles des prestations de la Social Security. (Les versements de la Social Security ne sont pas seulement indexés sur la hausse des prix mais aussi sur les salaires. C'est important pour ne pas créer un écart croissant entre les revenus des retraités et ceux des actifs.)

19. Veterans Disability Benefits Commission, « Honoring the Call to Duty : Veterans' Disability Benefits in the 21st Century », octobre 2007 (http://www.vetscommission.org/pdf/FinalReport10-11-07-compressed.pdf).

20. Lawrence Korb, Loren Thompson et Caroline Wadhams, « Army Equipment After Iraq », Washington, DC, Center for American Progress et Lexington Institute, 25 avril 2006 (http://www.americanprogress.org/kf/equipment_shortage.pdf).

21. William M. Solis, directeur du service « Defense Capabilities and Management » au GAO, « Preliminary Observations on Equip-

ment Reset Challenges and Issues for the Army and Marine Corps »,
témoignage devant le sous-comité sur le Niveau de préparation et le
sous-comité des Forces tactiques terrestres et aériennes du comité des
Forces armées de la Chambre des représentants, GAO-06-604T.

22. Rapport du GAO aux comités du Congrès, « Military Readiness : DOD Needs to Identify and Address Gaps and Potential Risks
in Program Strategies and Funding Priorities for Selected Equipment », GAO-06-141, octobre 2005.

23. Andrew Feickert, spécialiste de la défense nationale, « U.S.
Army and Marine Corps Equipment Requirements : Background and
Issues for Congress », rapport du Congressional Research Service,
15 juin 2007, code commande RL33757.

24. Carl Connetta, « Fighting on Borrowed Time : The Effect on
U.S. Military Readiness of America's Post-9/11 Wars », Project on
Defense Alternatives, rapport d'information n° 19, 11 septembre 2006,
p. 5 (http://www.comw.org/pda/fulltext/0609br19.pdf).

25. Le 27 juin 2006, le chef d'état-major de l'armée de terre, le
général Peter Schoomaker, a dit aux parlementaires que l'armée de
terre aurait besoin, à elle seule, de 12 à 13 milliards de dollars « au
moins pendant deux ou trois ans après » la fin du conflit (déclaration
de Peter J. Schoomaker devant le comité des Forces armées de la
Chambre des représentants, « On the Army's Reset Strategy and Plan
for Funding Reset Requirements », Washington, DC).

26. Le chiffre de 250 milliards de dollars représente presque certainement le « meilleur cas de figure ». Le nouveau président des Joint
Chiefs of Staff, l'amiral Mike Mullen, a déclaré au *New York Times*
qu'il « recommandera au Congrès de maintenir les dépenses militaires
à leur niveau actuel même après la fin de la guerre d'Irak, afin que le
Pentagone puisse réparer et remplacer les armes utilisées et reconstruire ses forces terrestres » (éditorial du *New York Times*, 25 octobre
2007, p. A24). Une année de maintien du niveau actuel coûte 200 milliards de dollars.

27. Général Ronald Keys, chef de l'Air Combat Command, cité *in*
Tom Vanden Brook, « General : Air Fleet Wearing Down », *USA
Today*, 8 mai 2007, p. 1A.

28. Notons que nous avons déjà tenu compte de l'augmentation des
dépenses publiques due à l'inflation. Certains relèvements de dépenses
avaient été décidés avant la guerre (l'augmentation de la solde des

militaires, par exemple), mais les hausses réelles ont été bien plus fortes que prévu. Nous avons constaté que les dépenses du département de la Défense s'étaient accrues de 600 milliards de dollars de plus que ce qu'on aurait pu prédire au vu de leur taux de croissance depuis quarante ans.

29. Le CRS, par exemple, a découvert que 14 milliards de dollars de crédits de guerre du Pentagone ne pouvaient être liés à aucune dépense précise : ils avaient donc peut-être financé les opérations régulières du DOD et non la guerre. En outre, comme nous l'expliquons plus loin, la guerre a provoqué une hausse des coûts, en imposant de payer davantage, par exemple, pour recruter et conserver les soldats (Belasco, déclaration devant le comité du Budget de la Chambre des représentants, audition de témoins sur « La hausse des coûts budgétaires de la guerre d'Irak »).

30. Les « faiblesses matérielles » du système comptable d'une entreprise ou d'une administration sont des déficiences si graves qu'on peut en conclure avec une très forte probabilité que de grosses inexactitudes dans les systèmes financiers (par exemple la non-inscription de dépenses) ne seront pas détectées en temps voulu par les contrôles internes normaux.

31. Inspecteur général du département de la Défense, « Independent Auditors' Report on the Principal Statements », *DOD Performance and Accountability Report, Fiscal Year 2006*, 12 novembre 2006.

32. Par exemple, l'objectif de recrutement pour mai 2005 était initialement de 8 050 personnes, puis on l'a ramené à 6 700 ; des ajustements du même ordre sont intervenus pendant toute l'année (Eric Schmitt, « After Lowering Goal, Army Falls Short on May Recruits », *New York Times*, 8 juin 2005, p. A9).

33. Lizette Alvarez, « Army Giving More Waivers in Recruiting », *New York Times*, 14 février 2007, p. A1.

34. National Priorities Project, « Military Recruiting 2006 », 22 décembre 2006, <http://www.nationalpriorities.org/Publications/Military-Recruiting-2006.html>.

35. Joseph Galloway, « Asking Too Much of Too Few », *McClatchy Newspapers*, 24 octobre 2007.

36. Andrew Tilghman, « The Army's Other Crisis. Why the Best and Brightest Young Officers Are Leaving », *Washington Monthly*, 21 décembre 2007.

37. Gordon Lubold, « To Keep Recruiting Up, U.S. Military Spends More », *Christian Science Monitor*, 12 avril 2007, p. 2.

38. Michael O'Hanlon, « The Need to Increase the Size of the Deployable Army », *Parameters* (publication trimestrielle de l'U.S. Army War College), automne 2004, p. 4-17.

39. L'administration Bush a annoncé des plans d'expansion des effectifs, qui devraient porter ceux de l'armée de terre d'active à 547 000 personnes, ceux du Marine Corps à 202 000, et ceux de la garde nationale et des réservistes de l'armée de terre à 564 200 dans les cinq prochaines années. L'objectif est d'avoir augmenté les effectifs de 74 000 personnes au total en 2010.

40. 16 milliards de dollars par an avec une hausse annuelle de 2 % due à l'inflation.

41. Dans ses comptes les plus récents sur la guerre, le Congressional Research Service a ajouté ces coûts d'avant guerre (Belasco, « The Cost of Iraq, Afghanistan, and Other Global War on Terror Operations Since 9/11 »).

42. Faire respecter les zones d'interdiction de vol avait un coût dont les évaluations sont variables. Wallsten et Kosec l'ont estimé à 13 milliards de dollars par an. Mais il est clair que les économies réalisées ne se sont pas traduites par une baisse des dépenses du département de la Défense ; et puisque nous avons déjà compté cet argent pour d'autres usages, par exemple le financement de la guerre contre le terrorisme et les dépenses accrues en armements, il semble bien que ces économies aient été, en fait, détournées vers le financement de la guerre. Dans ce cas, en les ignorant, nous avons sous-évalué le coût de la guerre. Il nous faudrait ajouter 10 à 15 milliards de dollars par an, que viennent alors couvrir ces sommes économisées (Scott Wallsten et Katrina Kosec, « The Economic Costs of the War in Iraq », AEI-Brookings Joint Center Working Paper 05-19, septembre 2005, et Sarah Graham-Brown, « No Fly Zones : Rhetoric and Real Intentions », *Global Policy Forum*, 20 février 2001).

43. Deux lois datant de la Seconde Guerre mondiale interviennent ici : le Defense Base Act de 1941 exige que les contractants soient assurés ; et le War Hazards Compensation Act de 1942 autorise les assureurs à demander à l'État fédéral de prendre en charge les paiements pour les contractants tués ou blessés.

44. L'indemnisation de l'invalidité totale est à hauteur des deux tiers des gains hebdomadaires moyens de la personne employée, jusqu'à un plafond actuel de 1 030,78 dollars par semaine (chiffre porté aux trois quarts en cas de personnes à charge). Il y a aussi indemnisation en cas de perte partielle de revenu. Les prestations décès représentent la moitié des gains hebdomadaires moyens de la personne employée pour le conjoint survivant sans enfant ; s'il y en a, c'est 45 % pour le conjoint et 15 % de plus par personne à charge, jusqu'à un plafond de 75 %. Les pensions permanentes pour invalidité totale ou décès peuvent être payables à vie et bénéficient d'ajustements annuels en fonction du coût de la vie (U.S. Department of Labor, Employment Standards Administration, « Injury Compensation for Federal Employees », Publication CA-810, janvier 1999).

45. John M. Broder et James Risen, « Death Toll for Contractors Reaches New High in Iraq », *New York Times*, 19 mai 2007, p. A1.

46. Parmi les nombreuses demandes d'indemnisation déposées par de gros contractants, 346 l'ont été par Halliburton ; 309 par CSC Dyncorp ; 307 par Raytheon ; 157 par Titan ; 142 par CSA Ltd. ; 118 par ITT Industries ; 99 par L-3 Communications ; 96 par General Dynamics ; 89 par Northrop Grumman ; et 54 par Washington Group International (James Cox, « Contractors Pay Rising Toll in Iraq », *USA Today*, 16 juin 2004, p. 1B).

47. Il y a aussi des raisons de penser que leur espérance de vie sera plus courte. C'est un exemple où coûts budgétaires et coûts économiques vont en sens inverse : leur mort prématurée va faire économiser de l'argent à la Social Security ; mais elle a un coût sociétal réel. Nos estimations n'intègrent d'ajustement pour aucun de ces deux facteurs.

48. U.S. Department of Transportation Research and Innovative Technology Administration, Bureau of Transportation Statistics ; et Al Shaffer, Executive Director, Office of Defense Research and Engineering, DOD Energy Secretary Task Force, exposé du 22 mai 2007.

49. Même un triplement des prix de l'énergie ajouterait 12 milliards de dollars par an au déficit. Dans notre scénario réaliste-modéré, nous n'avons attribué à la guerre d'Irak qu'une petite partie de la hausse des prix énergétiques.

50. Une *analyse économique* est un peu plus compliquée, comme on le verra plus loin.

51. En mars 2003, l'endettement des États-Unis était de 6 500 milliards de dollars. On peut considérer que le chiffre de 1 000 milliards de dollars représente approximativement la valeur actuelle (en dollars 2007) des dépenses de guerre jusqu'en 2008. Il a été déterminé en additionnant les dépenses *courantes* totales estimées de la guerre pour chaque année (les dépenses directes, qui représentent 75,4 % des 645 milliards de dollars, plus celles qui ont été dissimulées dans le budget de la défense, 151 milliards de dollars), et en calculant les intérês composés de la dette jusqu'en mars 2008.

3

Le coût véritable des soins aux anciens combattants

1. Selon un rapport du CBO, « The All-Volunteer Military : Issues and Performance », juillet 2007, la recrue type a dix-huit ans ; la moitié du corps expéditionnaire en service actif a entre dix-sept et vingt-quatre ans ; les femmes représentent 14 % des engagés. Le pourcentage de militaires pris dans les réserves et la garde nationale est tombé au-dessous de 25 % quand la méthode s'est heurtée à la limite des deux ans de déploiement.

2. Nous faisons un usage générique du terme « soldats » pour désigner tous les militaires : soldats de l'armée de terre, Marines, hommes et femmes de l'armée de l'air, marins, gardes-côtes, réservistes et gardes nationaux.

3. Voir le site Internet du département de la Défense à l'adresse <http://siadapp.dior.whs.mil/personnel/CASUALTY/castop.htm>.

4. John Horton, dans son texte « Army Accident Fatalities Attributable to the Iraq War » (document inédit de candidature au Ph.D. au National Bureau of Economic Research et à la Kennedy School of Government, septembre 2007), montre que les conflits d'Irak et d'Afghanistan ont provoqué environ 190 décès accidentels de plus que ceux qui se seraient produits pendant les déploiements du temps de paix – en comparant le taux de victimes d'accident dans les cinq ans avant et après l'invasion de l'Irak. Si l'on étend le raisonnement aux blessures accidentelles, on conclut que le taux de blessures au cours du conflit actuel est supérieur de 50 % à son niveau du temps de paix (nous analysons plus longuement ce point au chapitre 4).

5. Fischer, « United States Military Casualty Statistics : Operation Iraqi Freedom and Operation Enduring Freedom », rapport du CRS au Congrès, 17 août 2007, code commande RS22452.

6. Cette information vient de plusieurs sources, dont certaines appartiennent à la littérature scientifique publiée. Voir Kenneth C. Hyams *et al.*, « Endemic Infectious Diseases and Biological Warfare During the Gulf War : A Decade of Analysis and Final Concerns », *American Journal of Tropical Medicine and Hygiene*, vol. 65, n° 5, 2001, p. 664-670 ; Scott F. Paparello *et al.*, « Diarrheal and Respiratory Disease Aboard the Hospital Ship, USNS-Mercy T-AH 19, During Operation Desert Shield », *Military Medicine*, vol. 158, n° 6, juin 1993, p. 392-395 ; A.L. Richards *et al.*, « Medical Aspects of Operation Desert Storm », *New England Journal of Medicine*, vol. 325, n° 13, septembre 1991, p. 970-971 ; Scott Thornton *et al.*, « Gastroenteritis in U.S. Marines During Operation Iraqi Freedom », *Clinical Infectious Diseases*, 2005, vol. 40, n° 4, février 2005, p. 519-525 ; et Glenn M. Wasserman *et al.*, « A Survey of Outpatient Visits in a United States Army Forward Unit During Operation Desert Shield », *Military Medicine*, vol. 162, n° 6, juin 1997, p. 374-379. Voir aussi les rapports mensuels de veille médicale publiés par l'Army Medical Surveillance Activity, les U.S. Centers for Disease Control and Prevention, et les experts des maladies infectieuses au département de la Défense et à celui des Anciens combattants.

7. Au départ, nous avons découvert ces statistiques parce que le « Bureau des affaires publiques et des rapports avec les autres services de l'État » du département des Anciens combattants les avait publiées. Son document « Fact Sheet : America's Wars », mis en ligne le 30 septembre 2006, montrait que le nombre de cas de blessures non mortelles dans la « guerre mondiale contre le terrorisme » (Irak et Afghanistan réunis) à la date du 30 septembre 2006 était de 50 508, et qu'il y avait 2 333 morts au combat plus 707 autres décès sur le théâtre. Ce « Fact Sheet » était hyperlié à un site Internet du département de la Défense (http://siadapp.dior.whs.mil/personnel/CASUALTY/castop.htm), qui, à cette date, indiquait le même nombre total de « pertes non mortelles ». En janvier 2007, Linda Bilmes a publié son étude « Soldiers Returning from Iraq and Afghanistan : The Long-Term Costs of Providing Veterans Medical Care and Disability Benefits » (document de travail de la Kennedy School of Government n° RWP07-001), dans

laquelle elle faisait état de ces statistiques. Elle a aussitôt reçu un appel téléphonique de Williams Winkenwerder Jr, alors sous-secrétaire au département de la Défense, qui lui a demandé quelle était la source de ses chiffres. Elle l'a renvoyé au site Internet du VA et au site de son propre département. À la suite de cet échange téléphonique, le nombre de victimes indiqué sur le site du VA a été réduit de 50 508 à moins de 25 000, et le site du département de la Défense est devenu inaccessible. Ces réactions ont donné lieu à deux articles de Denise Grady dans le *New York Times* (« U.S. Reconfigures the Way Casualty Totals Are Given », *New York Times*, 2 février 2007, p. A17 ; « Agency Says Higher Casualty Total Was Posted in Error », *New York Times*, 30 janvier 2007, p. A17), accompagnés des tableaux « avant » et « après ». Nous reprenons ces tableaux dans l'Appendice, p. 253. Sur l'ensemble de cette histoire, voir Scott Jaschik, « Shooting the Messenger », *Inside Higher Ed*, 30 janvier 2007.

8. « The Plight of American Veterans », *New York Times*, 12 novembre 2007, p. A20.

9. En octobre 2007, 564 769 (34 %) des 1 641 894 militaires avaient été déployés deux fois ou davantage dans les guerres d'Irak et d'Afghanistan (Defense Manpower Data Center, Contingency Tracking System, octobre 2007).

10. À la mi-décembre 2007, le site Internet du département de la Défense recensait 28 711 blessés dans l'Opération Liberté pour l'Irak et 1 840 blessés dans l'Opération Liberté durable (Afghanistan) [DOD, U.S. Casualty Status, <www.defenselink.mil/news/casualty.pdf>. Ce site, nous l'avons dit, définit les blessés de façon plus restrictive que ceux qui prennent en compte les blessés et malades « hors combat »].

11. Témoignage du Dr Ira Katz, chef-adjoint du service de suivi de la santé mentale de la VHA, département des Anciens combattants, devant le comité des Anciens combattants de la Chambre des représentants, 25 juillet 2007, et déclaration de Gordon England, secrétaire adjoint à la Défense, devant le comité des Forces armées du Sénat et le comité des Anciens combattants du Sénat, 12 avril 2007.

12. La commission Dole-Shalala (dont le nom officiel est « the President's Commission on Care for America's Returning Wounded Warriors ») a été créée au lendemain du scandale de Walter-Reed ; elle est dirigée par l'ex-leader du groupe républicain au Sénat Robert Dole et l'ex-secrétaire à la Santé du président Clinton Donna Shalala (Presi-

dent's Commission on Care for America's Returning Wounded Warriors, « Serve, Support, Simplify », juillet 2007, p. 15, à l'adresse <http://www.pccww.gov>).

13. Daniel Cooper, sous-secrétaire à la Santé, table ronde sur les demandes de pensions d'invalidité, comité des Anciens combattants de la Chambre des représentants, 23 mai 2007, et Michael McGeary *et al.*, *A 21st Century System for Evaluating Veterans for Disability Benefits*, Washington, DC, National Academies Press, 2007.

14. Physicians for Social Responsibility, « Fact Sheet on U.S. Military Casualties », <http://www.psrla.org/emails/medical-consequences/documents/MilitaryCasualtiesFactSheet.pdf>, octobre 2006 (consulté le 14 octobre 2007). Les autres causes sont les accidents de véhicule, les bombes à fragmentation, les blessures par balle et les chutes.

15. La LCT représente une plus grosse proportion des pertes que dans d'autres guerres américaines récentes. Le *Joint Theater Trauma Registry*, compilé par l'Institut de recherche chirurgicale de l'armée de terre, a noté que 22 % des soldats blessés en Irak et en Afghanistan qui étaient passés par le centre médical régional militaire de Landstuhl en Allemagne avaient des blessures à la tête, au visage ou au cou. Ce pourcentage peut servir d'approximation grossière de celui des blessés ayant une LCT, selon Deborah L. Warden, neuropsychiatre au centre médical de l'armée de terre Walter-Reed et directrice nationale du Centre des blessures au cerveau de la défense et des anciens combattants. Elle précise que le vrai pourcentage est probablement plus élevé, « puisque certains cas de lésions cérébrales fermées ne sont pas diagnostiqués rapidement » (Susan Okie, M.D., « Traumatic Brain Injury in the War Zone », *New England Journal of Medicine*, vol. 352, mai 2005, p. 2043-2047).

16. Ibolja Cernak, du laboratoire de physique appliquée de la Johns Hopkins University, qui a étudié les lésions cérébrales liées aux explosions depuis le conflit des Balkans, dans un exposé devant l'Académie nationale des sciences en août 2007 ; voir aussi Geoff Ling, département de la Défense, et Maria Mouratidis, directrice du service du traitement des lésions au cerveau au National Naval Medical Center de Bethesda (Md), *in* Gregg Zoroya, « Brain Injuries from War Worse Than Thought », *USA Today*, 24 septembre 2007, p. 8A.

17. *Ibid.*

18. Dr Gene Bolles, interview dans *The News Hour with Jim Lehrer*, 15 février 2005.

19. Walter-Reed est un hôpital de 260 lits où sont admis plus de 13 000 patients par an. Le service de soins externes compte 700 patients, qui restent en moyenne dix mois. La commission du département de la Défense sur la fermeture et le réajustement des bases avait décidé que cet hôpital serait fermé en 2011.

20. Coprésident Togo West, ex-secrétaire à l'Armée de terre, *in* Steve Vogel, « Panel Calls for Closing Walter Reed Sooner », *The Washington Post*, 12 avril 2007, p. A1.

21. Déclaration de Gordon England, 12 avril 2007 (c'est nous qui soulignons).

22. Cité *in* Dana Milbank, « Painting Over the Problems at Walter Reed's Building 18 », *The Washington Post*, 23 février 2007, p. A2.

23. Sullivan, ancien agent du VA, et Robinson, l'un et l'autre anciens combattants de la guerre du Golfe, travaillaient à cette époque-là pour l'association Veterans for America, organisation dirigée par le Prix Nobel Bobby Muller. Sullivan est aujourd'hui président de Veterans for Common Sense.

24. Government Accountability Office, « GAO Findings and Recommendations Regarding DOD and VA Disability », GAO-07-906R, 25 mai 2007.

25. Voir Veterans Benefits Administration, *Annual Benefits Report, Fiscal Year 2005*, p. 17, pour une définition de la pension d'invalidité ; et voir Department of Veterans Affairs, Disability Compensation Program, *Legislative History*, VA Office of Policy, « Planning and Preparedness 2004 », pour les principes qui sous-tendent ce programme.

26. Mais les états invalidants ne sont pas évalués en continu de 0 à 100. Pour certains troubles psychiques, par exemple, les taux utilisés sont 0, 10, 30, 70 et 100 ; une affection de l'artère coronaire peut se situer à un taux de 10, 30, 60 ou 100 ; pour la traumatologie spinale, c'est 10, 20, 30, 40, 50 ou 100. Ce type d'évaluation prend un temps considérable.

27. L'édition 2007 du manuel *Federal Benefits* du VA indique 1 380 dollars pour 10 % et 30 000 dollars pour 100 %, mais ceux qui ont un taux d'invalidité liée au service aux armées de 30 % ou davantage peuvent aussi recevoir des paiements supplémentaires ; ceux qui ont un taux d'invalidité liée au service aux armées de 100 % recevront un versement annuel d'environ 45 000 dollars (Department of Veterans

Affairs, *Federal Benefits for Veterans and Dependents*, édition 2007, en ligne à l'adresse <www1.va.gov/OPA/vadocs/fedben.pdf>).

28. Veterans Benefits Administration, *Annual Benefits Report, Fiscal Year 2005*, p. 33.

29. La qualification « 30 % liée au service aux armées » varie selon la maladie, mais renvoie en général à un ancien combattant dont l'invalidité est modérée.

30. Government Accountability Office, « GAO Findings and Recommendations Regarding DOD and VA Disability ».

31. Government Accountability Office, « Veterans Benefits Administration : Problems and Challenges Facing Disability Claims Processing », témoignage du GAO devant le sous-comité de Surveillance et d'Enquêtes du comité des Anciens combattants de la Chambre des représentants, 18 mai 2000.

32. *Ibid.*

33. Government Accountability Office, « Veterans Benefits : Further Changes in VBA's Field Office Structure Could Help Improve Disability Claims Processing », GAO-06-149, décembre 2005.

34. Government Accountability Office, « GAO Findings and Recommendations Regarding DOD and VA Disability Systems ».

35. GAO, « Veterans' Disability Benefits : Processing of Claims Continues to Present Challenges », GAO-07-562T, 13 mars 2007.

36. Le retard de la VBA à la fin du mois de décembre 2007 était de 406 065 demandes en instance (*VBA Monday Morning Workload Report*, 22 décembre 2007, <http://www.vba.va.gov/bln/201/reports/mmrindex.htm>).

37. Department of Veterans Affairs, *Fiscal Year 2007 Performance and Accountability Report*, 15 novembre 2007 (http://www.va.gov/budget/report/2007/2007FullWeb.pdf).

38. La plupart des demandes sont faites par les fournisseurs de soins dans les trente jours, ce qui porte la période de remboursement à une soixantaine de jours en tout. Les dossiers « en attente » qui exigent davantage d'attention demandent neuf jours de plus (Center for Policy and Research, American Health Insurance Plans, 2006). En outre, quarante-neuf États et Washington, DC, ont voté des lois de « paiement rapide » qui imposent aux compagnies d'assurances de régler les fournisseurs de soins dans les trente à soixante jours. En cas d'infraction à cette loi, les sanctions sont des versements d'intérêts qui peuvent

aller jusqu'à 18 %. L'État fédéral a une règle de « paiement rapide » qui l'oblige à payer les contractants fédéraux dans les trente jours après réception d'une facture, faute de quoi des pénalités lui sont imposées. Une autre disposition, la règle sur le délai de la Federal Travel Regulation, impose aux administrations fédérales de rembourser dans les trente jours un employé qui soumet une note de frais de déplacement à l'approbation d'un responsable.

39. La disposition « Arrêter les pertes » permet aux autorités militaires de refuser à un engagé le droit de quitter les forces armées même quand, aux termes de son contrat, la durée de son engagement a expiré. Elles s'en sont servies à une échelle sans précédent. Dès la fin de 2005, environ 50 000 soldats avaient été contraints à rester au-delà de leur période d'engagement (Tom Regan, « Stop-Loss used to Retain 50,000 Troops », *Christian Science Monitor*, 31 janvier 2006).

40. C'est peut-être l'une des raisons pour lesquelles le taux de rejet de la demande est plus élevé pour les gardes nationaux et les réservistes : il est de 15,5 %, contre 6,6 % pour les militaires de l'armée d'active (Department of Veterans Affairs, « VA Benefits Activity : Veterans Deployed to the Global War on Terrorism », juin 2007).

41. Government Accountability Office, rapport aux parlementaires demandeurs, « Hundreds of Battle-Injured GWOT Soldiers Have Struggled to Resolve Military Debts », GAO-06-494, avril 2006 (http://www.gao.gov/new.items/d06494.pdf).

42. Veterans Benefits Improvement Act de 1994 (PL 103-446) et Persian Gulf War Veterans Act de 1998 (PL 105-277). Tous les anciens combattants à partir de 1991 sont classés ensemble pour la détermination de leur droit à bénéficier des prestations du VA. Le VA ne distingue pas entre la fin de la première guerre du Golfe et le conflit actuel. (Selon la définition donnée par 38 USC [Code des États-Unis, titre 38], Section 101[33], la guerre du Golfe a commencé le 2 août 1990 et se poursuivra jusqu'au moment où le président ou le Congrès la déclareront terminée, et 38 CFR [Code des réglementations fédérales, titre 38], 3.317 définit la localisation géographique du conflit.)

43. Pour la guerre du Golfe, 280 623 demandes ont été déposées au total à ce jour ; 212 867 ont été approuvées, 30 679 refusées et 38 398 sont toujours en attente (Department of Veterans Affairs, « Gulf War Veterans Information System », mai 2007 [cf. Préface, n. 8], p. 7).

44. VBA, *Annual Benefits Report, Fiscal Year 2005*, p. 33.

45. En revanche, toutes les demandes de pension d'invalidité de la guerre du Golfe s'expliquent aussi par l'exposition des intéressés à la pollution issue des incendies de puits de pétrole, à de faibles niveaux d'agents chimiques de guerre, aux vaccins expérimentaux contre l'anthrax, à un médicament expérimental contre les agents chimiques de guerre nommé bromure de pyridostigmine et au comprimé antipaludéen Lariam.

46. Discussion avec le Dr Jonathan Shay, 7 octobre 2007.

47. Department of Veterans Affairs, « VA Benefits Activity : Veterans Deployed to the Global War on Terror ». (Jusqu'en juin 2007, il y avait eu 720 000 démobilisés, dont 202 000 avaient demandé une pension d'invalidité.)

48. Pour calculer le montant total des pensions d'invalidité des anciens combattants, nous avons inclus tous les bénéficiaires potentiels sur les 224 000 qui ont déjà déposé des dossiers de demande de pension. Nous n'avons pas ajusté au coût additionnel – c'est-à-dire tenu compte du nombre d'anciens militaires qui auraient pu demander une pension d'invalidité même en temps de paix. Cela, parce que le VA ne précise pas, sur les 263 000 personnes traitées à ce jour dans ses centres médicaux, combien ont été blessées au combat et hors combat. Il est néanmoins possible d'estimer très grossièrement que le VA aurait reçu 25 000 demandes même en temps de paix (en supposant que la moitié des anciens combattants évacués pour des blessures non liées aux combats et 5 % des évacués pour maladie déposent des dossiers). Cela diminuerait le coût total entièrement attribuable à la décision d'envahir l'Irak d'environ 10 à 15 %. (Cet ajustement est lui-même bien trop élevé, puisqu'il suppose le même taux de blessures en temps de paix pour les gardes nationaux et les réservistes que pour les militaires servant à temps plein.)

49. Le versement moyen aux anciens combattants présents dans le système en 2003 était de 8 890 dollars.

50. Cette projection est fondée sur notre scénario le plus optimiste, en utilisant le chiffre de 1,8 million de militaires et les chiffres de déploiement d'effectifs du CBO jusqu'en 2017.

51. Daniel Cooper, table ronde sur les demandes de pensions d'invalidité, 23 mai 2007.

52. Linda Bilmes, témoignage devant le comité des Anciens combattants de la Chambre des représentants, 13 mars 2007. Voir aussi

Cooper, table ronde sur les demandes de pensions d'invalidité, qui estime que des agents spécialisés d'indemnisation supplémentaires ne pourraient réduire le retard existant que de 22 %.

53. « Eligibility for Hospital, Nursing Home, and Domiciliary Care », 38 USC Section 1710. Cette recommandation jouit d'un solide soutien bipartisan. La proposition de loi (dite « amendement Akaka ») a été adoptée à l'unanimité par le Sénat le 12 juillet 2007. Voir <http://veterans.senate.gov/public/index.cfm?pageid=12&release_id= 11183>, consulté le 4 décembre 2007.

54. Lisa Sprague, « Veterans' Health Care : Balancing Resources and Responsibilities », *Issue Brief* n° 796, 1ᵉʳ avril 2004, National Health Policy Forum, George Washington University.

55. Veterans Health Administration, Bureau de la santé publique et des risques environnementaux, « Analysis of VA Health Care Utilization Among U.S. Southwest Asian War Veterans », novembre 2006, p. 14.

56. Voir le témoignage d'Ira Katz, M.D., Ph.D., chef-adjoint du service de suivi de la santé mentale de la VHA, département des Anciens combattants, devant le comité des Anciens combattants de la Chambre des représentants, 25 juillet 2007 ; Hoge, Auchterlonie et Milliken, « Mental Health Problems, Use of Mental Health Services, and Attrition from Military Service After Returning from Deployment to Iraq or Afghanistan », p. 1023-1032 ; et Charles Hoge, Carl Castro, Stephen Messer *et al.*, « Combat Duty in Iraq and Afghanistan : Mental Health Problems and Barriers to Care », *New England Medical Journal*, vol. 351, n° 1, juillet 2004, p. 13-22. Ces études ont estimé que 19 à 30 % des anciens combattants revenant d'Irak répondront aux critères des troubles psychiques graves.

57. Linda Bilmes, entretien avec Paul Sullivan, directeur de programme de Veterans for America, 23 décembre 2006.

58. Veterans Disability Benefits Commission, *Final Report*, août 2007, p. 470-477.

59. Voir Douglas Zatzick *et al.*, « Posttraumatic Stress Disorder and Functioning and Quality of Life Outcomes in a Nationally Representative Sample of Male Vietnam Veterans », *American Journal of Psychiatry*, vol. 154, décembre 1997, p. 1690-1695.

60. Seal *et al.*, « Bringing the War Back Home : Mental Health Disorders Among 103,788 U.S. Veterans Returning from Iraq and

Afghanistan Seen at Department of Veterans Affairs Facilities »,
p. 476-482.

61. Cité *in* Rich Daly, « New Freedom Commission Members Assess
Report's Impact », *Psychiatric News*, vol. 41, n° 9, mai 2006, p. 1.

62. Déclaration de Gordon Erspamer, avocat associé litige au cabinet Morrison & Foerster LLP, 7 août 2007. La plainte a été portée
devant la cour de district de Californie du Nord (la cour de district est
le tribunal de première instance du système des juridictions fédérales).

63. Government Accountability Office, « VA Health Care Budget
Formulation », GAO-06-430R, septembre 2006, p. 18-20.

64. Cooper, table ronde sur les demandes de pensions d'invalidité.

65. Nous supposons aussi qu'environ 83 % des anciens combattants
grands invalides compteront sur le VA pour tous leurs soins médicaux.
Ce pourcentage baisse à 58 % pour les anciens combattants modéré-
ment invalides et à 42 % pour les invalides légers. 60 % demanderont
un traitement à court terme (moins de cinq ans) et 40 % garderont
toute leur vie le VA comme fournisseur de soins.

66. Les estimations du CBO sont plus faibles. Voir le témoignage
de Matthew S. Goldberg, vice-directeur adjoint pour la sécurité nationale du Congressional Budget Office, devant le comité des Anciens
combattants de la Chambre des représentants, 17 octobre 2007. Il a
estimé le coût annuel moyen 2006 par ancien combattant d'Irak et
d'Afghanistan qui ont utilisé les systèmes de soins du VA à 2 610 dollars, par rapport à une moyenne globale de 5 765 dollars en 2006. Nos
deux scénarios reflètent cette fourchette. Nous avons ajusté la limite
inférieure à 3 500 dollars après consultation de médecins du VA qui
traitent les « nouveaux anciens combattants ».

67. L'importance des coûts administratifs dépendra de la nature des
processus bureaucratiques. Si les réformes que nous préconisons au
chapitre 8 sont adoptées, non seulement les anciens combattants auront
les prestations auxquelles ils ont droit sans le harcèlement qu'ils
subissent aujourd'hui, mais les coûts administratifs seront plus bas.

4

Les coûts de la guerre non payés par l'État

1. Stella M. Hopkins, « Veterans with Severe Ailments Face Long
Waits for Care », *Charlotte Observer*, 21 octobre 2007, a révélé que

certains anciens combattants très gravement blessés doivent attendre plus de trente jours pour voir un médecin dans le réseau médical du VA ; les temps d'attente ont été les plus longs pour des problèmes comme la LCT et les services de diagnostic qui la concernent. L'inspecteur général du VA a aussi indiqué que 75 % seulement des anciens combattants pouvaient obtenir un rendez-vous avec un médecin dans les trente jours, contredisant le témoignage du sous-secrétaire Michael Kussman, qui avait affirmé que 95 % des soldats étaient vus par le VA dans les trente jours (déclaration de Michael Kussman devant le sous-comité de la Santé du comité des Anciens combattants de la Chambre des représentants, 14 février 2007).

2. Cette commission a été créée par le National Defense Authorization Act de 2004 afin de déterminer si les pensions versées aux anciens combattants et à leurs parents survivants pour leur venir en aide et les indemniser des invalidités et décès attribuables au service militaire étaient suffisantes. Elle est indépendante des services de l'État, comme le département des Anciens combattants et celui de la Défense, et ses treize membres sont nommés par le président et les dirigeants du Congrès. Son rapport final, « Honoring the Call to Duty : Veterans' Disability Benefits in the 21st Century », daté d'octobre 2007, est en ligne à l'adresse <http://www.vetscommission.org/reports.asp>.

3. Joyce McMahon Christensen *et al.*, « Final Report for the Veterans Disability Benefits Commission : Compensation, Survey Results, and Selected Topics », CNA Corporation, Alexandria, VA, août 2007, en ligne à l'adresse <https://www.1888932-2946.ws/vetscommission/e-documentmanager/gallery/Documents/Reference_Materials/CNA_FinalReport_August2007.pdf>.

4. Des centaines de grosses indemnités (allant de 2 à 269 millions de dollars) ont été accordées par des jurys dans des procès sur des décès ou des blessures avec faute au cours des cinq dernières années. Par exemple, 112 millions de dollars à Elizabeth et John Reden de New York parce que leur fille avait eu une lésion cérébrale à cause d'une faute professionnelle médicale (2004) ; ou 43 millions de dollars à Seth Becker en Louisiane, car ce jeune homme de vingt-quatre ans avait dû se faire amputer des deux jambes après avoir été blessé pendant son travail chez Baker Oil Tools (2001). Dans ces cas et beaucoup d'autres, le montant de l'indemnité a été essentiellement déterminé en fonction du coût des soins médicaux permanents (et non des coûts

d'opportunité économiques). L'indemnité de 269 millions de dollars a été accordée dans l'affaire Rachel Martin, une Texane décédée à quinze ans en 1998. Dans la plupart de ces procès qui se soldent par des règlements de plusieurs millions de dollars, les plaignants reçoivent bien moins que ce qui leur a été accordé, en général environ 10 %. Mais même ces indemnités réduites sont de loin supérieures aux montants versés aux anciens combattants.

5. Michael Kaplen, « Behavior Changes Following Train Accident Leads to 8,5 Million Dollar Brain Damage Settlement », Brain Injury News and Information Blog, avril 2005 (http://www.braininjury. blogs.com/).

6. Stephen Vangel *et al.*, « Long-Term Medical Care Utilization and Costs Among Traumatic Brain Injury Survivors », *American Journal of Physical Medicine and Rehabilitation*, vol. 84, n° 3, mars 2005, p. 153-160.

7. « Fact Sheet : Traumatic Brain Injury : Selected Statistics », Brain Injury Association of Missouri, <http://www.biamo.org/BrainInjury Facts.asp>, consulté le 26 novembre 2007.

8. À la date du 21 avril 2004, l'estimation de l'EPA est de 6,2 millions de dollars, en dollars 2002 (Chris Dockins *et al.*, « Value of Statistical Life Analysis and Environmental Policy : A White Paper », Environmental Protection Agency, National Center for Environmental Economics, 21 avril 2004 <http://yosemite.epa.gov/ee/epa/eermfile. nsf/vwAN/EE-0483-01.pdf/$File/EE-0483-01.pdf>). Ce qui équivaut à 7,2 millions de dollars en dollars 2007, si l'on se fonde sur l'évolution de l'indice des prix à la consommation de 2002 à août 2007.

9. L'âge où « culmine » la VVS, en termes de gains potentiels perdus, est peut-être vingt-neuf ans, avec une VVS située entre 6 et 7,5 millions de dollars 2002, soit 6,8 à 8,5 millions de dollars 2007 (W. Kip Viscusi et Joseph E. Aldy, « The Value of Statistical Life : A Critical Review of Market Estimates Throughout the World », National Bureau of Economic Research [désormais NBER], document de travail W9487, février 2003).

10. Scott Wallsten et Katrina Kosec ont estimé la valeur d'une vie statistique à 6,5 millions de dollars 2000 dans leur étude de 2005 sur les coûts économiques de la guerre, en se fondant sur une analyse de diverses valeurs de VVS allant de 4 à 9 millions de dollars 2000. En convertissant en dollars 2007, cela donne une fourchette allant de

4,72 à 10,62 millions de dollars (Wallsten et Kosec, « The Economic Costs of the War in Iraq »).

11. Selon certains, le fait même de s'engager dans l'armée signifie que l'intéressé n'est pas prêt à payer autant qu'un civil ordinaire pour ne pas être tué ou blessé – donc on doit moins l'indemniser s'il meurt ou s'il est blessé. De ce point de vue, dans une perspective économique, s'il est blessé ou tué, la perte est moindre.

12. Autrement dit, le coût économique d'une personne à qui l'on a attribué un taux d'invalidité de 50 % est de 0,5 × 7,2 millions de dollars, soit 3,6 millions de dollars. Cette méthodologie est semblable à celle qu'utilisent de nombreux services de l'État, ainsi que les tribunaux quand ils déterminent l'indemnisation appropriée à une « blessure avec faute ». Ils évaluent les handicaps sous forme de pourcentage de l'invalidité totale. De même, dans un rapport de l'EPA de 2002 sur la prévention des accidents de canoë, l'EPA évalue en fractions d'une vie certains niveaux de blessure. Les blessures mineures à 0,0020, les modérées à 0,0155, les sérieuses à 0,0575, les graves à 0,1875 et les critiques à 0,7625 (département des Transports, « Wearing of Personal Flotation Devices [PFDs] by Certain Children Aboard Recreational Vessels », *Federal Register*, vol. 67, nº 121, 24 juin 2002, en ligne à l'adresse <http://www.epa.gov/fedrgstr/EPA-IMPACT/2002/June/Day-24/i15793.htm>).

13. Horton, « Army Accident Fatalities Attributable to the Iraq War », document inédit.

14. Peter Katel, « Wounded Veterans : Is America Shortchanging Vets on Health Care ? » *Congressional Quarterly Researcher*, vol. 17, nº 30, 31 août 2007, p. 697-720.

15. Interview de Paul Sullivan, directeur de Veterans for Common Sense, sur CBS News, 13 novembre 2007.

16. Étude de la Mental Health Advisory Team (MHAT-IV), rapport final.

17. Seal *et al.*, « Bringing the War Back Home : Mental Health Disorders Among 103,788 U.S. Veterans Returning from Iraq and Afghanistan Seen at Department of Veterans Affairs Facilities », p. 476-482.

18. Étude de la Mental Health Advisory Team (MHAT-IV), rapport final.

19. Veterans Disability Benefits Commission, « Honoring the Call to Duty : Veterans' Disability Benefits in the 21st Century », octobre 2007.

20. *Ibid.*, p. 15.

21. Zatzick *et al.*, « Posttraumatic Stress Disorder and Function and Quality of Life Outcomes in a Nationally Representative Sample of Male Vietnam Veterans », RAND Corporation, 1997.

22. Eric Christensen *et al.*, « Final Report for the Veterans Disability Benefits Commission : Survey Results and Selected Topics », août 2007, p. 269.

23. Veterans Disability Benefits Commission, « Honoring the Call to Duty : Veterans Disability Benefits in the 21st Century », p. 155.

24. Au Royaume-Uni, le paiement forfaitaire maximal pour dégradation de la qualité de vie est de 285 000 livres (environ 570 000 dollars). Cette somme s'ajoute à un supplément de revenu garanti.

25. President's Commission on Care for America's Returning Wounded Warriors (présentée au chapitre 3), « Serve, Support, Simplify », p. 9.

26. La Brain Injury Association du Missouri estime que les dépenses médicales et non médicales (par exemple, l'aménagement des domiciles, le recyclage professionnel, l'assurance maladie) par survivant d'une LCT se montent en moyenne à 151 587 dollars.

27. TRICARE est le programme de santé des militaires de l'armée régulière en service actif ou à la retraite, de leurs familles, de leurs parents survivants et de certains de leurs ex-conjoints dans le monde entier. Composante majeure du système de santé des armées, TRICARE regroupe les ressources des services de médecine militaire et les complète par un réseau civil de professionnels de santé, d'institutions, de pharmacies et de fournisseurs. Ce programme donne donc accès à des services de santé d'excellente qualité tout en entretenant la capacité de soutien médical aux opérations militaires.

28. Uwe Reinhardt, audition du comité des Anciens combattants du Sénat sur le financement des soins donnés aux anciens combattants, transcriptions des travaux du Congrès, 8 mars 2007, repris *in* Katel, « Wounded Veterans », *Congressional Quarterly Researcher*.

29. Le coût social est l'ensemble de la valeur économique du handicap créé par la blessure du militaire. Pour calculer la composante du coût social *qui dépasse le coût budgétaire*, il nous faut retrancher du

coût total le montant des pensions d'invalidité versées par le VA, car elles constituent en fait un paiement partiel de la perte économique globale. Nous avons donc soustrait 11 milliards de dollars (meilleur cas de figure) et 15 milliards de dollars (scénario réaliste-modéré). Et, pour les tués, nous avons soustrait de la VVS 500 000 dollars de prestations décès par soldat.

30. Sur les 67 000 soldats qui ont été blessés, traumatisés ou frappés par des maladies exigeant une évacuation médicale jusqu'à la fin de 2007, environ 60 % ont été classés « gravement malades », ce qui montre bien la dureté des conditions de vie en Irak. Dans une armée de temps de paix, en territoire américain, le nombre de maladies graves chez ces jeunes à la fleur de l'âge aurait été très réduit. Nous avons donc traité 95 % de ces cas comme en surnombre.

31. Les patients atteints d'ESPT « grave » représentent le tiers des cas d'ESPT : ceux qui sont inemployables, c'est-à-dire qui ne peuvent pas tenir un poste de travail (Veterans Disability Benefits Commission, « Honoring the Call to Duty : Veterans' Disability Benefits in the 21st Century »).

32. Government Accountability Office, « RESERVE FORCES : Actions Needed to Identify National Guard Domestic Equipment Requirements and Readiness », rapport au chef de la minorité du comité de la Surveillance et de la Réforme de l'État, et au chef de la minorité du sous-comité de la Sécurité nationale et des Relations internationales, Chambre des représentants, GAO-07-60, janvier 2007.

33. Government Accountability Office, « Army and Marine Corps Cannot Be Assured That Equipment Reset Strategies Will Sustain Equipment Availability While Meeting Ongoing Operational Requirements », GAO-07-814, septembre 2007.

34. David S. Loughran, Jacob A. Klerman et Craig Martin, *Activation and the Earnings of Reservists*, RAND National Defense Research Institute, Santa Monica, CA, 2006. Cette étude est fondée sur les chiffres de la Social Security et non sur des enquêtes auprès des soldats ou des conjoints. Chaque méthodologie a ses avantages. L'exactitude des enquêtes dépend de l'aptitude de la personne interrogée à se souvenir avec précision de ses revenus. Mais s'appuyer sur les documents archivés par la Social Security est un choix qui a des vices fondamentaux : (1) Les gains indiqués à la Social Security ne comprennent pas les avantages en nature, qui, en général, sont à la fois non imposables

et importants, puisqu'ils représentent souvent au moins 25 % du revenu, voire plus pour les emplois les moins rémunérés. (2) L'étude postule que le revenu des travailleurs indépendants est rapporté avec exactitude (et même ceux qui ont des emplois salariés font souvent un peu de travail indépendant). Mais les omissions sont courantes. Il est donc d'autant plus frappant de lire dans l'étude que 62 % des indépendants appelés sous les drapeaux pendant moins de trente jours enregistrent une perte de revenu, qui pour 55 % est supérieure à 10 %. (3) L'étude n'inclut pas les pertes de revenu des conjoints qui ne peuvent plus compter sur leur époux (ou leur épouse) pour faire du baby-sitting. (4) Elle ne prend pas en compte les dépenses supplémentaires (de logement et d'alimentation, par exemple) qu'induit la mobilisation – ce qui signifie que le « salaire net familial » n'a pas changé dans le sens indiqué. On peut aussi s'interroger sur la bonne façon de comparer les avantages fiscaux. L'avantage le plus important dans l'étude de RAND est une allocation logement, conçue pour compenser les surcoûts de logement, qui est exemptée d'impôt. On pourrait soutenir qu'une comparaison juste aurait laissé de côté soit l'allocation, soit l'avantage fiscal. De plus, si le soldat était propriétaire d'une maison, il (ou elle) aurait joui d'un avantage fiscal sur ses dépenses liées à cette maison, avantage qui est perdu s'il lui faut abandonner sa maison.

L'étude, malheureusement, ne distingue pas entre les impacts sur des catégories différentes – par exemple, ceux qui ont un emploi régulier à temps plein et ceux qui n'en ont pas. Pour un sans-emploi, la mobilisation *augmente* les revenus. Il n'y a aucun coût d'opportunité. Pour les autres, ces coûts peuvent être élevés.

Enfin, l'étude de la RAND n'inclut pas la valeur du travail pour lequel les intéressés ne sont pas directement payés, les réparations de leur maison, par exemple, qui peuvent la valoriser. Les soldats qui servent en Irak n'ont plus ces possibilités. Plus généralement, même si le « salaire » était supérieur, le « salaire horaire » ne le serait pas : les soldats sont en service, en danger, vingt-quatre heures par jour et sept jours par semaine.

Bref, même indépendamment du fait que les risques associés au combat ne sont pas pleinement indemnisés, ce n'est pas sans raisons que réservistes et gardes nationaux ne se portent pas massivement volontaires pour aller servir en Irak. Cela pourrait bien dégrader leur situation économique.

Dans notre analyse précédente, nous avions emprunté à Wallsten et Kosec l'estimation selon laquelle les soldats réservistes gagnaient environ 33 000 dollars par an dans le civil. À la date de leur étude, déjà, ils avaient conclu que le *coût d'opportunité* du recours aux réservistes au degré actuellement pratiqué (ce que les intéressés auraient gagné dans leur emploi civil) était de 3,9 milliards de dollars. Le salaire net est inférieur, bien sûr, à la rémunération totale du salarié et c'est cette rémunération totale qui constitue la meilleure mesure de ce que celui-ci aurait produit si on ne l'avait pas envoyé en Irak (Wallsten et Kosec, « The Economic Costs of the War in Iraq », p. 8). Dans notre étude antérieure, nous avions donc un peu augmenté le salaire du réserviste, en l'estimant à 46 000 dollars, pour prendre pleinement en compte le coût des avantages en nature, notamment pour les réservistes qui intervenaient dans les services de police et chez les pompiers et recevaient pour cela des avantages à hauteur de 60 ou 100 % de leur salaire net. Il est évident que, plus la guerre dure, plus ces coûts augmentent. Néanmoins, notre calcul global du coût de la guerre dans ce livre n'intègre aucune estimation de ces coûts d'opportunité, dans aucun des deux scénarios.

35. Il est évident (au vu des difficultés croissantes à recruter) que ceux qui sont entrés dans les réserves n'ont pas pleinement mesuré les risques auxquels ils s'exposaient : la solde qu'ils reçoivent ne constitue donc pas une indemnisation suffisante de ces risques.

36. L'étude de la RAND pose le problème de l'impact sur les revenus *après la fin du service armé actif.* Elle n'a pas intégré les effets sur les soldats réservistes et gardes nationaux qui reviennent après un, deux ou trois déploiements, et en particulier les preuves de la forte incidence de l'invalidité. Même indépendamment de l'impact de l'invalidité, les prolongations du service aux armées ont des effets négatifs potentiels sur ceux qui, au moment où ils ont été mobilisés, occupaient un emploi permanent. Quelle que soit la valeur de l'expérience, il est probable qu'elle n'avait pas de rapport direct avec leur travail et qu'elle ne sera donc pas utilisable pour faire avancer leur carrière.

Pour ceux qui ne retrouvent pas leur emploi à leur retour, les coûts seront probablement encore plus lourds. De vastes études ont été menées sur les conséquences des changements d'emploi involontaires et elles suggèrent qu'ils s'accompagnent d'une baisse prononcée du revenu.

37. Government Accountability Office, « Military Pay : Army Reserve Soldiers Mobilized to Active Duty Experienced Significant Pay Problems », GAO-04-911, août 2004, p. 1.

38. Département des Anciens combattants, Veterans Benefits Administration Office of Performance Analysis and Integrity, « VA Benefits Activity : Veterans Deployed to the Global War on Terrorism », 25 juin 2007 (http://www.veteransforcommonsense.org/files/VFCS/VBA_GWOT_Claims_June_2007.pdf).

39. Au chapitre 8, nous analysons plus longuement ces réformes, et d'autres aussi.

40. Voir l'ouvrage de Vali Nasr sur l'hégémonie régionale iranienne, *The Shia Revival : How Conflicts Within Islam Will Shape the Future*, New York, W.W. Norton, 2006.

41. Nous devons le souligner : notre analyse des coûts difficilement quantifiables est loin d'être complète. Si le chapitre 2 s'est concentré sur les coûts budgétaires de l'État fédéral, la guerre a eu aussi des conséquences budgétaires pour les États fédérés et les collectivités locales : ce sont eux, par exemple, qui finissent par régler une partie de la facture des frais médicaux, notamment dans le cadre de Medicaid.

En même temps, certains coûts que nous avons considérés comme budgétaires sont des *transferts*, payés par une composante de notre société à une autre. Par exemple, tout surcoût dû à la corruption (lié, disons, à Halliburton et Blackwater) signifie que le montant payé a été supérieur à la valeur des ressources utilisées. Il s'agit de simples transferts des contribuables ordinaires aux détenteurs d'actions de Halliburton et à ses directeurs. De même, une partie du surcoût énergétique qu'a payé l'État (élément de l'impact budgétaire de la guerre que nous n'avons pas chiffré et qui n'est donc pas intégré à notre compte global) constitue un simple transfert des contribuables américains ordinaires aux compagnies pétrolières et autres firmes de l'énergie des États-Unis.

5

Les effets macroéconomiques des conflits

1. Le prix du brut se situait en moyenne à 23,71 dollars le baril en 2002 ; dans le mois qui a précédé la guerre, il est monté à 32,23 dol-

lars. Cette hausse était en partie liée à la constitution de stocks, par crainte d'interruptions dans l'approvisionnement. Le prix moyen a été de 27,71 dollars en 2003, de 35,90 dollars en 2004, avant d'atteindre 49,28 dollars en juin 2005. L'ouragan Katrina a provoqué une nouvelle hausse. Depuis Katrina, les prix sont restés relativement élevés.

2. Que la guerre puisse être mauvaise pour l'économie, la guerre du Golfe de 1991 en a fait la démonstration, puisqu'elle a au moins contribué à la récession qui a commencé cette année-là – pour certaines des raisons esquissées dans ce chapitre.

3. Le pétrole a-t-il ou non joué un rôle ? Pour une analyse plus générale de cette question, voir la Note méthodologique, p. 259.

4. En 2007, cinq des dix entreprises les plus rentables du monde sont des compagnies pétrolières et gazières : Exxon-Mobil, Royal Dutch Shell, BP, Chevron et Petro-China. En 2002, une seule des dix entreprises les plus rentables appartenait au secteur du pétrole et du gaz (*Forbes magazine online*, « The Forbes Global 2000 », 29 mars 2007, <http://www.forbes.com/lists/2007/18/biz_07forbes2000_The-Global-2000_Prof.html>). Comme nous l'avons relevé au chapitre 1, le cours des actions des compagnies pétrolières est monté en flèche depuis le début de la guerre.

5. Les questions de ce genre sont qualifiées de « contrefactuelles » et impliquent l'analyse d'un monde « s'il n'y avait pas eu » – quelle aurait été l'évolution des prix du brut s'il n'y avait pas eu la guerre d'Irak ? Il n'y a aucun moyen d'apporter une réponse absolument certaine à ces questions, mais les sciences sociales modernes nous permettent d'avancer des estimations relativement fiables.

6. Par exemple, le 2 janvier 2003 (alors que les rumeurs de guerre commençaient déjà à avoir un impact sur les prix), les marchés s'attendaient encore à un prix inférieur à 25 dollars le baril pour décembre 2003, et le contrat de décembre 2009 pour le « light sweet crude » se négociait à 22,57 dollars le baril (source : tableaux de la section « Argent et Investissement » de l'édition de la côte Est du *Wall Street Journal*, 2 janvier 2003).

7. Le 1er novembre 2007, le marché à terme du pétrole prédisait que son prix resterait aux alentours de 94 dollars jusqu'à la fin de l'année 2007, aurait baissé à 85 dollars vers la fin de 2008, diminuerait ensuite graduellement jusqu'à atteindre 81 dollars en 2011, puis se maintien-

drait à ce niveau jusqu'en 2015 (prix du « light sweet crude » au New York Mercantile Exchange).

8. En 2004, les importations étaient légèrement supérieures à 4,8 milliards de barils, en 2005 et 2006, légèrement supérieures à 5 milliards de barils. À l'heure où ce livre va sous presse, les importations de 2007 se situent légèrement au-dessous de celles de 2006.

9. Nous soulignons que ce sont des approximations. Nous n'avons pas ajusté les chiffres en fonction de l'inflation, ni de la valeur temporelle de l'argent, ni du changement de niveau des importations au cours de la période. Affiner les calculs conduirait à des nombres légèrement supérieurs à ceux dont nous nous servons dans notre estimation (195,4 milliards et 446,4 milliards, comparés à 175 milliards et 400 milliards de dollars, dans les scénarios optimiste et réaliste-modéré respectivement). Nous utilisons les valeurs faibles parce que nous jugeons inconvenant de donner la fausse impression de précision que pourraient suggérer les chiffres élevés. Il reste encore de l'incertitude, notamment, sur le niveau des importations de 2008 et 2009. Nous préférons nous tromper par défaut.

10. C'est presque exactement l'estimation à laquelle est arrivé le Joint Economic Committee de la Chambre des représentants dans son rapport *War at Any Price ?* (novembre 2007). Il cite un chiffre de 174 milliards de dollars, mais soutient que le vrai chiffre est probablement très supérieur.

11. En théorie, les ménages pouvaient puiser dans leur épargne pour maintenir les autres dépenses. En pratique, puisque le taux d'épargne aux États-Unis était déjà proche de zéro ou négatif (voir ci-dessous, n. 35), il n'y avait guère de marge pour le faire.

12. Les effets sont ressentis non seulement l'année où le prix du pétrole augmente mais dans les années qui suivent. Le multiplicateur est le rapport entre la réduction totale de la consommation et l'augmentation initiale du prix du pétrole. Les multiplicateurs sur un an sont en général plus petits, mais ce qui nous intéresse ici est l'impact total, pas son déroulement dans le temps (qui est le centre d'intérêt de la plupart des modèles de prévision du PIB à court terme).

13. Le Joint Economic Committee estime que le multiplicateur est légèrement supérieur à 2, si bien que la dépense supplémentaire pour les importations de pétrole, évaluée (prudemment) à 124 milliards de dollars, enlève au PIB 150 milliards de dollars de plus que ce chiffre.

Bien que légèrement plus élevé que le nôtre, ce résultat est en harmonie avec le multiplicateur que nous utilisons dans notre scénario réaliste-modéré.

Il est aussi en harmonie avec la simulation de Global Insight (cf. Hillard G. Huntington, « The Economic Consequences of Higher Crude Oil Prices », Stanford Energy Modeling Forum, rapport au département de l'Énergie, 2005), et plus petit que les estimations données par d'autres études (voir leur passage en revue dans l'article de Donald W. Jones, Paul N. Leiby et Inja K. Paik, « Oil Price Shocks and the Macroeconomy : What Has Been Learned Since 1996 », *The Energy Journal*, vol. 25, nº 2, 2004 ; James Hamilton et Ana Herrera, « Oil Shocks and Aggregate Macroeconomic Behavior : The Role of Monetary Policy », *Journal of Money, Credit, and Banking*, vol. 36, 2004, p. 265-285 ; et d'autres études encore citées dans la Note méthodologique), parfois de beaucoup. Il est plus grand que le multiplicateur utilisé par le CBO dans son rapport « The Economic Effects of Recent Increases in Energy Prices » (2006), mais, comme nous l'expliquons plus longuement dans notre Appendice, nous sommes convaincus que même le multiplicateur de 2 que nous utilisons dans notre scénario réaliste-modéré est extrêmement timide.

14. Pour un examen plus approfondi de ces analyses empiriques et théoriques, voir la Note méthodologique, p. 262.

15. Là aussi, on trouvera dans l'Appendice une partie du raisonnement qui sous-tend cette conclusion.

16. Plus haut, nous traitions du *multiplicateur du pétrole*, l'effet sur le PIB d'une hausse des dépenses en pétrole.

17. Pour certains coûts à long terme évoqués au chapitre 3, tels que la hausse des pensions d'invalidité et des soins médicaux des anciens combattants, il est peu probable qu'il y ait de grosses différences de multiplicateurs. C'est pourquoi nous nous sommes concentrés sur l'impact d'une réorientation de 800 milliards de dollars seulement, juste la moitié du total (en valeur actualisée) des dépenses militaires directes. Souvenons-nous que l'estimation réaliste-modérée, fondée sur des scénarios standard du département de la Défense, envisage une présence américaine importante en Irak au moins jusqu'en 2017.

18. Supposons que, dans le cas de dépenses d'investissement normales (pour la recherche universitaire, par exemple), les deux tiers de l'argent *ne soient pas* dépensés en biens et services intérieurs : nous

disons que la « fuite » à la première étape (le montant qui ne sera pas redépensé aux États-Unis) est des deux tiers, et cela va générer un multiplicateur global de 1,5, en harmonie avec notre analyse précédente. Mais, dans le cas de l'argent consacré à l'Irak, si, au lieu des deux tiers, seule la moitié des fonds publics initiaux sont dépensés en produits américains, mais qu'après cette première étape l'argent continue à être dépensé de la même façon (c'est-à-dire que les fuites restent les mêmes), le multiplicateur global des dépenses de l'Irak est 1,1 : il a un écart de 0,4 avec le multiplicateur normal. De petites différences de structure des dépenses publiques à la première étape ont de gros effets sur les multiplicateurs. En réalité, l'écart entre les « fuites » pour les dépenses de première étape est plus grand, et il y a des différences importantes dans les modes de dépenses des autres étapes, si bien qu'une fois de plus notre estimation est presque à coup sûr très timide.

19. Le rapport du Joint Economic Committee, *War at Any Price ?*, estime la hausse totale des dépenses de l'argent du contribuable à 1 900 milliards de dollars (projection) ; ajoutons les intérêts sur une dette qui grossit et nous dépasserons largement les 2 000 milliards de dollars. Dans nos projections, le coût des opérations militaires directes pour le seul Irak est de 1 400 milliards de dollars. Les intérêts qui s'accumulent sur un endettement qui monte – même en ignorant la Social Security, les pensions d'invalidité et les frais médicaux des anciens combattants – portent le total à 2 000 milliards de dollars. (Si l'on inclut l'Afghanistan, tous les chiffres augmentent d'un tiers.)

20. On appelle ces idées l'« équivalence ricardienne », du nom de l'économiste du XIXe siècle David Ricardo, qui les a avancées pour la première fois.

21. Au mieux, entre la moitié et le tiers du montant de l'accroissement du déficit (voir William Gale et Peter Orszag, « Budget Deficits, National Savings, and Interest Rates », *Brookings Papers on Economic Activity*, vol. 2004, n° 2, 2004, p. 101-210).

22. Cité *in* Jeremy Grant, « Learn from Fall of Ancient Rome, Official Warns U.S. », *Financial Times*, 14 août 2007, p. 4.

23. Voir, par exemple, Alice Rivlin et Isabel Sawhill, « Growing Deficits and Why they Matter », *in* Rivlin et Sawhill (éd.), *Restoring Fiscal Sanity 2005 : Meeting the Long-Run Challenge*, Washington, DC, Brookings Institution, 2005 ; William Gale et Peter Orszag, « The Budget Outlook : Analysis and Implications », *Tax Notes*, 6 octobre

2003, p. 145-157 ; ou Gale et Orszag, « Budget Deficits, National Savings, and Interest Rates ». Si les États-Unis empruntent l'ensemble du montant à l'étranger et que l'opération n'a aucun impact sur les taux d'intérêt auxquels ils peuvent emprunter, il n'y a aucun effet d'éviction et les seuls coûts *pour le PIB* sont les coûts directs déjà estimés. Mais le *revenu national* s'en trouve malgré tout réduit, comme nous le verrons plus loin. Les études citées plus haut ont tendance à calculer empiriquement l'ampleur de l'éviction en tenant compte du fait qu'une partie du déficit est, à la marge, financée à l'étranger.

24. En postulant que (pendant la période) le déficit de 2 000 milliards de dollars réduise l'investissement de 60 % (voir l'analyse ci-dessous), l'investissement privé est réduit de 1 200 milliards de dollars. Avec un multiplicateur de 1,5, la réduction de la demande globale est de 1 800 milliards de dollars. Avec un multiplicateur plus réaliste de 2, elle est de 2 400 milliards de dollars. Si les dépenses de guerre ont un multiplicateur de 1,1, les 1 400 milliards de dollars des dépenses de guerre augmentent la demande globale (et la production) de 1 540 milliards de dollars. Donc, la réduction nette de la production se situe entre 260 milliards et 860 milliards de dollars. Le centre de cette fourchette se situe aux environs de 550 milliards de dollars, soit un peu plus que le chiffre que nous avons utilisé dans notre méthodologie de la « réorientation des dépenses ». Une troisième méthodologie suppose des budgets à déficit constant (*marginally balanced budgets*), où les impôts sont censés augmenter pour couvrir toute dépense supplémentaire de l'État. Mais il n'y a guère de données indiquant que l'administration Bush ait jamais tenté de financer des dépenses supplémentaires en augmentant les impôts. Même si elle l'avait fait, les effets à court terme auraient été semblables, puisqu'une augmentation d'impôts entraîne une baisse de la consommation – dans ce scénario, la guerre d'Irak évince la consommation, qui, là encore, a un multiplicateur beaucoup plus élevé que les dépenses de guerre. Cependant, les effets à long terme auraient été bien moindres.

25. C'est l'estimation qu'utilise le Joint Economic Committee, en se fondant sur les évaluations avancées par le Council of Economic Advisers de l'administration Bush (*Economic Report of the President*, 2003, p. 54-55). Elle se situe à l'intérieur de l'éventail des chiffres proposés par les travaux cités plus haut.

26. Pour une analyse plus générale des taux d'actualisation, voir la Note méthodologique p. 269.

27. Si nous postulons par exemple, comme plus haut, que les investissements rapportent un retour réel de 7 % seulement et que les bénéfices sont actualisés au taux de 1,5 %, et si nous notons que les paiements réels ne sont que de 30 milliards de dollars, la valeur de la perte de production future due aux impôts d'une seule année est de 14 milliards de dollars, et, année après année, nous arrivons à 933 milliards. De plus, ces estimations ne comprennent même pas les effets secondaires de la baisse des recettes fiscales due à l'éviction de l'investissement. 2 000 milliards de dollars, c'est un gros chiffre – et il peut avoir de grosses conséquences.

28. On a démontré que les investissements dans la recherche publique avaient des taux de retour bien plus élevés. La limite normale pour les projets publics est 7 %, donc les retours moyens doivent être considérablement supérieurs à 7 %. Puisque augmenter les impôts a un coût, il existe un consensus général chez les économistes pour conclure que, dans le secteur public, il y a une contrainte sur l'investissement, et que la valeur de la production perdue est donc effectivement supérieure à la valeur de l'investissement lui-même. Avec un investissement relativement modeste dans les digues de La Nouvelle-Orléans, on aurait économisé des centaines de milliards de dollars.

29. En 2007, il y avait 116 millions de ménages (*Selected Characteristics of Households*, U.S. Census Bureau, Current Population Survey, 2007, *Annual Social and Economic Supplement*, tableau HINC-01).

30. La source des coûts peut être différente : dans certaines estimations, il y a de plus grands effets multiplicateurs à court terme ; dans d'autres, de plus grands effets d'éviction d'investissements publics ou privés ; dans d'autres encore, de plus grosses pertes induites par la hausse de la dette extérieure. Les coûts à court terme sont moins sensibles au choix des taux d'actualisation que les coûts à long terme.

31. *Guerre à tout prix ?* Mais, nous tenons à le dire, nous sommes persuadés que le chiffre du Joint Economic Committee est très faible. Il l'a calculé en utilisant un taux d'actualisation de 3 %. Si notre analyse est correcte et que le taux d'actualisation adapté soit 1,5 %, la valeur de la production perdue (telle qu'il la projette) est deux fois plus importante, soit 2 200 milliards de dollars. Parmi tous les chiffres, celui qui, à notre avis, constitue l'estimation la plus réaliste des coûts

macroéconomiques globaux s'obtient avec les hypothèses suivantes : un financement par le déficit, dont 40 % est extérieur ; le paiement des intérêts financé par éviction d'investissements publics ; un retour de 7 % pour l'investissement privé ou public évincé ; et un taux d'actualisation de 1,5 % ; sur la base d'un budget de « fonctionnement de la guerre » financé par l'emprunt d'à peu près 1 500 milliards de dollars (valeur actuelle), ce qui est une estimation très prudente. La valeur actualisée de la production future perdue est alors de 7 000 milliards de dollars. Les résultats sont robustes : n'importe quel ensemble d'hypothèses plausible aboutit à un coût supérieur à l'impact budgétaire de 1 100 milliards de dollars que nous avons utilisé dans nos estimations.

32. Comme nous l'avons dit au chapitre 2, de nombreux économistes pensent qu'il ne faut pas ajouter aux dépenses publiques directes le coût des intérêts des emprunts de guerre, mais qu'il est juste de calculer les coûts d'opportunité – ce qui serait arrivé à l'économie si nous n'avions pas fait la guerre et ne l'avions pas financée en augmentant le déficit. Par les calculs que nous rapportons ici, nous tentons de parvenir à une estimation prudente de ces coûts d'opportunité.

33. Correspondance personnelle avec Robert Westcott. La forte montée des déficits budgétaire et commercial et la hausse des prix du pétrole ont accru l'incertitude : c'est une grande explication de ce piètre comportement de la Bourse.

34. Il s'agit de prêts immobiliers où les versements d'intérêts varient en fonction de l'évolution des taux d'intérêt sur le marché. Puisque les taux d'intérêt battaient tous les records de modération dans les premières années de la décennie, les particuliers pouvaient s'offrir des maisons beaucoup plus grandes qu'ils ne l'auraient fait dans une autre situation. Mais il était pratiquement sûr que les taux allaient remonter, qu'ils ne resteraient pas à ces niveaux très bas (pendant cette période, les taux réels – la valeur corrigée pour tenir compte de l'inflation – étaient négatifs) ; et avec les prêts immobiliers à taux variable, de nombreux ménages ont eu des problèmes quand les taux sont remontés, comme on pouvait le prédire. Ce qui a été prédit s'est maintenant réalisé. Pourtant, le 23 février 2004, Alan Greenspan soulignait que « de nombreux propriétaires de maison auraient pu économiser des dizaines de milliers de dollars s'ils avaient choisi le prêt immobilier à taux variable et non le prêt à taux fixe pendant la dernière décennie » (« Understanding Household Debt Obligations », remarques d'Alan Greenspan à la conférence

2004 de la Credit Union National Association sur les affaires publiques, Washington, DC, 23 février <http://www.federalreserve.gov/board Docs/speeches/2004/20040223/default.htm>).

35. Le taux d'épargne des particuliers a été de – 0,5 % au troisième trimestre 2005, et inférieur à 1 % du premier trimestre 2005 au second trimestre 2007 (département du Commerce, Bureau d'analyse économique, http://www.bea.gov/briefrm/saving.htm).

36. On estime que plus de 2,2 millions d'Américains vont perdre leur maison – et tout l'argent qu'ils y ont mis – par saisie (Ellen Schloemer *et al.*, « Losing Ground : Foreclosures in the Subprime Market and Their Cost to Homeowners », Center for Responsible Lending, décembre 2006). Il y a eu aux États-Unis 635 159 dépôts de demande de saisie au troisième trimestre 2007, soit 30 % de plus qu'à la période précédente (Dan Levy, « U.S. Home Foreclosures Doubled in the Third Quarter », *Bloomberg News*, 1er novembre 2007).

37. Les emprunteurs *subprime*, dont la plupart n'étaient pas des virtuoses de la finance, ne l'ont peut-être pas pleinement compris, d'autant plus qu'ils étaient encouragés à agir comme ils le faisaient par ceux qui étaient censés être des virtuoses de la finance. Mais la défaillance des régulateurs est plus difficile à expliquer.

38. Certains diront peut-être que ces problèmes ne résultent pas de la guerre d'Irak au sens strict mais de la façon dont elle a été financée et des politiques monétaire et budgétaire qui l'ont accompagnée. Nous nous sommes déjà heurtés à un argument du même ordre quand nous avons analysé les déficits, et nous avons dit que des objections semblables pouvaient nous être opposées sur beaucoup d'autres aspects de la guerre : ce ne sont pas des effets inévitables de la guerre mais de la façon particulière dont elle a été menée. Mais l'analyse de ce chapitre montre que n'importe quel mode de financement de la guerre aurait eu des conséquences macroéconomiques négatives. Les diverses façons de la financer changent le moment de l'impact. Les mesures monétaires ont pu dissimuler les effets à court terme et transférer le fardeau à une période à venir. Si les États-Unis n'avaient pas été confrontés, par exemple, aux effets dépressifs de la hausse des prix pétroliers, la Federal Reserve n'aurait pas pu ni voulu réduire les taux d'intérêt autant qu'elle l'a fait, et il y aurait eu moins d'emprunts dispendieux.

39. L'ampleur de la stimulation donnée par cet endettement à l'économie ressort très clairement de l'envergure du refinancement des prêts immobiliers [leur accroissement à des fins immobilières ou non] et du montant des fonds retirés pour financer la consommation. On estime que l'« extraction hypothécaire » nette [la part des crédits hypothécaires qui n'est pas utilisée par les ménages pour accroître leur investissement immobilier] a été de l'ordre de 500 à 750 milliards de dollars dans les années 2003-2006, et un gros pourcentage (environ la moitié) de ces sommes est allé à la consommation (voir Alan Greenspan et James Kennedy, « Sources and Uses of Equity Extracted from Homes », *Federal Reserve Finance and Economics Discussions Series* [FEDS], nᵒ 2007-20, mars 2007). Le stimulant positif de cette hausse de la consommation fait plus que compenser les effets que nous avons exposés ici – mais, comme nous l'avons dit, la montée de l'endettement conduira (ou conduit déjà) à des problèmes par la suite.

40. Évidemment, tout comme Johnson et Nixon auraient pu suivre d'autres politiques pour financer la guerre du Vietnam, l'administration Bush aurait pu choisir d'autres moyens qui n'auraient pas laissé un héritage d'endettement ; elle aurait pu, par exemple, faire peser une plus grosse part du fardeau fiscal sur les Américains ayant les plus hauts revenus. Si les effets négatifs à long terme avaient été moindres, il aurait été difficile de les éviter totalement, comme nous l'avons souligné.

41. Et notre scénario optimiste ne comprend même pas la moindre estimation des coûts de l'« héritage d'endettement » de l'État fédéral.

42. Autre sujet sur lequel l'administration Bush a tenté d'utiliser les chiffres de travers pour influencer l'opinion publique. En 2003, elle a publié des statistiques qui prétendaient démontrer un déclin du terrorisme – en laissant entendre que c'était un résultat de la guerre qu'elle lui faisait. En fait, un examen plus attentif des chiffres corrects prouvait exactement le contraire ; c'est ce qu'a fait remarquer le professeur Alan Krueger, de l'université de Princeton, au grand chagrin de l'exécutif (Alan Krueger et David Laitin, « "Misunderestimating" Terrorism », *Foreign Affairs*, septembre-octobre 2004).

43. La hausse du prix du pétrole provoquée par la guerre a beaucoup accru ces coûts de transport.

6

Les conséquences pour le monde

1. Bureau du haut-commissaire aux réfugiés des Nations unies, « UNHCR Doubles Budget for Iraq Operations », communiqué de presse, 12 juillet 2007, <http://www.unhcr.org/cgi-bin/texis/vtx/media?page=home&id=469630434> (consulté le 2 décembre 2007).

2. Une étude menée par l'UNHCR à Damas a montré que 76 % des enfants irakiens réfugiés n'étaient pas scolarisés, souvent depuis deux ou trois ans (*ibid.*).

3. *Ibid.*

4. Jennifer Pagonis, porte-parole de l'UNHCR, communiqué de presse, « The Iraq Situation : UNHCR Cautious About Returns », 23 novembre 2007. Le rapport indiquait que certains Irakiens rentraient de Syrie, mais pour des raisons indépendantes de la situation sécuritaire. La plupart disaient qu'ils revenaient parce qu'ils n'avaient plus d'argent, ou parce que leur visa avait expiré. Le rapport ajoutait cependant cette remarque plus positive : c'était la première fois depuis des années que les Irakiens acceptaient ne serait-ce que de discuter de l'éventualité d'un retour.

5. Dale Gavlak, « Jordan Appeals for Help in Dealing with Iraqi Refugees », *The Washington Post*, 27 juillet 2007, p. A16.

6. Sur les 123 millions de dollars de ce budget 2007, environ 70 millions devraient être versés par les États-Unis (« UNHCR's Annual Programme Budget 2007 », Assemblée générale de l'ONU, A/AC. 96/1026, 1er septembre 2006, <http://www.unhcr.org/excom/EXCOM/44fe8cb52.pdf> ; et UNHCR, « UNHCR Doubles Budget for Iraq Operations »).

7. Martin A. Weiss, « Iraq's Debt Relief », rapport du CRS au Congrès, 21 avril 2006. Comme les États-Unis avaient déjà passé par pertes et profits l'essentiel de leur créance, le coût budgétaire de son effacement n'a été pour eux que de 360 millions de dollars. Les autres pays qui ont effacé les dettes de l'Irak étaient le Japon (4,1 milliards de dollars), la Russie (3,45 milliards de dollars), la France (3 milliards de dollars) et l'Allemagne (2,3 milliards de dollars) – ces chiffres ne comprennent pas les intérêts. Au vu des règles traditionnelles, l'Irak n'aurait pas eu droit à un effacement de sa dette en raison de ses vastes

réserves de pétrole, mais l'administration Bush a fait pression pour que les règles soient revues. (L'effacement de la dette a été réalisé dans le cadre du « Club de Paris », groupe informel de dix-huit grands pays créanciers qui, de temps à autre, rééchelonnent ou effacent ce que leur doivent les pays en développement.)

8. O'Hanlon et Campbell, *Iraq Index*, 3 décembre 2007.

9. L'Economist Intelligence Unit estime le PIB par habitant 2003 à 2 469 dollars, environ 7 % de celui des États-Unis (« Country Report : Iraq », novembre 2007).

10. O'Hanlon et Campbell, *Iraq Index*, 3 décembre 2007, p. 20.

11. Nous nous concentrons ici sur le nombre de tués ou de blessés. Mais quantité de gens ont été « blessés » dans un autre sens, par exemple par de longues périodes d'emprisonnement. En août 2007, 23 000 Irakiens étaient détenus par les Américains (ce chiffre avait augmenté de plus de 25 % depuis un an et de plus de 50 % depuis juin 2006) et 37 000 autres par le gouvernement irakien (soit presque deux fois plus que l'année précédente). En juillet 2007, des responsables américains et irakiens ont indiqué que, depuis mars 2003, ils avaient relâché environ 44 000 prisonniers qui avaient été incarcérés parce qu'on les soupçonnait d'être des insurgés ou des tueurs de milices confessionnelles (O'Hanlon et Campbell, *Iraq Index*, p. 22). Et 19 000 insurgés avaient été tués (Jim Michaels, « Thousands of Enemy Fighters Reported Killed », *USA Today*, 27 septembre 2007, p. A1). Mais ces chiffres soulèvent bien des questions. L'International Crisis Group (ICG) estime qu'il y a approximativement 5 000 à 15 000 insurgés en Irak (« In their own words : Reading the Iraqi insurgency », *Middle East Report*, n° 50, 15 février 2006). Les estimations de l'*Iraq Index* ont oscillé dans la fourchette des 15 000-20 000, bien au-dessous des chiffres globaux de prisonniers et de tués. Si ces estimations sont exactes, la conséquence est claire : il est pratiquement certain que beaucoup de détenus ne font pas partie de l'insurrection. Des chiffres plus récents sur l'envergure de celle-ci suggèrent que ses effectifs se sont substantiellement accrus. L'*Iraq Index* situe aujourd'hui le nombre des seuls insurgés sunnites autour de 70 000 personnes, même si ce chiffre inclut peut-être des sympathisants qui ne prennent pas part aux opérations. Cela veut dire que l'insurrection a plus recruté que nous n'avons tué. (O'Hanlon et Campbell, *Iraq Index*, 29 octobre 2007, p. 26.)

12. « Iraq Coalition Casualty Count », <http://icasualties.org/oif/IraqiDeaths.aspx> (consulté le 14 novembre 2007). D'autres sources donnent des chiffres légèrement différents.

13. O'Hanlon et Campbell, *Iraq Index*, 1er octobre 2007, p. 11. Il y a une bonne nouvelle : le nombre de décès signalés diminue depuis août 2007.

14. En octobre 2006, il y en a eu 3 709.

15. Sur les 34 000 médecins qui exerçaient au début de la guerre, 17 000 ont quitté le pays, 2 000 ont été tués et 250 ont été enlevés (O'Hanlon et Campbell, *Iraq Index*, 3 décembre 2007, p. 43).

16. En 2000, environ 140 000 cas de choléra dans le monde, qui ont causé 5 000 décès, ont été signalés à l'Organisation mondiale de la santé ; 87 % de ces cas concernaient l'Afrique (Système OMS d'information statistique [WHOSIS]). En 2006, il y a eu 234 349 cas et 6 303 décès en Afrique, dont 70 % en Angola, au Soudan et à Djibouti. En 2006, 2 472 cas ont été signalés en Asie, dont 161 en Chine (deux décès), 1 939 en Inde (trois décès), et trois autres décès signalés en Malaisie et aux Philippines (OMS, Rapport annuel sur le choléra 2006, *Relevé épidémiologique hebdomadaire*, n° 31, 3 août 2007).

17. En 2003, 73 cas ont été signalés (statistiques de l'OMS, 2003).

18. OMS, Alerte et action en cas d'épidémie et de pandémie, « Choléra en Irak », bulletin n° 3, 3 octobre 2007 (http://www.who.int/csr/don/2007_10_03/en/index.html).

19. *Ibid.*

20. Gilbert Burnham *et al.*, « Mortality After the 2003 Invasion of Iraq : A Cross-Sectional Cluster Sample Survey », *The Lancet*, vol. 368, n° 9545, 21 octobre 2006, p. 1421-1428.

21. Cette étude a comparé le nombre de décès auquel on aurait pu s'attendre – sur la base des statistiques de mortalité d'avant guerre – et le nombre plus élevé de décès indiqué par les statistiques d'après guerre. L'écart était de 654 965, dans une marge de 392 979 à 942 636 (l'intervalle de confiance de 95 %). Une étude plus récente, fondée sur des données d'enquêtes, a estimé le nombre de morts violentes dans les premiers trois ans et trois mois de la guerre à 151 000 – un décuplement du taux d'avant guerre. Elle a aussi découvert que la guerre avait pratiquement doublé les taux de mortalité globaux (Iraq Family Health Survey Study Group, « Violence-Related Mortality in Iraq from 2002 to 2006 », *New England Journal of Medicine*, 31 janvier 2008, p. 484-493).

Le fait qu'après quatre ans seulement de conflit 26 % des Irakiens aient dit que quelqu'un avait été assassiné dans leur famille proche ou éloignée, et qu'en dehors des zones kurdes ceux qui n'avaient eu ni parent ni ami tué ou enlevé étaient très minoritaires, donne de la crédibilité à ces chiffres élevés (« Public Attitudes in Iraq ; Four Year Anniversary of Invasion », sondage effectué par Opinion Research Business, mars 2007, <www.opinion.co.uk>).

22. Le rythme de la tuerie s'est accéléré dans les mois qui ont suivi l'enquête, mais certains signes indiquent que, depuis l'été 2007, il s'est un peu ralenti. Il est donc difficile de prédire ce qui se passera en 2008 et 2009. Notons toutefois que la « surmortalité » ne comprend pas seulement ceux qui meurent de mort violente mais aussi ceux que tuent la malnutrition et la maladie, le manque d'accès aux soins, etc. De plus, nous avons fixé arbitrairement une date butoir en mars 2010. D'un point de vue réaliste, les problèmes vont probablement durer des années de plus. Bref, bien que l'on ne puisse prédire avec certitude si les chiffres définitifs seront supérieurs ou inférieurs à notre estimation de 1,2 million, il est fort probable que, sur l'ensemble de la période de cette étude, du début de la guerre à 2017, ils la dépasseront.

23. Et qu'un si gros pourcentage de la classe moyenne irakienne soit partie est de mauvais augure pour l'avenir du pays, voir chapitre 1.

24. *Comprehensive Report of the Special Advisor to the Director of Central Intelligence on Iraq's WMD*, 30 septembre 2004, p. 207 (https://www.cia.gov/library/reports/general-reports-1/iraq_wmd _2004/index.html).

25. O'Hanlon et Campbell, *Iraq Index*, 3 décembre 2007, p. 40.

26. Au niveau national, les choses vont un peu mieux : avant la guerre, il n'y avait que quatre à huit heures d'électricité ; en novembre 2007, on en était à 12,9 heures (*ibid.*, p. 36). Les chiffres les plus récents sur le chômage sont ceux de l'*Iraq Index*, qui continue à faire état de taux de chômage allant de 25 à 40 % (autrement dit, deux Irakiens sur cinq peuvent être sans emploi – bien que plus de deux millions d'entre eux aient déjà quitté le pays). L'ampleur de la baisse du PIB diffère selon les sources statistiques. Si nous nous fondons sur les chiffres de l'Economist Intelligence Unit, nous concluons qu'il a diminué de 13 % de 2002 à 2006 ; si nous partons des estimations du FMI, son déclin est plus limité, de 8,3 %. Une controverse est en cours sur la croissance de 2007. La Banque mondiale et le FMI suggèrent qu'elle pourrait être assez forte pour ramener l'Irak là où il se trouvait avant la guerre. Les estimations de l'*Iraq Index* pour la croissance

2007 indiquent que, même à la fin de l'année 2007, le PIB était inférieur – de 5 à 10 % – à son niveau d'avant guerre. Mais il devrait être clair que cette remontée *n'est pas due* à un bon comportement de l'économie ; elle a lieu parce que le prix du pétrole – le principal produit du pays – est en plein boom. Même si les exportations de brut sont inférieures d'environ 25 % à leur niveau d'avant guerre (avec une grande variabilité d'un mois à l'autre), les revenus augmentent. Et même si, de septembre 2004 à octobre 2007, les exportations n'ont progressé que de 10 %, les recettes ont été multipliées par deux et demi (O'Hanlon et Campbell, *Iraq Index*, 29 novembre 2007, p. 34-35).

27. *Ibid.*, p. 34.

28. *Ibid.*, p. 53.

29. Alan Beattie et Charles Clover, « "Surprise" Revamp for Iraq's Economy », *Financial Times*, 22 septembre 2003, p. 1. Les autres produits sont confrontés à des droits nominaux de 5 %. Cette politique – la privatisation et la libéralisation soudaines d'une économie – est ce qu'on appelle la « thérapie de choc ». Au début des années 1990, le FMI encourageait les pays en transition à entamer une « thérapie de choc ». Aujourd'hui, il y a un large consensus pour dire que la thérapie de choc a échoué, et que des pays comme la Hongrie, la Pologne et la Slovénie, qui ont choisi de privatiser graduellement et de reconstruire (ou souvent de construire pour la première fois) leur infrastructure institutionnelle, ont beaucoup mieux géré leur transition que ceux qui ont essayé le grand bond dans le laisser-faire. Les pays de la thérapie de choc ont vu leur économie s'effondrer et la pauvreté monter en flèche. Des indicateurs sociaux, tels que l'espérance de vie, ont reflété les chiffres effroyables du PIB.

Plus d'une décennie après le début de la transition, de nombreux pays postcommunistes de la thérapie de choc n'ont pas encore retrouvé leur niveau de revenu d'avant la transition. Pis encore : dans la plupart des pays de la thérapie de choc, les chances d'instaurer une démocratie stable et l'état de droit paraissent très faibles. Si Bush ou ses conseillers avaient prêté attention à ces expériences historiques, ils auraient réfléchi à deux fois avant d'imposer à l'Irak cette stratégie de l'échec.

30. Par exemple, la Constitution irakienne imposait des restrictions sur la propriété étrangère de certaines composantes de l'économie du pays, et stipulait que les services essentiels étaient protégés et ne pouvaient être privatisés. Mais la nouvelle loi de Bremer a autorisé la

propriété étrangère à 100 % des compagnies et actifs irakiens qui avaient appartenu à l'État. L'article 43 de la convention de La Haye de 1907 (« Règlement ») fait obligation à l'occupant de prendre « toutes les mesures qui dépendent de lui en vue de rétablir et d'assurer, autant qu'il est possible, l'ordre et la vie publics en respectant, sauf empêchement absolu, les lois en vigueur dans le pays » ; voir aussi Shirley Williams, « The Seeds of Iraq's Future Terror », *The Guardian* (Londres), 28 octobre 2003, p. 22.

31. Rajiv Chandrasekaran, *Imperial Life in the Emerald City : Inside Iraq's Green Zone*, New York, Alfred A. Knopf, 2006, p. 126.

32. Linda Bilmes, « Civil Service Has Morphed into U.S. Inc. », *Los Angeles Times*, 18 juillet 2004, p. M1.

33. Les contractants américains qui ont des contrats sur dépenses contrôlées n'ont évidemment pas à s'inquiéter de leurs coûts. Mais tous n'en avaient pas. Et même beaucoup de ceux qui en avaient – ce qui ne manque pas d'intérêt – ont préféré importer des travailleurs en Irak. Peut-être comprenaient-ils que leurs coûts globaux étaient passés au crible : s'ils étaient laxistes, il valait mieux qu'ils le fussent avec le salaire de leurs employés américains, dont leurs hauts dirigeants, ou dans certains de leurs autres contrats de sous-traitance. Les craintes sur la fiabilité des Irakiens ont aussi joué, et de plus en plus avec les progrès de l'insurrection.

34. Avec le prix élevé du pétrole, l'investissement dans les champs pétrolifères d'Irak suscite évidemment un intérêt considérable. Mais les compagnies pétrolières ont démontré qu'elles n'hésitaient pas à aller pratiquement n'importe où dans le monde si elles pouvaient avoir du pétrole à bon prix. Elles sont prêtes à prendre le risque. On ne peut pas interpréter leurs investissements comme un signe de succès économique.

35. Il existe des scénarios où l'économie irakienne aurait pu connaître une forte expansion. Supposons par exemple que l'on prenne au sérieux notre calcul prudent, qui attribue au moins 35 dollars, sur les 90 dollars ou plus du prix du baril de pétrole, à la croissance de la demande en Chine et dans d'autres pays du monde. Manifestement, le monde aurait pu réagir en proposant une « transaction » : l'Irak aurait pu étendre considérablement sa production, en utilisant une partie de l'argent gagné pour rembourser ses dettes et une autre partie pour acheter des produits alimentaires et des médicaments. La hausse des

prix pétroliers et la croissance de la production auraient provoqué un boom de l'économie irakienne – au lieu du désastre qui est advenu. Le PIB de l'Irak était tellement bas au début de la guerre que même la destruction complète du pays n'aurait ajouté qu'un chiffre limité à notre addition des coûts – ce qui souligne, en un sens, l'ampleur de ces pertes du point de vue irakien.

36. Samuel P. Huntington, *The Clash of Civilizations and the Remaking of World Order*, New York, Simon & Schuster, 2006 ; trad. fr. de Jean-Luc Fidel et Geneviève Joublain, Patrice Jorland *et al.*, *Le Choc des civilisations*, Paris, Odile Jacob, 2007 [1ʳᵉ éd., 1997].

37. « Operation Iraqi Freedom », communiqué de presse de la Maison-Blanche, 27 mars 2003. Une certaine mauvaise foi semble à l'œuvre dans les statistiques sur la « Coalition des volontaires » (comme dans d'autres aspects de la guerre d'Irak). Il est certain que le nombre réel des pays qui ont envoyé des troupes est nettement inférieur à 49 – seuls quatre pays ont participé à l'invasion et, sur les 40 qui semblent avoir apporté un soutien (au sens le plus large, qui comprend le soutien logistique), 18 se sont à présent retirés –, dont les 45 soldats de Tonga et les 2 soldats de l'Islande. Le soutien de la Moldavie a chuté d'un sommet de 24 militaires à 11 et celui de la Lettonie d'un point culminant de 136 à 3.

À la demande du président Bush, en mai 2005, le Congrès a créé un Fonds de solidarité pour la Coalition de 200 millions de dollars, qui soutient financièrement les partenaires des États-Unis en Afghanistan et en Irak. L'Estonie, par exemple, a reçu 2,5 millions de dollars de ce Fonds de solidarité pour l'entretien de ses soldats – qui sont environ 40 en Irak et 80 en Afghanistan. L'Albanie, avec 120 soldats en Irak et 35 en Afghanistan, a reçu 6 millions de dollars, de même que la République tchèque, qui a une centaine de soldats en Irak et une soixantaine en Afghanistan (Patricia Weitsman, « The High Price of Friendship », *New York Times*, 31 août 2006, p. A1).

38. Au total, 173 soldats britanniques jusqu'au 11 novembre 2007, et 133 des autres nationalités (O'Hanlon et Campbell, *Iraq Index*, 3 décembre 2007, p. 18).

39. Puisque le gros des forces non américaines de la Coalition vient du Royaume-Uni et qu'aux taux de change actuels les différences de revenu sont relativement réduites, les ajustements nécessaires pour prendre en compte les différences de niveau de vie sont assez faibles,

inférieurs à 20 %. Nous avons fait des hypothèses prudentes, en évaluant le coût d'une blessure grave, en moyenne, à 20 % d'une VVS et en estimant qu'il y a eu deux fois plus de blessures graves que de décès.

40. Certains coûts sont peut-être plus réduits en raison des différences de revenu par habitant ; en revanche, beaucoup de nos alliés assurent peut-être à leurs anciens combattants de meilleures pensions d'invalidité et des soins médicaux publics plus importants.

41. Joe Sestak, « Iraq and the Global War on Terror », 2006, en ligne à l'adresse <http://www.sestakforcongress.com/media/pdf/sestak_defense_060309.pdf> (consulté le 6 décembre 2007).

42. Qui satisfait certaines années plus de 90 % de l'offre mondiale (Office des Nations unies contre la drogue et le crime, « The Opium Economy in Afghanistan : An International Problem », New York, 2005).

43. L'effectif total de la Force internationale d'assistance sécuritaire (FIAS) en décembre 2007 était de 41 700 soldats, envoyés par 39 pays. Les contingents les plus nombreux étaient ceux des États-Unis (15 038), du Royaume-Uni (7 753), de l'Allemagne (3 155), du Canada (1 730), de l'Italie (2 358), des Pays-Bas (1 512), de la Turquie (1 219) et de la Pologne (1 141). De plus, environ 7 000 soldats américains sont déployés dans le cadre de l'Opération Liberté durable, ce qui porte le total des troupes étrangères à plus de 50 000 (Force internationale d'assistance sécuritaire, « ISAF Placemat », 5 décembre 2007, en ligne à l'adresse <http://www.nato.int/isaf/docu/epub/pdf/isaf-placemat.pdf>).

44. « Afghanistan Army Needs 200,000 Troops to Assure Long-term Stability », Associated Press, 3 décembre 2007.

45. « Suicide Bomber Attacks Afghan Soldiers in Bus ; At Least 13 Killed », Associated Press, 6 décembre 2007.

46. Les Britanniques ont gouverné l'Irak (alors appelé Mésopotamie) en vertu d'un mandat « A » de la Société des Nations quand l'Empire ottoman a été démantelé en 1919 par le traité de Sèvres qui a suivi la Première Guerre mondiale. La Mésopotamie s'est vu accorder son indépendance en 1932. Pendant la Seconde Guerre mondiale, l'Irak ayant pris le parti des puissances de l'Axe, la Grande-Bretagne l'a envahi à nouveau, a livré une courte guerre et l'a réoccupé.

47. Le Royaume-Uni a envoyé 46 000 soldats (armée de terre, flotte et armée de l'air réunies), sur les 467 000 que comptent au total les forces de la Coalition (ministère britannique de la Défense, « Operations in Iraq : First Reflections Report », juillet 2003, <http://www.mod.uk/NR/rdonlyres/0A6289F6-898B-44C5-9C9D-B8040274DC25/0/opsiniraq_first_reflections_dec03.pdf>.

48. William Mathew, École d'histoire de l'université d'East Anglia, 20 août 2007, « Parliamentary Rubber-Stamping : The Military Costs of War in Iraq and Afghanistan, 2001-2007 ». Voir aussi Iraq Analysis Group, « The Rising Costs of the Iraq War », mars 2007, qui évalue à 5,4 milliards de livres britanniques les fonds dépensés sur la réserve spéciale de 2001-2002 à 2005-2006, auxquels il faut ajouter 1,08 milliard de livres du ministère de la Défense, ce qui fait au total 6,27 milliards de livres jusqu'en 2006. Le total actuel serait donc cette somme augmentée du montant 2006-2007.

49. Jane Perlez, « Britain to Halve Its Force in Iraq by Spring of '08 », *New York Times*, 9 octobre 2007, p. A1.

50. Tableaux des pertes mortelles et non mortelles de l'Opération Herrick (Afghanistan), 7 octobre 2001-3 octobre 2007, ministère de la Défense, Agence des services d'analyse de la défense ; et pertes civiles et militaires britanniques dans l'Opération Telic (Irak), 1er janvier 2003-31 octobre 2007, ministère de la Défense, Agence des services d'analyse de la défense.

51. Sous-secrétaire d'État Derek Twigg, discours à l'assemblée générale annuelle de la Confederation of British Service and Ex-Service Organisations (COBSEO), 25 octobre 2007. Les anciens combattants britanniques ont droit à toute une série d'avantages sociaux, dont des biens d'équipement, des soins de convalescence, un équipement infirmier à domicile, le remboursement de frais de déplacements hospitaliers, des prêts pour l'adaptation des maisons, des remboursements d'ordonnances, l'accès à des soins privés ou à l'étranger dans certains cas, des allocations pour traitement, et le traitement prioritaire. Ceux qui reçoivent une pension militaire peuvent avoir droit à des vêtements, des appareils ménagers, une aide à domicile, des allocations d'invalidité, des frais d'obsèques, des suppléments de mobilité et d'autres avantages sociaux. Les montants varient en fonction des cas particuliers.

52. Ned Temko et Mark Townsend, « The Fresh Agonies of Our Returning Soldiers », *The Observer*, 11 mars 2007.

53. Voir, par exemple, Matthew Hickley, « British Legion Accuses Defence Chiefs of Hiding True Scale of War Casualties », *Daily Mail* (Londres), 17 mars 2007, p. 6. L'article évoque les « plaintes croissantes sur la façon dont on traite les soldats blessés dans les services du NHS [National Health Service], sujet devenu très embarrassant pour le ministère de la Défense » ; les problèmes de l'hôpital Selly-Oak de Birmingham, où arrivent la plupart des victimes ; et la fermeture du vaste réseau d'hôpitaux militaires réservés aux soldats qui existait autrefois dans tout le pays.

54. Jonathan Ungoed-Thomas, « Focus : Our Forgotten Victims », *Sunday Times* (Londres), 11 mars 2007.

55. M. Caplin a indiqué que 3,3 milliards de livres avaient été payées à des fournisseurs de soins privés au Royaume-Uni en 2002-2003 (question 118799 de M. Hoban, *Commons Written Answers, Hansard*, 2003 – *Hansard* est le nom traditionnel des transcriptions imprimées des débats parlementaires en Grande-Bretagne).

56. Rapport 2007 de l'équipe de liaison auprès du chef d'état-major général, cité par Sean Rayment, « Army Chief : Our Forces Can't Carry On Like This », *Sunday Telegraph* (Londres), 18 novembre 2007, p. 1.

57. *Lords Hansard*, 22 novembre 2007.

58. « Recruitment and Retention in the Armed Forces », rapport du comité des Comptes publics de la Chambre des communes, et enquête du National Audit Office ; voir *The Times* (Londres), 3 juillet 2007.

59. Le 3ᵉ bataillon du régiment parachutiste (dont le nom est couramment abrégé en « 3ᵉ Para ») est un bataillon parachutiste d'élite de l'armée britannique.

60. *Lords Hansard*, 22 novembre 2007.

61. Gordon Brown, déclaration du 8 octobre 2007. Le général Peter Wall, chef-adjoint de la défense, aurait dit plus tard au comité de la Défense de la Chambre des communes que les stratèges militaires n'avaient pas jugé possible de réduire les effectifs au-dessous de 2 500 et que des renforts pourraient même être envoyés si la situation sécuritaire se dégrade (voir Kim Sengupta, « Military Planners Doubtful of Early Iraq Withdrawal », *The Independent* [Londres], 24 octobre 2007, p. 8).

62. Keith Hartley, « The Economics of the Iraq Conflict », *VOX : The Periodical of Politics, Economics, and Philosophy*, vol. 1, nᵒ 2, mai 2006.

63. Comité de la Défense de la Chambre des communes, « Cost of Operations in Iraq and Afghanistan », estimation complémentaire pour l'hiver 2007-2008, 27 novembre 2007.

64. Bien que certaines estimations britanniques de la VVS soient bien plus élevées, de l'ordre de 8,8 millions de livres aux prix de 1990 (W.S. Siebert et X. Wei, « Compensating Wage Differentials for Workplace Accidents : Evidence for Union and Nonunion Workers in the U.K. », *Journal of Risk and Uncertainty*, vol. 9, n° 1, juillet 1994, p. 61-76).

65. Energy Information Administration (EIA), *International Petroleum Monthly*, 20 septembre 2007. L'Europe de l'OCDE comprend l'ancienne Europe des quinze (Allemagne, Autriche, Belgique, Danemark, Espagne, Finlande, France, Grande-Bretagne, Grèce, Irlande, Italie, Luxembourg, Pays-Bas, Portugal et Suède), plus la Hongrie, l'Islande, la Norvège, la Pologne, la Slovaquie, la Suisse, la République tchèque et la Turquie.

66. *Ibid.*

67. Comme nous l'avons relevé au chapitre 5, les effets devraient durer bien plus longtemps, au moins jusqu'en 2015, mais nous n'avons inclus dans notre scénario réaliste-modéré que les surcoûts jusqu'en 2010. Certes, les prix élevés auront un certain effet sur la demande de pétrole : ils vont modérer sa croissance ou même provoquer une baisse de la consommation. Néanmoins, en laissant de côté tout impact ultérieur et en ne comptant que 10 dollars par baril, nous avons largement sous-estimé les effets du pétrole.

68. Contrairement au Federal Reserve Board américain, qui se soucie autant de la croissance et de l'emploi que de l'inflation. Et, à la différence des États-Unis, où la mesure qui retient l'attention est celle de la *core inflation*, l'« inflation sous-jacente », c'est-à-dire l'inflation hors des secteurs extrêmement volatils que sont l'agriculture et l'énergie, l'Europe regarde le taux d'inflation global, auquel la hausse des prix du pétrole a contribué.

69. Dette totale de l'État central (en pourcentage du PIB), 2005, *Catalogue des statistiques de l'OCDE 2007*.

70. Ed Crooks et Matthew Green, « Soaring Oil Bills Put Pressure on Africa's Fragile Economies », *Financial Times*, 29 décembre, p. 3.

71. Les dirigeants de plusieurs de ces pays ont beaucoup insisté sur ce point dans des discussions avec Stiglitz.

72. « America's Image in the World : Findings from the Pew Global Attitudes Project », remarques d'Andrew Kohut au comité des Affaires

étrangères de la Chambre des représentants, audition sur « les données des sondages d'opinion mondiaux sur les politiques et les valeurs américaines et sur les Américains », sous-comité des Organisations internationales, des Droits humains et de la Surveillance, 14 mars 2007.

73. Pew Research Center, « Global Unease with Major World Powers : Rising Environmental Concern in 47-Nation Survey », Pew Global Attitudes Project, 27 juin 2007 (http://pewglobal.org/reports/pdf/256.pdf).

74. Kohut, « America's Image in the World : Findings from the Pew Global Attitudes Project ». Ces résultats ont été corroborés par d'autres enquêtes. Un sondage du BBC World Service (effectué par le Program on International Policy Attitudes et commandé par le *Toronto Star* et la *Presse* au Canada, le *Guardian* en Grande-Bretagne, *Reforma* au Mexique et *Haaretz* en Israël) a interrogé mille personnes dans chaque pays à la fin d'octobre 2006. Le résultat le plus frappant, c'est qu'une majorité de la population en Grande-Bretagne, au Canada et au Mexique considère le président George W. Bush comme une menace à la paix mondiale, au même titre que le Nord-Coréen Kim Jong-il et l'Iranien Mahmoud Ahmadinejad – Associated Press, « International Poll Ranks Bush a Threat to World Peace », *International Herald Tribune*, 3 novembre 2006 (http://www.iht.com/articles/ap/2006/11/03/america/NA_GEN_World_Views_of_Bush. php).

75. Kohut, « America's Image in the World : Findings from the Pew Global Attitudes Project ».

76. C'est une idée que même des commentateurs conservateurs ont soulignée. Anne Applebaum, par exemple, a noté que « des pays qui autrefois auraient soutenu la politique étrangère américaine par principe, simplement par solidarité ou par amitié, devront désormais être courtisés, ou payés, pour nous rejoindre. Comptons cela – avec les vies des soldats et des civils, les dollars et le matériel – comme un autre coût de la guerre » (Anne Applebaum, « Why They Don't Like Us », *The Washington Post*, 2 octobre 2007, p. A19).

7

Quitter l'Irak

1. « Corruption Perceptions Index 2007 », *Transparency International*, décembre 2007.

2. Damien Cave, « Nation Staggered by Extent of Theft and Corruption », *New York Times*, 2 décembre 2007, p. A1.

3. Tina Susman, « Insurgents Attack Sleeping Villagers in Iraq », *Los Angeles Times*, 2 décembre 2007, p. A13.

4. Tina Susman, « Solidify the Gains, U.S. Tells Iraqis », *Los Angeles Times*, 3 décembre 2007, p. A3.

5. <www.icasualties.org>.

6. Ahmed Ali et Dahr Jamail, « Iraq Slashes Food Rations, Putting Lives at Risk », Inter Press Service, 27 décembre 2007.

7. Le général Eric Shinseki, entre autres, avait recommandé que le corps expéditionnaire soit beaucoup plus important. Son avis a été ignoré par le secrétaire à la Défense Rumsfeld et d'autres civils. Il est bien connu qu'en privé Colin Powell préconisait d'engager des effectifs plus importants au départ.

8. L'immense majorité des Irakiens (80 %), il est intéressant de le noter, sont convaincus que l'État américain a l'intention de maintenir une présence permanente en Irak (O'Hanlon et Campbell, *Iraq Index*, 3 décembre 2007, p. 54).

9. Selon un sondage mené par Opinion Research Business en mars 2007, 53 % estiment qu'elle s'améliorera considérablement, soit plus du double de ceux qui pensent qu'elle s'aggravera. Et chez les chiites, le déséquilibre était encore plus prononcé : 62 % croyaient à une amélioration, 4 % seulement à une aggravation (O'Hanlon et Campbell, *Iraq Index*, 3 décembre 2007, p. 49).

10. Enquête d'opinion menée par l'institut de sondage basé en Grande-Bretagne Opinion Research Business, rapporté par la BBC dans « Basra Residents Blame UK Troops », 14 décembre 2007, à l'adresse <http://news.bbc.co.uk/2/hi/middle_east/7144437.stm>.

11. Les événements de l'automne 2007 montrent clairement que la Turquie fera ce qu'elle voudra, que nous nous retirions ou non. Il est évident que ni le gouvernement irakien, ni les forces d'occupation américaines ne peuvent contrôler les attaques kurdes contre la Turquie.

12. Comité des Crédits de la Chambre des représentants, rapport 109-388 accompagnant H.R. 4939, « Making Emergency Supplemental Appropriations for the Fiscal Year Ending September 30, 2006, and for Other Purposes », 13 mars 2006.

13. C'est entre autres pour ces raisons que le président Eisenhower – qui avait une expérience directe des horreurs de la guerre – a été prompt à régler le conflit coréen après son entrée en fonctions.

14. *Iraq Study Group Report*, p. 27.

15. O'Hanlon et Campbell, *Iraq Index*, 1er octobre 2007, p. 26.

16. Département d'État, « Iraq Weekly Status Report », 12 septembre 2007.

17. O'Hanlon et Campbell, *Iraq Index*, 21 décembre 2007, p. 26.

18. Les économistes sont souvent attentifs au jugement des marchés financiers. Ils « placent leur argent conformément à ce qu'ils disent », contrairement aux responsables politiques qui risquent l'argent des autres et qui, en général, ont un intérêt personnel à faire croire, par exemple, que leur stratégie fonctionne. Les marchés financiers n'ont pas été particulièrement favorables dans leurs jugements sur l'efficacité de la « montée en puissance ». En fait, les prix des bons d'État irakiens ont chuté, ce qui suggère une probabilité croissante de défaillance financière. Une étude de Michael Greenstone, du MIT, a montré que, après correction pour tenir compte des autres facteurs qui auraient pu influencer les prix de ces bons d'État, cette baisse « indiquait une hausse de 40 % dans l'anticipation par le marché d'une cessation de paiements de l'Irak » (Michael Greenstone, « Is the "Surge" Working ? Some New Facts », document de travail du NBER 13458, octobre 2007, p. 1).

19. O'Hanlon et Campbell, *Iraq Index*, 3 décembre 2007, p. 46, sur la base d'un sondage effectué par D3 Systems pour la BBC, ABC News, la chaîne de télévision allemande ARD et *USA Today* en mars 2007.

20. Les événements récents montrent clairement à quel point ce qui se passe dans la région échappe à notre contrôle. L'état d'urgence imposé par le général Moucharraf au Pakistan laisse les États-Unis isolés dans leur soutien au dictateur au moment où les forces politiques démocratiques du pays se font de plus en plus critiques. Le Commonwealth britannique a suspendu l'adhésion du Pakistan. L'Amérique, censée être entrée en guerre pour promouvoir la démocratie, a critiqué l'instauration de l'état d'urgence, mais, finalement, n'a quasiment rien dit sur la suspension du pouvoir judiciaire. L'assassinat de Benazir Bhutto en décembre 2007 a souligné encore plus à quel point le cours des événements nous échappe.

De même, les tensions à la frontière turco-irakienne sont parvenues au point d'ébullition, avec des attaques kurdes et des contre-attaques turques. Rien n'indique que les États-Unis et le gouvernement irakien soient pleinement capables de contenir les attaques kurdes ou la réaction turque – notamment quand on sait à quel point le soutien à l'Amérique est faible en Turquie.

21. « Il n'y a [...] guère de bonnes nouvelles à rapporter du front politique », conclut l'*Iraq Index* du 1er octobre 2007 (p. 4). 75 % des Irakiens jugent leur position sécuritaire « mauvaise », 91 % « passable » ou « mauvaise » (*ibid.*, 3 décembre 2007, p. 53). Les divisions internes du pays sont manifestes dans les réponses au sondage sur le Premier ministre Nouri al-Maliki. 96 % des sunnites désapprouvent la façon dont il exerce ses fonctions tandis que les deux tiers des chiites l'approuvent (*ibid.*, p. 47).

22. Les économistes appellent cela le « problème de la cohérence temporelle ». Lorsque quelqu'un fait à une certaine date des menaces exécutables plus tard, il faut malgré tout qu'il ait intérêt à les mettre à exécution quand cette date ultérieure arrive. Dans les années 1990, les États-Unis ont menacé d'imposer des sanctions commerciales à la Chine si elle ne se conformait pas à une liste d'exigences en dix points. Cette menace n'avait pas de cohérence temporelle. La Chine n'a pas fait ce qu'on lui demandait, mais à ce moment-là les Américains n'avaient plus intérêt à imposer les sanctions. La Chine le savait d'avance, c'est pourquoi la menace a été inefficace.

23. La spirale désastreuse qui naît des décisions initiales apparaît clairement dans le documentaire de Charles Ferguson *No End in Sight*, qui a obtenu le prix spécial du jury au festival Sundance 2007 et beaucoup d'autres récompenses.

24. Dans les modèles économiques d'équilibre partiel, le comportement des autres (les concurrents, par exemple) est considéré comme une donnée de fait, que l'action de l'entreprise qui utilise le modèle ne modifie pas.

25. Au début de l'année 2006, 88 % des sunnites approuvaient les attaques contre les forces dirigées par les États-Unis ; et 47 % des Irakiens en général (O'Hanlon et Campbell, *Iraq Index*, 3 décembre 2007, p. 54).

26. Même si, nous l'avons vu, elle ne rend publique qu'une partie des chiffres.

27. Burnham *et al.*, « Mortality After the 2003 Invasion of Iraq : A Cross-sectional Cluster Sample Survey ». Cette étude a été longuement analysée au chapitre précédent.

28. Nous avons pensé à tort qu'en punissant ceux qui soutenaient l'insurrection nous allions dissuader les Irakiens de la rejoindre. Mais, comme notre analyse le montre bien, l'exactitude avec laquelle on sanctionne est très importante.

29. Un grand nombre de politiques ont eu pour effet d'accroître le nombre et l'efficacité des insurgés ; ils sont donc de plus en plus apparus comme des vainqueurs probables, ce qui a encore renforcé le succès concret de l'insurrection.

30. Les stratégies de dissuasion de la guerre froide reposent sur les modèles rationnels de la « théorie des jeux ». Il est clair que, pour l'essentiel, ils ne sont guère pertinents dans un monde où l'une des parties croit à la vertu du sacrifice de ses propres vies.

31. O'Hanlon et Campbell, *Iraq Index*, 3 décembre 2007, p. 22.

32. Le Dr Salam Ismaël apparaît aux côtés du chirurgien-chef américain de Landstuhl, le Dr Gene Bolles, dans le documentaire indépendant *Healing Iraq : A Tale of Two Doctors*, réalisé par Kevin Kelley (2006).

8
Tirer les leçons : réformes pour l'avenir

1. Pour une analyse plus générale des échecs du système américain des « freins et contrepoids », voir Frederick A.O. Schwarz, Jr., et Aziz Huq, *Unchecked and Unbalanced : Presidential Power in a Time of Terror*, New York, The New Press, 2007.

2. Cf. l'analyse du rôle crucial de Tony Blair au chapitre 6.

3. Patrick Moynihan a évoqué éloquemment les dangers – et les abus – du secret. Voir Daniel Patrick Moynihan, *Secrecy : The American Experience*, New Haven, Yale University Press, 1999. Les États-Unis ont renforcé leur Freedom of Information Act après la révélation publique des abus de pouvoir de Nixon. La Suède a reconnu le « droit de savoir » de ses citoyens il y a plus de deux cents ans.

4. Greg Jaffe, « Balancing Act : As Benefits for Veterans Climb, Military Spending Feels Squeeze », *Wall Street Journal*, 25 janvier 2005, p. A1.

5. Le Congrès a été complice du recours aux crédits complémentaires d'urgence : ils ont permis aux parlementaires d'éviter, eux aussi,

de voter d'énormes crédits pour la guerre. Eux aussi ont cru, semble-t-il, pouvoir gagner quelque chose à ce recul de la responsabilité financière.

6. Chief Financial Officers Act, PL 101-576, 15 novembre 1990, et Financial Management Integrity Act, PL 97-255, 8 septembre 1982.

7. La loi Sarbanes-Oxley a rendu les dirigeants des firmes privées faisant un appel public à l'épargne personnellement responsables de la comptabilité de leur entreprise. Il est frappant que les dirigeants des pouvoirs publics ne soient pas tenus au même degré de responsabilité financière.

8. C'est une exigence du Federal Managers Financial Integrity Act de 1982.

9. La loi Sarbanes-Oxley impose des sanctions pénales, mais nous ne préconisons pas de sanctionner au pénal les responsables gouvernementaux, parce qu'ils ont moins de contrôle sur les actifs financiers que leurs homologues du secteur privé.

10. Le Congrès s'est, de temps à autre, attaqué à ces problèmes, et il a tenté d'améliorer la qualité de l'information, par exemple en créant un Congressional Budget Office indépendant pour lui fournir des évaluations sur les coûts des projets de l'exécutif. Certains des anciens directeurs du CBO, comme Alice Rivlin et Robert Reischauer, ont joué admirablement leur rôle.

11. Département des Anciens combattants, « Fact Sheet : America's Wars », et David Segal et Mady Wechsler Segal, « America's Military Population », *Population Bulletin*, vol. 59, n° 4, décembre 2004.

12. Robert Hormats, dans son excellent livre *The Price of Liberty : Paying for America's Wars*, New York, Times Books, 2007, explique le rôle important que les contraintes budgétaires ont joué, historiquement, pour mettre un frein aux ambitions impériales et aux ardeurs guerrières des rois.

13. Si l'on divise les 3 000 milliards de dollars de la guerre par le nombre de ménages américains, on trouve pour chacun d'eux un coût de plus de 25 000 dollars : c'est le fardeau financier qui pèsera sur la famille américaine moyenne à cause de la guerre.

14. Cette proposition contredit certains raisonnements techniques de la science économique, selon lesquels il faut au contraire répartir sur un grand nombre d'années le coût des dépenses inhabituelles comme les guerres (c'est ce qu'on appelle « le lissage de la consommation »).

Dans le cas d'une conflagration majeure comme la Seconde Guerre mondiale, qui était une guerre subie et non choisie, l'argument est fort. Mais l'intérêt d'obliger ceux qui déclenchent délibérément une guerre à en supporter davantage les coûts est un argument d'économie politique qui nous paraît encore plus fort.

15. Voir réforme 12, p. 241.

16. Les montants mensuels pourraient être ajustés à la baisse, mais nous ne devons pas demander le remboursement de sommes déjà payées, même si les vérifications ultérieures montrent que le versement doit être plus faible.

17. National Institute of Medicine, *A 21st Century System for Evaluation Veterans Disability Benefits*, Michael McGeary (éd.) *et al.*, Washington, DC, The National Academies Press, 2007.

18. Selon le Homelessness Research Institute, les anciens combattants représentent 11 % de la population américaine mais 26 % des sans domicile fixe (Mary Cunningham, Meghan Henry et Webb Lyons, « Vital Mission : Ending Homelessness Among Veterans », Homelessness Research Institute, National Alliance to End Homelessness, 8 novembre 2007, à l'adresse <http://www/naeh.org/content/article/detail/1839>).

19. Tom Philpott, « Bitter Split Over Making VA Care Open to All Veterans », *Military Update*, 23 juin 2007.

20. Les niveaux effectifs des plafonds de ressources varient selon les régions, mais ils se situent en moyenne entre 35 000 dollars et 40 000 dollars par an.

21. Département des Anciens combattants, « Seamless Transition Task Force Year End Report », décembre 2004, réalisé par le « Groupe de travail sur la transition en douceur des militaires de retour » que dirige l'ex-secrétaire aux Anciens combattants Anthony Principi.

22. Une étude du National Priorities Project indique que le nombre de recrues issues du quintile supérieur a diminué depuis 2003 ; qu'en 2004, ceux qui avaient un « niveau de fin du secondaire » (et non un diplôme du secondaire) représentaient 13,1 % des nouveaux engagés ; et qu'aujourd'hui ils sont 26,7 % (National Priorities Project, « Military Recruiting 2006 », décembre 2006, à l'adresse <http://www.nationalpriorities.org/Publications/Military-Recruiting-2006.html>, consulté le 5 décembre 2007).

23. « Déclaration de principes pour des relations à long terme de coopération et d'amitié entre la République d'Irak et les États-Unis d'Amérique », Maison-Blanche, 26 novembre 2007, signée par George W. Bush (président des États-Unis) et Nouri Kamel al-Maliki (Premier ministre de la République d'Irak).

Note méthodologique

1. « Saddam's Oil », *Wall Street Journal*, 16 septembre 2002, p. A14.

2. Bob Woodward, « Greenspan : Ouster of Hussein Crucial for Oil Security », *The Washington Post*, 17 septembre 2007, p. A3.

3. Voir Alan Greenspan, *The Age of Turbulence : Adventures in a New World*, New York, Penguin Press, 2007, p. 463 ; trad. fr. de Thierry Piélat et Georges Nicolas, *Le Temps des turbulences*, Paris, J.-C. Lattès, 2007, p. 588.

4. Andrew E. Kramer, « Iraq, with U.S. Support, Voids a Russian Oil Contract », *New York Times*, 4 novembre 2007, p. A4.

5. Joshua Partlow, « Missteps and Mistrust Mark the Push for Legislation », *Washington Post Foreign Service*, 5 septembre 2007, p. A12, à l'adresse : <http://www.washingtonpost.com/wp-dyn/content/article/2007/09/04/AR2007090402190.html>.

6. En 2003, la consommation de pétrole de la Chine a augmenté de 153 millions de barils, soit de 8 %, après une augmentation de 5 % en 2002. Certains analystes pétroliers ont effectivement sous-estimé non seulement la demande en pétrole de la Chine et de l'Inde mais aussi celle des États-Unis, qui a augmenté d'environ 268 millions de barils en 2003, soit de 6 %, alors qu'elle avait baissé en 2002. Mais la prédiction *modérée* des importations de pétrole brut pour 2003 qu'avait donnée, en 2001, le modèle de l'Energy Information Administration était parfaitement exacte, et la consommation réelle a été nettement inférieure aux projections de son scénario de croissance forte (<http://tonto.eia.doe.gov/dnav/pet/hist/mttimus1A.htm>, consulté le 6 octobre 2007).

7. En fait, les coûts d'extraction en Irak (sans les problèmes de sécurité), en Arabie Saoudite et ailleurs au Moyen-Orient sont bien inférieurs à 20 dollars le baril. Les coûts d'extraction (de « levage »)

en Irak, si l'on ignore les problèmes de sécurité, sont très faibles, ils ont été estimés à 1 dollar le baril, et dans le reste du Moyen-Orient ils se situent au-dessous de 5 dollars le baril (probablement entre 1 et 2,5 dollars le baril). À des prix de l'ordre de 45 à 55 dollars, de nombreuses sources alternatives (schistes bitumineux, sables bitumineux) deviennent rentables (selon certaines estimations, le coût total de la « fonte » d'un *gallon* de pétrole hors des sables bitumineux de l'Alberta est bien moins élevé). Mais développer ces alternatives exigera de lourds investissements à long terme, et c'est risqué : si un semblant de stabilité peut être restauré au Moyen-Orient, les prix du pétrole retomberont et les investisseurs feront des pertes (voir Peter Huber et Mark Mills, « Oil, Oil, Everywhere... », *Wall Street Journal*, 27 janvier 2005, p. A13).

8. Comme nous l'avons indiqué à la note 7 du chapitre 5, les marchés à terme pensent que le prix du pétrole restera au-dessus de 80 dollars jusqu'en 2015.

9. La hausse des prix qui a immédiatement suivi la guerre peut être en partie attribuée directement à l'Irak, puisque le volume de brut que ce pays mettait sur les marchés mondiaux dans le cadre du programme « pétrole contre nourriture » s'était considérablement réduit (de près d'un million de barils par jour). Les prix du pétrole avaient, bien sûr, augmenté dès avant la guerre, car on anticipait ses effets, si bien que les coûts de la guerre ont commencé avant la guerre. L'Irak produisait 3,5 millions de barils par jour en 1990, avant la guerre du Golfe, et l'on dit qu'il possède l'une des plus vastes réserves de pétrole du monde. Avant la guerre, il exportait 1,7 à 2,5 millions de barils par jour. Depuis, les exportations ont considérablement varié – descendant jusqu'à 1,05 million de barils par jour en janvier 2006 et montant jusqu'à 1,42 million de barils par jour en novembre 2007 – mais toujours au-dessous de leur niveau d'avant la guerre (O'Hanlon et Campbell, *Iraq Index*, 3 décembre 2007, p. 34).

Il y a un autre aspect de la dynamique des prix pétroliers où la guerre a joué un rôle. La hausse des prix du pétrole incite parfois les producteurs existants à moins produire et même à moins investir dans le développement de leur production. Ils comprennent que l'*élasticité de la demande* est faible (si bien que de petites réductions de l'offre peuvent engendrer de grosses augmentations de prix), et ils ont donc une véritable incitation à restreindre la production ; mais il est souvent difficile pour eux d'agir de façon aussi concertée qu'ils le devraient (du point de vue de leur propre intérêt). Quand les prix du pétrole sont élevés, ils n'ont pas besoin d'avoir encore plus de recettes publiques. En fait, ils ont souvent des difficultés à bien dépenser ce qu'ils ont. Pour eux, il est plus judicieux de garder leurs ressources sous terre — cela peut leur apparaître comme l'« investissement » qui rapporte le plus.

10. Voir Alan Blinder et Robert Wescott, « Higher Oil Prices Will Hurt the U.S. Economy », article inédit, août 2004, fondé sur des simulations modélisées de Global Insight Inc., résultats de simulation fournis le 9 août 2004 (que la fonction « réaction de politique monétaire » ait été engagée ou désengagée, les résultats restaient fondamentalement les mêmes) ; et Macroeconomic Advisers, LLC, résultats de simulation fournis le 2 août 2004.

11. Voir Fonds monétaire international, « The Impact of Higher Oil Prices on the Global Economy », 8 décembre 2000, préparé par le personnel de son service de la recherche sous la direction de Michael Mussa.

12. Une des études de base, celle de James D. Hamilton (« What Is an Oil Shock ? », *Journal of Econometrics*, vol. 113, avril 2003, p. 363-398), estime que, *dans le passé*, une hausse de 10 % du prix du pétrole s'est accompagnée d'une baisse de 1,4 % du PIB. Une augmentation de 5 dollars (20 %) du prix du pétrole implique donc une baisse de 2,8 % du PIB, soit approximativement de 300 milliards de dollars *par année où les prix du pétrole restent à ce niveau*. S'ils le font pendant cinq ans, cela coûtera 1 500 milliards de dollars. L'analyse de Hamilton est en cohérence avec un multiplicateur du prix du pétrole très supérieur à celui des travaux antérieurs. L'étude plus récente de Hamilton et Herrera (2004) suggère qu'une hausse de 10 % du prix du pétrole conduit à une réduction du PIB de 0,5 à 0,6 point, ce qui reste très supérieur aux chiffres que nous utilisons (James Hamilton et Ana Maria Herrera, « Oil Shock and Aggregate Macroeconomic Behavior : The Role of Monetary Policy », *Journal of Money, Credit, and Banking*, vol. 36, n° 2, avril 2004, p. 265-286).

Petite mise en garde dans l'usage de ces travaux statistiques : beaucoup d'études d'impact de la hausse des prix pétroliers sont fondées sur les expériences des années 1970. Depuis, l'économie mondiale a considérablement changé. À l'époque, le monétarisme était à la mode et les États insistaient énormément sur la lutte contre l'inflation induite par les augmentations du prix du brut. Comme ils y réagissaient en relevant les taux d'intérêt et en durcissant la politique monétaire, ils refroidissaient l'économie. Aujourd'hui, de nombreux pays ont adopté le régime des cibles d'inflation, mais la politique monétaire peut malgré tout amplifier sensiblement les effets négatifs de l'ascension des prix pétroliers (voir l'analyse ci-dessous). De plus, à certains égards, l'économie dépend moins du pétrole qu'à l'époque des premiers chocs pétroliers. En raison de ces changements, les hausses récentes du prix du pétrole ont eu moins d'impact que les hausses comparables des années 1970 (voir William Nordhaus, « Who's Afraid of a Big Bad Oil Shock ? », article élaboré pour le Brookings Institution Panel on Economic Activity, septembre 2007).

13. Pendant toute cette période, l'Europe a connu un chômage élevé et sa production a été nettement inférieure à son potentiel. C'est vrai aussi du Japon pendant l'essentiel de la période.

14. En théorie, les décideurs politiques peuvent réagir d'une façon qui contrebalance ou qui accentue l'effet direct de la hausse du prix du pétrole. La réaction de politique monétaire est déterminée par deux facteurs opposés. L'ascension des prix pétroliers engendre des pressions inflationnistes et, notamment dans les banques centrales uniquement préoccupées de l'inflation, cette situation conduit à un relèvement des taux d'intérêt qui exacerbe le ralentissement de l'économie. En revanche, *si* les banques centrales se concentrent sur la demande globale et sur le chômage, il est concevable que la politique monétaire puisse contrebalancer les effets négatifs de la hausse du prix du pétrole. Si elle les compense complètement, le seul impact (à court terme) serait l'effet de transfert évoqué plus haut.

En général, la politique budgétaire (les prélèvement fiscaux, par exemple) ne s'ajuste pas assez rapidement pour stabiliser l'économie, et l'impact des stabilisateurs automatiques intégrés (la stimulation de la demande globale qu'assure automatiquement, par exemple, l'indemnisation du chômage quand l'économie s'affaiblit) se reflète dans les multiplicateurs analysés ailleurs. Là aussi, il y a deux effets. Pour les pays qui ont des dépenses publiques fixes, hausse du prix du pétrole signifie baisse des achats de produits nationaux, ce qui exerce un effet dépressif sur l'économie. En revanche, pour les pays qui mènent d'actives politiques budgétaires contre-cycliques, celles-ci peuvent contrebalancer le ralentissement de l'économie : l'État peut réduire les impôts pour stimuler la demande.

Dans le texte, nous avons soutenu que, pendant l'essentiel de la période, la Federal Reserve a paru se préoccuper davantage du chômage fort et de la croissance faible que de l'inflation ; elle a maintenu les taux d'intérêt à bas niveau pour compenser les impacts négatifs sur l'économie – avec des conséquences que nous payons aujourd'hui.

15. Au Japon, en revanche, où les taux d'intérêt sont de toute manière proches de zéro et où la politique budgétaire est allée jusqu'aux dernières extrémités, les réactions de politique monétaire ou budgétaire que l'on peut attribuer à la hausse du prix du pétrole sont probablement limitées.

Les réactions européennes ont été à l'opposé de celles des États-Unis. Avec la baisse agressive des taux d'intérêt, l'économie américaine a beaucoup moins ralenti qu'elle ne l'aurait fait autrement. De fait, certaines estimations économétriques simplifiées récentes pour les États-Unis suggèrent un petit multiplicateur – aussi réduit, même, que 1,0. Mais cette analyse se concentre uniquement sur les impacts *à court terme*. Les politiques monétaires agressives sont capables de compenser les effets négatifs – et elles l'ont peut-être fait – *à court terme*. Mais elles ont des coûts à long terme importants. En réalité, les coûts ont été simplement remis à plus tard – et, parce qu'ils ont été différés, ils risquent d'être encore plus lourds.

16. Ces effets de rétroaction dynamiques sont même présents dans les revenus de la première année : la hausse de l'épargne cette année-là entraîne une hausse de la richesse l'année suivante, et cette richesse accrue conduit à une production accrue (si la production est sensible à la demande). Mais les consommateurs rationnels le comprendront (voir J. Peter Neary et Joseph E. Stiglitz, « Toward a Reconstruction of Keynesian Economics : Expectations and Constrained Equilibria », *Quarterly Journal of Economics*, vol. 98, supplément, 1983, p. 199-228).

Considérons un modèle simple à deux périodes où la hausse de l'épargne dans la période présente conduit à une consommation accrue dans celle qui suit. Dans les manuels élémentaires standard, qui se concentrent sur une seule période, le multiplicateur est $1/e$, ou e est le taux d'épargne ; quand on introduit l'impôt, le multiplicateur devient $1/m$, où $m = e (1 - i)$. Mais le multiplicateur des *deux périodes* (Y1

+ Y2) – autrement dit, la hausse du PIB sur *les deux* périodes qui accompagne une hausse des dépenses (disons, de l'investissement) dans la première – est beaucoup plus importante : $(1 + \alpha \ (1 + t)) / m$, où α est la propension marginale à consommer née de cette richesse et t le taux d'intérêt. Dans un modèle de cycle de vie simple sans héritage, où la seule raison d'épargner est de consommer dans de futures périodes, $\alpha = 1$, donc le multiplicateur a plus que doublé. L'analyse faite ici postule que l'économie opère au-dessous de son potentiel, c'est-à-dire qu'il y a un problème de manque de demande globale. Certains ont soutenu que l'économie des États-Unis fonctionnait à proximité de son potentiel dès 2005. Nous avons argumenté contre ce point de vue, mais les effets macroéconomiques dans un modèle contraint par l'offre pourraient ne pas être bien différents. Quand les contraintes d'offre sont strictes à certaines périodes mais pas à d'autres, les particuliers peuvent déplacer leur consommation vers les périodes où elles ne le sont pas ; donc, l'effet net n'est peut-être pas si différent de ce qu'il aurait été si les contraintes de demande l'avaient toujours emporté.

17. Si ces modèles prédisent que les effets ne sont pas intégralement ressentis dans l'immédiat, ils prédisent aussi qu'ils sont ressentis même après que les prix sont retombés. Nos calculs ignorent le déroulement temporel des impacts. Les chocs pétroliers ont des effets différents de beaucoup d'autres chocs (et probablement supérieurs), puisqu'ils frappent tous les pays industriels avancés simultanément.

18. Nous estimons même que les très gros multiplicateurs implicites dans l'étude de Hamilton ne sont pas invraisemblables, notamment lorsqu'on tient compte des réactions potentielles des banques centrales.

19. 2003 : 6,0 % ; 2004 : 5,5 % ; 2005 : 5,1 % ; 2006 : 4,6 % (moyenne : 5,3 %) [Bureau of Labor Statistics, « Employment status of the civilian non-institutional population » (Situation par rapport à l'emploi de la population civile qui ne réside pas en « institution » collective), à l'adresse <www.bls.gov/cps/cpsaat1.pdf>].

20. En 2006, le nombre d'actifs officiellement sans emploi était de 7 millions, donc plus élevé qu'en 2000 où il était de 5,7 millions. Mais il y avait aussi les individus officiellement classés comme « actifs découragés » (ceux qui s'étaient retirés de la population active, donc n'étaient plus comptabilisés comme « sans-emploi ») : ils étaient 381 000, près de 50 % de plus qu'en 2000. Ajoutons 1,5 million

d'autres dont les liens avec la population active étaient assez marginaux pour qu'on ne les y inclue pas (il leur était arrivé de chercher du travail dans les douze derniers mois, ou depuis la fin de leur dernier emploi s'ils en avaient eu un dans les douze derniers mois, mais ils n'étaient pas comptés comme « sans-emploi » parce qu'ils n'en avaient pas cherché dans les quatre dernières semaines avant l'enquête) ; cette catégorie aussi avait augmenté depuis 2000 (elle était alors de 1,16 million). Le nombre des sous-employés – ceux qui travaillent à temps partiel parce qu'ils ne peuvent avoir un emploi à temps plein – était monté de près de 25 % : il atteignait 2,1 millions. De plus, les effectifs de ceux qui se mettaient en invalidité avaient grossi – au-delà de ce que laissait présager la croissance normale de la population active – et beaucoup avaient pris leur retraite plus tôt qu'on ne s'y serait attendu. Un peu plus de 500 000 personnes s'étaient inscrites dans les programmes publics de formation (et d'autres programmes de l'État) : on ne les comptabilisait donc pas comme sans emploi. Enfin, 300 000 personnes étaient en prison (15 % de plus en six ans seulement). Globalement, le taux de chômage *effectif* avait augmenté de 1,65 %, près de trois fois l'augmentation officielle (0,63 point). Avec un chômage total (réel et déguisé) de 2,5 millions de personnes, on voit mal comment on pourrait prétendre que l'économie tournait au maximum de ses potentialités. (Sources des calculs : Center on Budget and Policy Priorities ; 2007 Earned Income Tax Credit Outreach Kit ; Center for Economic and Policy Research ; et Bureau of Labor Statistics.)

21. Selon le Bureau of Labor Statistics, si la productivité du travail (production horaire dans le secteur des entreprises non agricoles à but lucratif) s'est accrue de 18,8 % de 2001 au troisième trimestre 2007, la rémunération horaire, en termes réels (compte tenu de l'inflation), n'a augmenté que d'environ 10,5 %. De la fin mars 2003 à la fin septembre 2007, la hausse de la productivité a été légèrement supérieure à 10,7 %, mais celle de la rémunération horaire a été inférieure à 7,2 %.

22. C'est vrai même avec la politique monétaire très laxiste qu'a suivie la Federal Reserve – politique qui, si elle a pu compenser partiellement les effets négatifs à court terme, va probablement provoquer d'importants effets macroéconomiques négatifs à moyen terme.

Si le taux de chômage *officiel* avait été réduit à 3,8 %, l'emploi aurait augmenté en moyenne d'environ 1,5 % pendant la période. En général, une baisse d'un point du taux de chômage entraîne une hausse de deux à trois points de la production (on appelle ce rapport la loi d'Okun – elle doit son nom à Arthur Okun, président du Council of Economic Advisers du président Johnson et ancien professeur d'économie à Yale, qui a énoncé le premier la relation entre les variations du taux de chômage et celles du PIB). Cette réduction du chômage aurait donc eu pour effet une augmentation de la production annuelle de l'ordre de 338 à 506 milliards de dollars, bien supérieure aux montants que nous envisageons ici.

Nous avons effectué une analyse année par année du PIB manquant, l'écart entre le PIB réel et le PIB potentiel, à l'aide d'une hypothèse prudente sur le taux de chômage auquel l'inflation commence à augmenter (nous avons retenu 4 %, au lieu du taux de 3,8 % auquel était tombé le chômage dans les années 1990) et d'une évaluation prudente de la loi d'Okun (nous avons postulé un coefficient de 2 alors que l'estimation initiale d'Okun était 3). Tous les ans, le PIB manquant est supérieur aux montants inclus dans notre analyse des macro-impacts issus des effets conjoints de la hausse des prix pétroliers et des impacts budgétaires de la guerre, dans notre scénario réaliste-modéré. Pour les années futures (dans toute la période pour laquelle nous avons calculé les impacts macroéconomiques à court terme), nous avons utilisé les projections de l'Economist Intelligence Unit.

23. Voir, par exemple, Rebecca Rodriguez et Marcelo Sanchez, « Oil Price Shocks and Real GDP Growth : Empirical Evidence for Some OECD Countries », *Applied Economics*, vol. 37, 2005, p. 201-228.

24. Les coûts d'ajustement contribuent à expliquer pourquoi les fortes hausses imprévues des prix du pétrole ont (proportionnellement) des effets négatifs beaucoup plus importants que les hausses plus réduites et anticipées. Cela suggère que les chocs pétroliers liés à la guerre d'Irak risquent d'être particulièrement coûteux : voir Hillard Huntington, « Crude Oil Prices and U.S. Economic Performances : Where Does the Asymmetry Reside ? », *Energy Journal*, vol. 19, n° 4, octobre 1998, p. 107-132, et Joint Economic Committee, *War at Any Price ?*

25. Une grande partie du budget de fonctionnement de l'État fédéral n'est pas discrétionnaire. Des dépenses comme celles de la Social Security et de Medicare sont automatiques, elles dépendent simple-

ment du nombre de personnes qui y ont droit. Donc, lorsque le financement de la guerre d'Irak oblige à comprimer d'autres dépenses publiques, les dépenses d'investissement sont en général parmi les plus touchées.

26. C'est vrai même s'il y a un écart entre production réelle et production potentielle. À long terme, la production réelle tend à augmenter quand la production potentielle augmente, même s'il reste un écart entre les deux.

27. Le PIB comprend, certes, la valeur des soldes, les « salaires » payés aux militaires ; il y a toutefois des raisons de penser qu'un important pourcentage au moins des soldats réservistes et gardes nationaux subissent une baisse de revenus (cf. chap. 3). Mais même s'il n'y avait aucune baisse, les salaires sont en général inférieurs à la valeur de leur productivité, en raison par exemple des impôts, dont ceux destinés à la Social Security. Il y a donc un effet négatif *direct* sur le PIB.

28. Et nous avons aussi remarqué que certains conjoints peuvent être obligés de sortir de la population active, ou de passer à un emploi à temps partiel, parce qu'ils ne bénéficient plus des activités de soutien de leur partenaire.

29. C'est l'idée-force de la « nouvelle économie de la croissance » – voir, par exemple, Paul Romer, « Increasing Returns and Long-Run Growth », *Journal of Political Economy*, vol. 94, n° 5, octobre 1986, p. 1002-1037, et Robert Lucas, « On the Mechanics of Economic Development », *Journal of Monetary Economics*, vol. 22, n° 1, juillet 1988, p. 3-42.

30. Si l'économie avait vraiment une contrainte d'offre, l'absence de ces actifs contribuerait à l'apparition de goulots d'étranglement.

31. Allen Sinai, « Wars and the Macroeconomy : The Case of Iraq », article présenté à une réunion de l'American Economic Association/ Economists for Peace and Security, 8 janvier 2005.

32. Voir F.P. Ramsey, « A Mathematical Theory of Saving », *Economic Journal*, vol. 38, 1928, p. 543-559.

33. La valeur actualisée de la perte de revenu quand on n'a pas fait un investissement I rapportant un retour de g à un taux d'actualisation de r est Ig/r. Si $g = r$, la valeur du revenu perdu est égale à celle de l'investissement. Mais si, comme c'est plus probable, le taux d'actualisation est inférieur au coût d'opportunité – ce sera le cas s'il y a un

impôt sur le capital, ou des contraintes sur l'investissement –, la valeur du revenu perdu dépasse celle de l'investissement lui-même.

Par exemple, si $g = 7$ % et $r = 4$ % (ce qui se passe pour des valeurs plausibles du taux d'imposition du capital), la valeur de la perte de revenu dépasse de 75 % celle de l'investissement, donc 1 000 milliards de dollars de « manque à investir » induisent un « manque à gagner » de 750 milliards de dollars *en plus de la valeur de l'investissement lui-même* ; si $g = 8$ % et $r = 4$ %, la valeur du revenu perdu est supérieure de 1 000 milliards de dollars à la valeur de l'investissement.

34. Pour des analyses sur le taux d'actualisation adapté aux investissements à long terme, voir J.E. Stiglitz, « The Rate of Discount for Cost-Benefit Analysis and the Theory of the Second Best », *in* R. Lind (éd.), *Discounting for Time and Risk in Energy Policy*, Baltimore, Resources for the Future, 1982, p. 151-204 ; K.J. Arrow, J.E. Stiglitz *et al.*, « Intertemporal Equity, Discounting, and Economic Efficiency », chap. 4, *in* J. Bruce, H. Lee et E. Haites (éd.), *Climate Change 1995 : Economic and Social Dimensions of Climate Change*, Cambridge, Cambridge University Press, 1996, p. 21-51, 125-144 ; trad. fr. sous la responsabilité du CIRED, *Le Changement climatique : dimensions économiques et sociales*, Paris, Dossiers et débats pour le développement durable, 1997 ; et William R. Cline, *The Economics of Global Warming*, Washington, DC, Peterson Institute for International Economics, 1992.

Table des matières

DÉJÀ PARU AUX ÉDITIONS FAYARD

Philippe Aigrain
Cause commune. L'information entre bien commun et propriété, 2005 (coll. « Transversales »).
Benjamin Barber
L'Empire de la peur. Terrorisme, guerre, démocratie, 2003.
Comment le capitalisme nous infantilise, 2007.
Maude Barlow, Tony Clarke
*La Bataille de Seattle. Sociétés civiles
contre mondialisation marchande*, 2002.
L'Or bleu. L'eau, le grand enjeu du XXIᵉ siècle, 2002.
Agnès Bertrand, Laurence Kalafatides
OMC, le pouvoir invisible, 2002.
Walden Bello
La Fin de l'Empire. La désagrégation du système américain, 2006.
Jean-Paul Besset
Comment ne plus être progressiste... sans devenir réactionnaire, 2005.
Noam Chomsky
De la propagande. Entretiens avec David Barsamian, 2002.
Le Profit avant l'homme, 2003.
*Pirates et Empereurs. Le terrorisme international
dans le monde contemporain*, 2003.
*Dominer le monde ou sauver la planète ? L'Amérique
en quête d'hégémonie mondiale*, 2004.
La Doctrine des bonnes intentions. Entretiens avec David Barsamian, 2006.
La Poudrière du Moyen-Orient, avec Gilbert Achcar, 2007.
Leyla Dakhli, Bernard Maris, Roger Sue, Georges Vigarello
Gouverner par la peur, 2007 (coll. « Transversales »).
Guy Debord
Panégyrique, t. 2, 1997.
Correspondance, vol. 1 (juin 1957-août 1960), 1999.
Correspondance, vol. 2 (septembre 1960-décembre 1964), 2001.
Correspondance, vol. 3 (janvier 1965-décembre 1968), 2003.
Correspondance, vol. 4 (janvier 1969-décembre 1972), 2004.
Le Marquis de Sade a des yeux de fille..., 2004.
Correspondance, vol. 5 (janvier 1973-décembre 1978), 2005.
Correspondance, vol. 6 (janvier 1979-décembre 1987), 2007.
Correspondance, vol. 7 (janvier 1988-novembre 1994), 2008.
Mireille Delmas-Marty, Edgar Morin, René Passet, Riccardo Petrella, Patrick Viveret
Pour un nouvel imaginaire politique, 2006 (coll. « Transversales »).
Susan George
Le Rapport Lugano, 2000.
Un autre monde est possible si..., 2004.
Nous, peuples d'Europe, 2005.
*La Pensée enchaînée. Comment les droites laïque et religieuse
se sont emparées de l'Amérique*, 2007.
Edward Goldsmith, Jerry Mander (dir.)
Le Procès de la mondialisation, 2001.
Alain Gras
*Fragilité de la puissance. Se libérer
de l'emprise technologique*, 2003.
Le Choix du feu. Aux origines de la crise climatique, 2007.
Serge Halimi
Le Grand Bond en arrière. Comment l'ordre libéral s'est imposé au monde, 2004, rééd. 2006.

Ivan Illich
Œuvres complètes, vol. 1, 2004.
La Perte des sens, 2004.
Œuvres complètes, vol. 2, 2005.
Internationale situationniste
Internationale situationniste, 1997.
La Véritable Scission de l'Internationale situationniste, 1998.
Raoul-Marc Jennar
Europe, la trahison des élites, 2004.
Quelle Europe après le non ?, 2007.
Serge Latouche
*Justice sans limites. Le défi de l'éthique
dans une économie mondialisée*, 2003.
Le Pari de la décroissance, 2006.
Roger Lenglet, Jean-Luc Touly
L'Eau des multinationales. Les vérités inavouables, 2006.
Jean-Claude Liaudet
Le Complexe d'Ubu ou la névrose libérale, 2004.
Helena Norberg-Hodge
*Quand le développement crée la pauvreté.
L'exemple du Ladakh*, 2002.
René Passet
L'Illusion néo-libérale, 2000.
*Éloge du mondialisme par un « anti »
présumé*, 2001.
Majid Rahnema
Quand la misère chasse la pauvreté, 2003
(en coédition avec Actes Sud).
Joël de Rosnay
La Révolte du pronétariat. Des mass média aux média des masses,
en collaboration avec Carlo Revelli, 2006 (coll. « Transversales »).
2020. Les scénarios du futur, 2008.
Edward W. Said
Culture et impérialisme, 2001
(en coédition avec *Le Monde diplomatique*).
Culture et résistance, 2004.
D'Oslo à l'Irak, 2005.
Humanisme et démocratie, 2005.
Vandana Shiva
*Le terrorisme alimentaire : comment les multinationales
affament le tiers-monde*, 2001.
Joseph E. Stiglitz
La Grande Désillusion, 2002.
Quand le capitalisme perd la tête, 2003.
Un autre monde. Contre le fanatisme du marché, 2006.
Pour un commerce mondial plus juste (avec Andrew Charlton), 2007.
Roger Sue
La Société contre elle-même, 2005 (coll. « Transversales »).
Aminata Traoré
Le Viol de l'imaginaire, 2002
(en coédition avec Actes Sud).
*Lettre au Président des Français
à propos de la Côte d'Ivoire et de l'Afrique en général*, 2005.
L'Afrique humiliée, 2008.
Patrick Viveret
Pourquoi ça ne va pas plus mal ?, 2005 (coll. « Transversales »).
Jean Ziegler
Les Nouveaux Maîtres du monde et ceux qui leur résistent, 2002.
L'Empire de la honte, 2005.

Photocomposition Nord Compo
Villeneuve-d'Ascq

Impression réalisée sur CAMERON par
BRODARD ET TAUPIN
La Flèche

pour le compte des Éditions Fayard
en avril 2008

Imprimé en France
Dépôt légal : avril 2008
N° d'impression : 47220
35-57-3888-1/01